Bram Stoker

THE JEWEL OF SEVEN STARS

Брэм Стокер

ПРОКЛЯТИЕ МУМИИ

ИЛИ КАМЕНЬ СЕМИ ЗВЕЗД

КНИЖНЫЙ КЛУБ СЕМЕЙНОГО ДОСУГА

Харьков Белгород
2007

ББК 84.7США
С81

Перевод с английского:
«The Jewel of Seven Stars» by Bram Stoker,
Country United Kingdom Publisher Heinemann,
Released 1903

Переводчик *Виталий Михалюк*

Дизайнер обложки *Ольга Сычак*

ISBN 978-966-343-618-0 (Украина) (доп. тир.)
ISBN 978-5-9910-0074-1 (Россия)

Элеоноре и Констанции Хойт

ГЛАВА I

Ночной посыльный

Все казалось таким реальным, что мне почти не верилось, будто это уже случилось раньше. Однако каждое следующее событие происходило не по логике развития — я как бы наперед знал, что произойдет в следующий миг. Так память играет с нами, перемешивая добро и зло, наслаждение и боль, благо и несчастье. Именно благодаря этому жизнь приобретает сладко-горький вкус, а то, что свершилось, становится вечным.

Я вижу, как легкий ялик с поднятыми веслами, замедляя движение, скользит по тихим водам прочь от неистового июльского солнца в прохладную тень, отбрасываемую ветвями старых ив. Я стою в раскачивающейся лодке, она сидит молча, ловкими пальцами отводя надвигающуюся листву и длинные гибкие ветки. Под пологом зелени я вижу воду золотисто-медового цвета и заросший травой берег, играющий всеми оттенками изумруда. И вновь я вижу, как мы сидим в прохладной тени, окруженные мириадами звуков первозданной природы: доносящиеся из-за нашего укрытия и возникающие внутри его, они сливаются в один сплошной умиротворяющий шум, который заставляет забыть, что где-то существует и другой огромный мир, наполненный своими волнениями, тревогами и еще более волнующими радостями. И вновь я вижу, как в этом блаженном уединении юная дева, позабыв все правила чопорного и строгого воспитании, обращаясь ко мне, произносит слова, которые услышишь только в сновидениях. Она рассказывает об одиночестве, наполнившем ее новую жизнь. С грустью она поведала о том, что в их огромном доме все угнетены безмерным богатством ее отца и ее самой, что доверию к ближнему и состраданию там не осталось места и даже лицо ее отца теперь казалось таким же далеким, как и их прошлая деревенская жизнь. И вновь мудрость мужчины и опыт прожитых лет были брошены к ногам молодой женщины. Это как будто произошло по их собственной воле, поскольку осознание своего «Я» не принимало никакого участия в принятии решений, лишь подчиняясь приказу. И вновь быстролетные мгновения начали бесконечно множиться, потому что одной из тайн мира сновидений является возможность слияния и обновления различных реальностей, которые остаются самостоятельными, подобно тому, как игра отдельных музыкантов сливается в прекрасную фугу. Итак, память в моем сне закружилась в безумном танце, все быстрее и быстрее.

Наверное, идеальной безмятежности не бывает. Даже в самом Эдеме среди ветвей Древа Познания добра и зла кажет свою голову змий. Тишина ночи взорвалась грохотом низвергающейся лавины; шипением внезапного наводнения; гудением клаксона автомобиля, оповещающего спящий американский город о своем продвижении по его улицам; грохотом лопастей парохода, плывущего где-то в море...

Что бы это ни было, оно разрушило волшебство моих грез. Зеленый балдахин над нашими головами, сотканный из переплетающихся ветвей и усыпанный алмазами пробивающего сквозь листву света, задрожал в такт непрекращающимся ударам, а неугомонный звон, казалось, не смолкнет никогда...

Неожиданно ворота Сна широко распахнулись, и мои уши уловили причину раздражающих звуков. Пробуждение оказалось прозаично — где-то на улице кто-то стучал в дверь и звонил в дверной звонок.

За время своей жизни в квартире на Джермин-стрит я уже успел привыкнуть к доносящимся с улицы звукам. Ни бодрствуя, ни во сне я не обращал внимания на жизнь своих соседей, какой бы шумной она ни была. Но этот звук был слишком продолжительным, слишком настойчивым и повелительным, чтобы на него можно было не обратить внимания. За этим бесконечным звуком скрывались осмысленные действия, требующие быстроты решений, а за осмысленными действиями — какая-либо срочная нужда или тяжелые душевные переживания. Я не был эгоистом и при мысли о чьей-то нужде я, недолго думая, поднялся с кровати. Инстинктивно я взглянул на часы: было всего три часа утра. Через зеленую штору, закрывавшую окно, просвечивал неровный серый круг. Стало очевидным, что звонят и стучат в дверь именно нашего дома, так же стало очевидным, что в доме не было никого бодрствующего, кто мог бы открыть дверь. Накинув халат и сунув ноги в тапочки, я спустился к двери в прихожей. Когда я открыл ее, то увидел приличного вида грума, который одной рукой настойчиво нажимал на кнопку электрического звонка, а другой непрерывно стучал дверным молотком. В ту же секунду, как он увидел меня, шум прекратился. Одна его рука потянулась к козырьку шляпы, а другой он вынул из кармана письмо. Перед входом стоял изящный экипаж, лошади, впряженные в него, тяжело дышали, будто только что неслись изо всех сил. Рядом стоял привлеченный шумом полисмен, на поясе которого висел все еще зажженный ночной фонарь.

— Прошу прощения за беспокойство, сэр, но я получил четкие указания. Мне велено не терять ни секунды и стучать в дверь и звонить, пока кто-нибудь не откроет. Скажите, сэр, здесь ли проживает мистер Малькольм Росс?

— Мистер Малькольм Росс — это я.

— В таком случае это письмо вам, сэр, и экипаж тоже для вас.

С чувством крайнего любопытства я взял у него письмо. Работая адвокатом, я иногда сталкивался, конечно, с разного рода неожиданностями, в том числе и срочными вызовами, но подобного еще не случалось. Я отступил в глубь коридора, прикрыв дверь, но не захлопнув ее, и включил электрический свет. Письмо было написано незнакомым мне женским почерком. Оно начиналось без обычного вступления типа «Дорогой сэр» или чего-либо в этом роде:

«Вы говорили, что если мне понадобится помощь, вы готовы помочь. Я верю, что вы говорили серьезно. Такой момент настал раньше, чем я ожидала. Я попала в ужасную беду и не знаю, как поступить или к кому обратиться. Было совершено покушение на моего отца. Слава Богу, он жив, но сейчас без сознания. Я вызвала врача и полицию,

но я никому не могу доверять. Если у вас есть такая возможность, приезжайте немедленно и простите меня, если сможете. Думаю, что позже я осознаю, чем буду вам обязана, если вы откликнетесь на мою просьбу, но в эту секунду я не в состоянии трезво мыслить. Приезжайте немедленно!

Маргарет Трелони».

Пока я читал письмо, боль и ликование боролись в моей душе, но главной была мысль о том, что, попав в беду, она обратилась ко мне. Ко мне! Выходит, мой сон о ней был в руку. Я крикнул груму:

— Подождите! Через минуту я выйду! — И побежал наверх. Пары минут хватило, чтобы умыться и одеться, и вот мы уже мчимся по улицам со всей скоростью, на какую способны лошади. В то утро работали базары, и, выехав на Пикадилли, мы увидели бесконечные потоки телег, стекающихся в город с запада, но дальше дороги были свободны, и мы продвигались довольно быстро. Я попросил грума сесть со мной в экипаж, чтобы по дороге он рассказал мне, что произошло. Сев, он положил свою шляпу на колени и держался довольно напряженно. Вот что я услышал:

— Сэр, мисс Трелони послала человека, чтобы тот передал нам ее распоряжение — немедленно готовить экипаж. Когда мы все сделали, она пришла сама, дала мне письмо и приказала Моргану — это извозчик — мчаться. Мне она велела не терять ни секунды и стучать в дверь до тех пор, пока кто-нибудь откроет.

— Да, это я знаю, знаю, вы уже рассказывали! Я хочу узнать, почему она послала за мной. Что произошло в доме?

— Я точно не знаю, сэр, слышал только, что хозяина нашли в его комнате без сознания, с раной на голове, а все простыни залиты кровью. Его не удалось привести в чувство. А нашла его сама мисс Трелони.

— Как могло случиться, что именно она нашла его в такое время? Если я правильно понимаю, все произошло глубокой ночью?

— Я не знаю, сэр, подробностей я не слышал.

Поскольку грум больше ничего не мог мне рассказать, я остановил на минуту экипаж, чтобы дать ему возможность вернуться на свое место, и стал размышлять в одиночестве. В голове роилось еще множество вопросов, которые следовало бы задать слуге, но возможность была упущена, и я разозлился на себя. Однако, поразмыслив, я пришел к выводу, что тактичнее будет все-таки услышать интересующую меня информацию из уст самой мисс Трелони, а не расспрашивать ее слуг.

Не замедляя скорости, мы обогнули Найтсбридж. Мерный шум хорошо отлаженного механизма коляски гулким эхом разносился по улицам в утренней тиши. Мы свернули на Кенсингтонплейс-роуд и наконец остановились у большого дома по левой стороне, который находился, насколько я мог судить, ближе к Ноттинг-хиллу, чем к кенсингтонскому концу улицы. Это был прекрасный дом, благодаря не только своим размерам, но и архитектуре. Даже в тусклом утреннем свете, который зрительно все уменьшает, дом казался огромным.

Мисс Трелони встретила меня в холле, и она вовсе не выглядела подавленной. С видом уверенной в себе хозяйки она раздавала указания, руководя всем происходящим, что не могло не удивлять при ее мертвенной бледности и крайнем возбуждении. В большом холле находились и слуги: несколько стоящих рядом мужчин у входной двери и кучки жмущихся друг к другу женщин в дальних углах зала и у дверей в комнаты. Офицер полиции разговаривал с мисс Трелони, рядом стояли двое в форме и один человек в штатском. Когда она судорожно схватила протянутую мною руку, в ее глазах появилось облегчение. Невольно она даже вздохнула так, будто у нее отлегло от сердца. Ее приветствие было кратким:

— Я знала, что вы приедете.

Рукопожатие может свидетельствовать о многом, даже если в него не вкладывается никакой смысл. Рука мисс Трелони как будто потерялась в моей. Не то, чтобы ее рука была очень маленькая — она была изящной и гибкой, с длинными тонкими пальцами, необычайно красивая; ее ладонь как бы искала убежища в моей. В тот миг меня охватило чрезвычайное волнение, истинную причину которого я осознал позже.

Повернувшись к офицеру, она сказала:

— Это мистер Малькольм Росс.

— Я знаю мистера Малькольма Росса, мисс. Возможно, он помнит, что я имел честь работать с ним над делом о брикстонском монетном дворе.

До того все мое внимание было сосредоточено на мисс Трелони, и я не обращал внимания на офицера.

— Ну конечно же, офицер Долан, я вас прекрасно помню! — воскликнул я, протягивая ему руку. Я не мог не заметить, что факт нашего знакомства немного успокоил мисс Трелони. Я отметил некоторую тревогу в ее взгляде и почувствовал, что ей проще было бы разговаривать со мной наедине. Поэтому я сказал офицеру:

— Возможно, будет лучше, если я поговорю с мисс Трелони с глазу на глаз. Вы, разумеется, уже услышали от нее все, что она могла рассказать, а мне будет легче разобраться в ситуации, если я смогу по ходу рассказа задать какие-то вопросы. Потом, если позволите, я все обговорю с вами.

— Я буду рад помочь вам, чем смогу, сэр, — с воодушевлением откликнулся он.

Следуя за мисс Трелони, я прямо из холла прошел в изысканно обставленную комнату, окна которой выходили в сад за домом. Когда я закрыл за собой дверь, мисс Трелони обратилась ко мне:

— За то, что вы отозвались на мою просьбу, я поблагодарю вас позже, а пока, мне кажется, будет лучше, если вы обо всем узнаете как можно скорее.

— Прошу вас, — обратился я к ней, — расскажите мне все, что знаете, не упуская самых незначительных деталей, какими бы несущественными сейчас они вам ни казались.

Не теряя ни минуты, она начала:

— Меня разбудил какой-то неясный шум. Я не знаю, что это было, но только шум этот проник в мой сон — я проснулась оттого, что у меня бешено колотилось сердце. Я начала вслушиваться в этот шум, и оказалось, что он доносился из комнаты отца. Наши комнаты расположены рядом, и, прежде чем заснуть, я часто слышала, как он ходит по комнате. Он всегда работает допоздна, порой всю ночь напролет; иногда даже, просыпаясь по утрам, я слышала, что он все еще работает. Такая работа не могла не отразиться на его здоровье — однажды я даже попыталась уговорить его отказаться от этой привычки. Но моя попытка не увенчалась успехом, и больше на эту тему я с ним не разговаривала. Вы же знаете, каким строгим и холодным он может быть; по крайней мере, возможно, вы помните, что я вам о нем рассказывала. Страшнее всего, когда он становится вот таким отрешенно вежливым. Знаете, мне намного спокойнее видеть его в гневе, чем спокойным, обдумывающим каждое свое слово. Когда уголки его губ поднимаются и показываются острые зубы, я начинаю чувствовать... Не знаю, как это выразить. Ночью я тихо поднялась с постели и постаралась неслышно подкрасться к двери, потому что ужасно боялась его побеспокоить. Не слышно было ни звука, ни какого-либо движения, ни криков, доносился лишь какой-то странный шум, будто что-то тянули по полу, и еще — тяжелое, медленное дыхание. Боже! Это было ужасно. Ждать там в темноте и тишине, и ощущать страх перед неизвестностью...

Наконец я собралась с духом и, медленно повернув ручку, чуть-чуть приоткрыла дверь. Внутри было очень темно, я смогла различить лишь контуры окон. Но в этой темноте звук дыхания, ставший более громким, пугал еще больше. Пока я вслушивалась, дыхание не прекращалось, но других звуков не было слышно. И тут я резко открыла дверь. Знаете, я побоялась открывать дверь медленно: в ту минуту мне казалось, что за дверью прячется нечто ужасное, готовое броситься на меня! Потом я включила электрический свет и шагнула в комнату. Первым делом я посмотрела на кровать. Одеяла и простыни были скомканы, значит, отец все-таки ложился спать, но ужас охватил меня, когда в самом центре кровати я увидела большое красное пятно, расползавшееся к краям. Пока я на него смотрела, звук дыхания переместился по комнате, и мой взгляд проследовал в том же направлении. Я увидела отца, лежащего на правом боку, с подогнутой под себя рукой, как будто его бесчувственное тело швырнули на пол. Кровавый след тянулся к телу от самой кровати, и вокруг него начинала образовываться темная лужа. Когда я наклонилась, чтобы осмотреть отца, темно-красный цвет крови и поблескивание ее в призрачном свете показались мне ужасными. Он лежал прямо перед дверью большого сейфа. На нем была пижама, левый рукав которой был порван, а его рука была вытянута по направлению к сейфу. Она выглядела ужасно, вся в крови, а вокруг золотого браслета на запястье был вырван или вырезан кусок плоти. Я и не знала, что он носит такой браслет, и была потрясена еще больше.

Ее рассказ на миг прервался, и я, воспользовавшись моментом, решил немного ее успокоить, направив разговор в другое русло.

— Ну, меня это не удивляет. Браслет может носить кто угодно. Однажды я видел судью, приговаривающего человека к смертной казни, и на руке, которую он поднял, зачитывая приговор, блестел золотой браслет.

Она будто вовсе не обратила внимания ни на мои слова, ни на их смысл; однако небольшая пауза несколько успокоила ее, и она продолжила более ровным голосом:

— Я побоялась, что он может истечь кровью, и поэтому незамедлительно позвонила в колокольчик и, выйдя из комнаты, начала звать на помощь изо всех сил. Наверное, очень быстро — хотя мне показалось наоборот, что я ожидала чересчур долго — прибежали слуги, и через какое-то время вся комната заполнилась испуганными людьми в ночных рубашках, с растрепанными волосами.

Мы переложили отца на диван, и миссис Грант, экономка, которая одна среди нас оказалась способной соображать, начала осматривать его, чтобы выяснить, откуда хлещет кровь. Почти сразу стало ясно, что кровь идет из оголенной руки. На ней у запястья была глубокая рана, не такая, которая остается после пореза ножом, а рваная, с неровными краями. Похоже, именно в том месте была задета вена. Миссис Грант завязала на ране носовой платок и крепко затянула его ножом для резки бумаги. Кровотечение сразу же прекратилось. К тому времени я уже почти пришла в себя и кое-как могла собраться с мыслями: одного человека я послала за доктором, а другого за полицией. Когда они ушли, я осознала, что, если не считать слуг, я осталась в доме совсем одна. Я не понимала, что случилось с отцом, что вообще здесь произошло, и мне очень захотелось, чтобы рядом был кто-то, способный мне помочь. И тут я вспомнила о вас и о вашем любезном предложении помощи, которое вы сделали в лодке под ивой. Я тут же, не задумываясь, отдала распоряжение готовить экипаж, быстро набросала записку и отправила ее вам.

Она умолкла. В тот миг мне не хотелось, чтобы она увидела, какие чувства охватили меня. Я взглянул на нее, и, мне кажется, она все поняла, потому что, когда ее взгляд встретился с моим, она несколько секунд не отводила глаз. Потом ее щеки зарделись, как пионы, и она опустила глаза. Преодолев замешательство, она продолжила рассказ:

— Доктор прибыл очень быстро. Грум встретил его, когда тот открывал дверь своего дома. Прибежав сюда, он наложил на руку несчастного отца жгут, а потом отправился домой за необходимыми инструментами. Надеюсь, он с минуты на минуту вернется. Затем прибыл полицейский и отправил сообщение в участок. Следом приехал старший полицейский офицер, а за ним — вы.

Довольно долго мы сидели молча. Потом я решился взять ее за руку, и мы, не произнеся ни слова, открыли дверь и вышли к полицейскому офицеру в холл. Он поспешил к нам, говоря на ходу:

— Я все осмотрел лично и отправил сообщение в Скотленд-Ярд. Видите ли, мистер Росс, в этом деле столько всего непонятного, что я решил, что будет лучше вызвать самого лучшего сыщика из отдела уголовных расследований. Так что в сообщении я попросил как можно скорее прислать к нам сержанта Доу. Вы должны помнить его, сэр, по тому делу об отравлении американца в Хокстоне.

— Разумеется, я его прекрасно помню, — сказал я, — и по этому делу, и по другим. Его сноровка и проницательность уже несколько раз помогали мне. У него поистине блестящий ум. Однажды мне пришлось защищать интересы человека, в невиновности которого я был уверен, и я был рад, что обвинителем выступал сержант Доу.

— Это высокая похвала, сэр, — сказал офицер, довольный собой. — Я рад, что вы одобряете мой выбор и что я сделал правильно, послав именно за ним.

Мой ответ был вполне искренним:

— Лучшего вы сделать не могли. Я не сомневаюсь, что с вашей помощью мы разберемся в том, что произошло, и выясним причины.

Мы поднялись наверх, чтобы осмотреть комнату мистера Трелони: там все было в точности, как описывала его дочь.

Затем раздался звонок, и через минуту в комнату ворвался человек — молодой мужчина с орлиными чертами лица, острыми серыми глазами и широким, выступающим лбом мыслителя. В руке он держал черный пакет, который тут же и открыл. Мисс Трелони представила нас: «Доктор Винчестер, мистер Росс, старший полицейский офицер Долан». Мы кивнули друг другу, и он, не теряя ни секунды, принялся за работу. Все мы внимательно следили, как он обрабатывает рану. В процессе работы он время от времени обращался к офицеру, делая замечания по поводу особенностей раны. Тот тут же вносил заметки в свою записную книжку.

— Смотрите, вот несколько параллельных порезов или царапин, начинающихся на левой стороне запястья и в некоторых местах почти перерезающих лучевую артерию. Вот эти небольшие глубокие рваные раны здесь нанесены как будто тупым орудием. А вот эта, похоже, нанесена чем-то, имеющим форму клина: плоть вокруг будто разорвана поперечным давлением.

Повернувшись к мисс Трелони, он спросил:

— Могу ли я снять этот браслет? Острой необходимости в этом нет, поскольку его можно просто переместить ниже по запястью, где он не будет мешать, но в дальнейшем пациенту без него будет удобнее.

Лицо бедной девушки залила краска, и она тихо ответила:

— Не знаю. Я... Я только недавно переехала жить к отцу, и я пока слишком мало знаю о его жизни и привычках, чтобы разбираться в подобных вопросах.

Внимательно взглянув на нее, доктор очень вежливо произнес:

— Прошу прощения, я не знал. В любом случае вам не стоит из-за этого беспокоиться. В данный момент снимать его необязательно. Если бы это было столь необходимо, я бы сразу сделал это, не спрашивая разрешения. Если потребуется позднее, мы всегда сможем снять его при помощи напильника. Без сомнения, у вашего отца есть основания носить его. Видите? К браслету прикреплен маленький ключик... — при этих словах он взял из моих рук свечу и наклонился, освещая браслет. Потом он передал свечу мне и, сделав знак держать ее именно в таком положении, достал из кармана увеличительное стекло, с помощью которого принялся внимательно изучать браслет. Закончив осмотр, он выпрямился и передал лупу Долану:

— Посмотрите-ка лучше сами. Довольно необычный браслет. Золото нанесено на утроенные стальные звенья; посмотрите там, где оно стерлось. Явно это сделано для того, чтобы браслет невозможно было снять. Для этого потребуется что-то посильнее, чем обычный напильник.

Офицер наклонил свое массивное тело и опустился на колени рядом с диваном, но, в отличие от доктора, не придвигаясь к телу вплотную. Он тщательно осмотрел браслет, медленно поворачивая его, так что ни одна малейшая деталь не осталась без внимания. Затем он поднялся и передал лупу мне.

— Когда посмотрите, пусть взглянет и леди, если хочет, — сказал он и принялся делать какие-то пометки в своей записной книжке.

Я слегка скорректировал его предложение и, протягивая лупу мисс Трелони, предложил:

— Может, сначала посмотрите вы?

Она слегка отклонилась, махнув рукой в знак отказа, и воскликнула:

— О нет! Если бы отец хотел показать мне этот браслет, он непременно сделал бы это. Я не буду смотреть на него без согласия отца.

И затем добавила, очевидно, не желая смущать нас:

— Но, разумеется, вы должны его рассмотреть. Вам необходимо изучить здесь малейшие детали, и я правда очень, очень благодарна вам...

Мисс Трелони отвернулась. Я увидел, что она расплакалась. Мне было понятно, что даже сейчас, переживая такое несчастье, она мучилась от сознания, что знает о своем отце так мало и это невозможно скрыть в такой момент от незнакомых людей. То, что все присутствующие — мужчины, не уменьшало ее неловкости, хотя в какой-то мере приглушало это чувство. Пытаясь понять, что сейчас творится в ее душе, я не мог не прийти к выводу, что она рада видеть в этот момент вокруг себя одних мужчин, ведь женщины намного лучше мужчин разбираются в подобных вещах.

Когда я закончил осмотр, который подтвердил заключение доктора, последний вновь занял свое место у дивана и продолжал оказывать помощь раненому. Старший офицер Долан прошептал мне на ухо:

— По-моему, нам повезло с доктором!

Я кивнул в знак согласия и собрался было добавить еще пару похвальных слов по поводу его проницательности, как раздался негромкий стук в дверь.

ГЛАВА II

Странные указания

Старший офицер Долан спокойно направился к двери с видом человека, который понимает, что он в этой комнате главный. Мы замерли в ожидании. Он осторожно приоткрыл дверь, а потом с явным облегчением широко распахнул ее. В комнату вошел молодой человек. Он был чисто выбрит, высок и подтянут, с яркими живыми глазами на хищном лице. Ему, казалось, хватило одного взгляда, чтобы уловить и зафиксировать в сознании все малейшие детали. Когда он вошел в комнату, старший офицер протянул ему руку, и они приветствовали друг друга крепким рукопожатием.

— Сэр, я прибыл сразу же, как только получил вашу записку. Я рад, что до сих пор пользуюсь вашим доверием.

— И всегда будете им пользоваться, — искренне ответил Долан. — Я еще не забыл наши старые добрые денечки в Боу-стрит* и, уж поверьте, не забуду их никогда!

---

* Боу-стрит — главный уголовный суд в Лондоне, названный по имени улицы, на которой расположен. (*Здесь и далее примеч. перев., если не указано иное.*)

И тут же начал излагать все, что ему было известно на ту минуту. Сержант Доу задал несколько вопросов — совсем немного, лишь те, которые требовались, чтобы правильно понять определенные обстоятельства — но в общем Долан, превосходно знающий свое дело, рассказывал все очень точно, по ходу давая необходимые пояснения. Сержант Доу время от времени осматривал все вокруг, бросая взгляды то на одного из нас, то на что-нибудь в комнате, то на раненого, лежащего без сознания на диване.

Когда старший офицер закончил, сержант повернулся ко мне:

— Сэр, вы, возможно, помните меня. Я работал с вами над тем хакстонским делом.

— Я вас прекрасно помню, — я протянул ему руку.

Вновь заговорил старший офицер:

— Сержант Доу, вы, разумеется, понимаете, что теперь на ваши плечи ложится вся ответственность за это дело.

— Надеюсь, я буду работать под вашим руководством, сэр, — перебил его Доу. Но Долан покачал головой и усмехнулся:

— Мне кажется, что тому, кто будет заниматься этим делом, придется выложиться полностью, напрячь все свои силы, а меня ждут другие дела. Однако я попросил бы вас постоянно держать меня в курсе событий. Если потребуется моя помощь, я с удовольствием помогу!

— Хорошо, сэр, — согласился Доу, тем самым принимая на себя ответственность, и, козырнув старшему офицеру, тут же приступил к расследованию.

Начал он с того, что подошел к доктору и, выяснив его имя и адрес, попросил того написать полный отчет о состоянии пострадавшего, которым он мог бы пользоваться или при необходимости предоставить своему начальству.

Доктор Винчестер кивнул с серьезным видом и пообещал все выполнить. Затем сержант подошел ко мне и вполголоса произнес:

— Ваш доктор производит хорошее впечатление, думаю, мы сработаемся! — Повернувшись к мисс Трелони, он спросил: — Не могли бы вы рассказать о своем отце: его образе жизни, его прошлом, круге интересов, в общем, обо всем, что так или иначе с ним связано.

Я уже хотел вмешаться и сказать сержанту, что мисс Трелони только что сообщила, как мало ей известно об отце, но она заговорила сама, сделав мне предупреждающий знак рукой:

— Увы! Мне почти ничего не известно. Все, что я знаю, я уже рассказала старшему офицеру Долану и мистеру Россу.

— Что ж, мадам, тогда приступим к работе, — доброжелательно согласился сержант. — Начнем с детального анализа происшедшего. Вы сказали, что находились за дверью, когда услышали шум?

— Я была в своей комнате, когда возникли эти странные звуки. Полагаю, в ту секунду в комнате отца все только начиналось. Я сразу же вышла из своей спальни. Дверь в комнату отца была закрыта, и мне было видно всю лестничную площадку и верхние ступени. Если бы кто-то вышел из его комнаты, я бы его обязательно заметила, если вы это хотите узнать.

— Именно это я и хотел выяснить, мисс. Если все, кому что-либо известно, дадут такие же исчерпывающие пояснения, как вы, мы скоро доберемся до истины.

Затем он подошел к кровати, внимательно осмотрел ее и спросил:

— К кровати кто-нибудь прикасался?

— Насколько мне известно, никто, — ответила мисс Трелони, — но лучше будет спросить об этом миссис Грант, нашу экономку, — добавила она, звоня в колокольчик. Когда появилась миссис Грант, мисс Трелони обратилась к ней: — Проходите, эти джентльмены хотят знать, прикасался ли кто-нибудь к кровати.

— Я до нее не дотрагивалась, мадам.

— В таком случае, — мисс Трелони повернулась к сержанту Доу, — к ней не прикасался никто. Или миссис Грант, или я постоянно находились в комнате, а слуги, собравшиеся, когда я позвала на помощь, к кровати и не приближались. Понимаете, отец лежал вот здесь, у большого сейфа, и все столпились вокруг него. Мы очень скоро всех отправили из комнаты.

Доу движением руки попросил нас оставаться в другой стороне комнаты, а сам принялся через увеличительное стекло осматривать кровать, сделанную из тяжелого красного дерева и украшенную искусной резьбой; причем, отворачивая какую-либо складку на белье, после внимательного изучения он аккуратно возвращал ее на свое место. Затем опять же при помощи лупы он принялся изучать пол у кровати, уделяя особое внимание тем местам, где накапала кровь. Дюйм за дюймом, не поднимаясь с колен и тщательно обходя, чтобы не коснуться пятна на полу, он проследовал за кровавым следом до того самого места у сейфа, где лежало тело. Таким образом, он тщательно исследовал все в радиусе нескольких ярдов, но, похоже, не обнаружил ничего, что могло бы привлечь его внимание. После этого он осмотрел переднюю стенку сейфа: вокруг замка, верх и низ двойных дверей, особенно то место, где они соприкасались.

Затем он направился к окнам, закрытым на шпингалеты.

— Жалюзи были закрыты? — спросил он мисс Трелони, как будто ожидая отрицательного ответа, и оказался прав.

Все это время доктор Винчестер занимался своим пациентом. И сейчас он перевязывал раны на запястье, осматривал его голову, горло, прикладывал ухо к груди, чтобы прослушать работу сердца. Несколько раз он касался носом рта бесчувственного человека и принюхивался, каждый раз осматриваясь вокруг, как будто что-то искал и не находил.

Наконец мы услышали громкий строгий голос детектива:

— Насколько я понимаю, целью злоумышленников было вставить этот ключ в замок сейфа. В механизме замка, похоже, есть какой-то секрет, который я не в состоянии разгадать, хотя до того, как поступить в полицию, я год проработал в «Чаббс»*. Чтобы открыть замок, необходимо знать комбинацию из семи букв, но, похоже, закодированы не только буквы, но и сама комбинация. Этот сейф изготовлен в фирме «Четвудс», я обращусь к ним и попытаюсь что-нибудь выяснить.

Затем, повернувшись к доктору с таким видом, будто на сегодня его работа уже была закончена, он спросил:

— Есть ли у вас какие-либо соображения, которые не будут отражены в отчете, доктор? Если вы в чем-то еще сомневаетесь, я могу подождать, но чем раньше я узнаю что-нибудь определенное, тем лучше.

Ответ доктора Винчестера прозвучал незамедлительно:

— С моей точки зрения, выжидать тут нечего. Разумеется, я подготовлю полный отчет. Но пока я хочу расска-

---

* «Чаббс» — известная лондонская фирма по изготовлению замков, названная по имени основателя.

зать все, что мне удалось выяснить — на самом деле не так уж и много, — и все, что я думаю, хотя у меня еще нет полной уверенности. На голове нет ран, которые могли бы послужить причиной ступора, в котором пациент находится в данный момент. Таким образом, я прихожу к выводу, что ему либо могли ввести сильнодействующий наркотик, либо подвергнуть какого-либо рода гипнотическому воздействию. Насколько я могу судить, наркотиков ему не давали, по крайней мере таких, характер воздействия которых мне известен. В этой комнате стоит такой запах мумии, что трудно судить о веществах с едва уловимым ароматом. Вы, очевидно, обратили внимание на специфические египетские запахи: битум, нард, камедь, благовония и так далее. Вполне возможно, что в этой комнате, с более сильными и необычными запахами, и скрывается то вещество или жидкость, которые могли вызвать наблюдаемый нами эффект. Возможно, пациент принял какой-либо наркотик и на одной из фаз беспамятства сам нанес себе раны. Лично я думаю, что это маловероятно, и все обстоятельства, кроме тех, которые я лично изучил, указывают на то, что мои предположения не верны. Но на данный момент этого нельзя исключить и, пока не доказано обратное, не стоит отбрасывать эту версию.

Тут его прервал сержант Доу:

— Может быть, все так и было, но в любом случае нам необходимо найти орудие, которым были нанесены раны на запястье. На чем-то должны были остаться следы крови.

— Вот именно! — воскликнул доктор, поправляя свои очки, словно готовясь вступить в спор. — Но в том случае, если пациент все же принимал наркотик, это могло быть одно из тех веществ, которые начинают воздействовать на организм не сразу, а через некоторое время. Поскольку у нас пока нет полной уверенности — если, разумеется, само это предположение верно, — надо быть готовым ко всему.

Тут в разговор вмешалась мисс Трелони:

— Что касается действия наркотических веществ, вы абсолютно правы, но, по второй части вашей версии, отец сам нанес себе раны уже после того, как наркотик подействовал.

— Совершенно верно! — одновременно сказали детектив и доктор. Она продолжила:

— Поскольку ваше предположение, доктор, не исчерпывает всех возможных вариантов, мы должны учитывать, что и другие предположения могут оказаться правильными. Насколько я понимаю, в первую очередь нужно отыскать оружие, которым были нанесены травмы на руке моего отца.

— Возможно, он спрятал оружие в сейф до того, как потерял сознание, — необдуманно поспешил я высказать вслух только что пришедшую на ум мысль.

— Это исключено, — быстро возразил доктор. — По меньшей мере, маловероятно, — тут же поправил он себя, обращаясь ко мне. — Видите ли, левая рука вся в крови, а на сейфе ни одного пятнышка.

— Да, действительно, — согласился я, после чего в воздухе надолго повисла тишина.

Первым нарушил молчание доктор:

— Нужно найти сиделку, и чем раньше, тем лучше. У меня как раз есть одна на примете. Я сейчас же отправляюсь за ней. Должен попросить вас до моего возвращения не оставлять пациента одного, пусть кто-нибудь постоянно будет рядом с ним. Позже, возможно, потребуется переместить его в другое помещение, но пока лучше оставить его здесь. Мисс Трелони, могу ли я быть уверен, что либо вы, либо миссис Грант останетесь здесь — не просто в комнате, а непосредственно рядом с пациентом — до моего возвращения?

Она утвердительно кивнула и присела на стул рядом с диваном. Доктор дал ей указания относительно того, что нужно делать, если пациент придет в себя в его отсутствие.

Следующим откланялся старший офицер Долан. Подойдя к сержанту Доу, он сказал:

— Я, пожалуй, вернусь в участок, если, разумеется, вы не хотите, чтобы я еще какое-то время побыл здесь.

На что Доу ответил вопросом:

— А Джонни Райт все еще служит в вашем подразделении?

— Да! Хотите, чтобы он присоединился к вам? — Доу кивнул в ответ. — В таком случае я пришлю его к вам как можно скорее. Он может оставаться с вами столько, сколько вам нужно. Я скажу ему, что инструкции он получит непосредственно от вас.

Сержант проводил его до двери, говоря на ходу:

— Благодарю вас, сэр, вы всегда очень внимательно относитесь к людям, которые работают рядом с вами. Для меня большое удовольствие вновь сотрудничать с вами. Я вернусь в Скотленд-Ярд и напишу доклад своему начальнику. Потом я съезжу в «Четвудс» и вернусь сюда как можно скорее. Надеюсь, мисс, мне будет позволено остаться здесь на день-два, если возникнет такая необходимость. Возможно, и удастся разгадать эту загадку. Я был бы вам очень признателен.

Несколько секунд он внимательно смотрел на нее, потом продолжил:

— Прежде чем уйти, я бы хотел получить от вас разрешение осмотреть рабочий стол вашего отца. Там может обнаружиться что-нибудь полезное для расследования, ключ к пониманию подоплеки дела.

Ее ответ был настолько однозначным, что почти удивил его:

— Вам разрешается делать абсолютно все, что может помочь нам в этой ужасной беде... выяснить, что же случилось с моим отцом и защитить его в будущем!

Он тут же принялся за дело, внимательно осмотрев сначала туалетный столик, а затем письменный стол в комнате. В одном из ящиков он нашел запечатанное письмо, которое тут же вручил мисс Трелони.

— Письмо... адресованное мне... написанное рукой отца! — она, волнуясь, вскрыла конверт.

Когда она начала читать, я впился глазами в ее лицо, но боковым зрением заметил, что и сержант Доу не сводит с нее цепкого взгляда, наблюдая за быстрой сменой эмоций на лице мисс Трелони. С этой секунды мое внимание переключилось на него. К тому моменту, когда мисс Трелони дочитала письмо, я был почти уверен, что в число потенциальных подозреваемых детектив включил и саму мисс Трелони!

Некоторое время она стояла с письмом в руке, опустив глаза и размышляя. Затем она еще раз внимательно прочитала его, и теперь эмоции сменяли друг друга на ее лице еще быстрее. Закончив наконец чтение, она снова помолчала и после некоторого колебания передала письмо детективу. Он тут же принялся читать, хотя внешне ничем не выказал своего нетерпения. Прочитав, он с поклоном вернул его мисс Трелони. После непродолжительной паузы она передала его мне. На какую-то долю секунды ее глаза встретились с моими, но за это краткое время я успел заметить, каким умоляющим был ее взгляд. В тот же миг ее бледные щеки и лоб вспыхнули как огонь.

Я принял письмо со смешанным чувством, но все же был рад. Она решилась показать мне письмо, которое имела право не показывать никому, кроме детектива!.. Я побоялся развивать эту мысль (тем более что в эту секунду взгляды и мисс Трелони, и детектива были сосредоточены на мне) и принялся читать.

«Моя дорогая дочь, в случае если со мной случится какая-то беда или произойдет что-либо неожиданное, я хочу, чтобы ты восприняла это письмо как указание, четкое и недвусмысленное, без каких бы то ни было разночтений. Если я внезапно слягу — вследствие ли болезни, несчастного случая или же нападения, — тебе необходимо будет четко придерживаться моих инструкций. Если на тот момент, когда ты читаешь это письмо, я не нахожусь в своей спальне, меня нужно доставить туда как можно скорее. Даже в случае моей смерти мое тело необходимо переправить в спальню. И с этой секунды до тех пор, пока я не приду в себя или не буду в состоянии давать дальнейшие инструкции лично, или же, в случае смерти, до момента похорон, меня нельзя оставлять одного, НИ НА СЕКУНДУ! *С наступления ночи до рассвета как минимум два человека должны находиться в комнате рядом со мной. Будет хорошо, если опытная медсестра будет время от времени приходить и подробно записывать любые изменения моего состояния — постоянные или временные, — которые могут показаться ей неожиданными. Мои адвокаты (Марвин и Джукс, «Линкольновский инн»*, 27 Би) имеют*

* «Линкольновский инн» — одна из четырех английских школ подготовки адвокатов.

полные инструкции на случай моей смерти, а мистер Марвин лично взялся проследить за выполнением моих указаний. Советую тебе, дорогая дочь, учитывая, что у тебя нет родственников, к которым можно было бы обратиться, позвать друга, которому ты можешь доверять, чтобы он либо постоянно находился дома недалеко от тебя, либо приходил еженощно помогать ухаживать за мной, или быть под рукой. Это может быть как мужчина, так и женщина, но кто бы это ни был, необходимо, чтобы рядом с ним всегда был еще один человек противоположного пола. Пойми, в этом суть моей просьбы: начеку должно быть два человека противоположного пола, готовых помочь мне, — нужны мужской и женский разум. Дорогая Маргарет, позволь мне еще раз напомнить тебе о необходимости постоянного наблюдения. Будь готова к самым необычным последствиям. Любого рода болезни или травмы, которые произойдут со мной, будут носить не случайный характер. Хочу предупредить тебя: тебе потребуется надежная защита.

Ничто в моей комнате — я имею в виду собранные там предметы — ни в коем случае не должно быть переставлено или передвинуто со своего места. Все они расставлены в специальном порядке и с определенной целью, так что любое вмешательство разрушит мои планы.

Если тебе понадобятся деньги или консультации, мистер Марвин к твоим услугам, на что он имеет мои подробные указания.

Абель Трелони».

Не веря своим глазам, я прочитал письмо еще раз. Выбор друга мог стать прекрасным шансом для меня. Во мне уже затеплилась надежда, что, коль она обратилась за помощью ко мне в первые минуты несчастья, ее выбор и сейчас падет на меня. Но у любви свои причуды. Я побоялся произнести что-либо вслух. Мои мысли как будто завертелись в головокружительном вихре, и через несколько мгновений все причинно-следственные связи оказались расставленными по полочкам. Мне не следует предлагать свою кандидатуру на роль друга, которого назвал в своих указаниях ее отец, но в то же время одного быстрого взгляда оказалось достаточно, чтобы наполнить мое сердце надеждой. В конце концов, когда ей понадобилась помощь, она обратилась ко мне — к человеку, с которым ее ничто не связывало, кроме одной встречи на балу и краткого общения днем во время прогулки по реке. Не будет ли для нее унизительным обращаться ко мне с просьбой дважды? Унизительным! Нет, этому не бывать! Ведь я сам могу оградить ее от боли, ей не придется унижаться! Поэтому, возвращая ей письмо, я сказал:

— Я знаю, что вы простите меня, мисс Трелони, если я позволяю себе слишком многое, но, если вы разрешите мне помочь вам наблюдать за отцом, я был бы безмерно горд. Конечно, обстоятельства самые печальные, но я буду счастлив, если вы окажете мне такую честь.

Несмотря на очевидные нелегкие попытки сохранить самообладание, все лицо и шея девушки залились краской. Казалось, даже глаза у нее покраснели, что было особенно заметно, когда кровь вновь отступила, вернув щекам их первоначальную бледность. Тихим голосом она произнесла:

— Я буду вам очень признательна за помощь! — И в ту же секунду добавила: — Но я не хочу, чтобы вы полностью посвятили себя мне. У вас много и других дел. Хоть я и высоко, очень высоко ценю вашу помощь, было бы несправедливо завладеть всем вашим временем.

— Ну что вы, — поспешил ответить я, — мое время полностью в вашем распоряжении, я легко могу сегодня же организовать свои дела так, чтобы прийти к вам вечером и остаться до утра. Потом, если понадобится, я могу перестроить свой рабочий график и высвободить еще больше времени.

Она была чрезвычайно тронута моим предложением. На ее глаза навернулись слезы, и, чтобы скрыть их, она отвернулась. Заговорил детектив:

— Рад, что вы будете здесь, мистер Росс. Я тоже останусь в доме, если мне позволит мисс Трелони и меня отпустят в Скотленд-Ярде. Это письмо заставило увидеть все в совершенно новом свете, хотя тайна от этого стала еще загадочнее. Если вы можете подождать здесь час-два, я сперва съезжу в участок, потом к производителям сейфа, а затем вернусь. Тогда вы сможете спокойно отправиться улаживать свои дела, пока я буду здесь.

Когда он ушел, мы с мисс Трелони остались одни в тишине. Наконец она подняла глаза и посмотрела на меня. И в тот миг я не согласился бы поменяться местами ни с кем, даже с королем. Некоторое время она была занята наведением порядка на диване, на котором лежал ее отец, а затем, попросив меня не сводить глаз с отца до ее возвращения, покинула комнату.

Через несколько минут она вернулась вместе с миссис Грант, двумя служанками и парой мужчин, которые несли раму и полный набор деталей для легкой железной кровати, сборкой которой они и занялись. Когда работа была завершена и слуги удалились, она сказала мне:

— Будет лучше, если мы все приготовим к возвращению доктора. Он наверняка распорядится переложить отца на кровать, а эта кровать намного лучше дивана, — с этими словами она придвинула стул поближе к отцу и села наблюдать за ним.

Я прошелся по комнате, внимательно осматривая все, что попадалось на глаза. И действительно, в комнате было достаточно вещей, чтобы вызвать любопытство у кого угодно, даже если бы настоящие обстоятельства были менее странными. Все пространство комнаты, за исключением необходимых для сна предметов мебели, было заполнено удивительными вещами, в основном египетскими. Поскольку комната была огромной, в ней нашлось место для неимоверного количества предметов, многие из которых имели внушительные размеры.

Пока я все еще был занят изучением комнаты, раздался шум колес, рассекающих гравий у дома. Прозвучал звонок в дверь, и через некоторое время, после вежливого стука и ответа «Входите!», в комнату в сопровождении женщины в длинном темном платье медицинской сестры вошел доктор Винчестер.

— Мне повезло! — объявил он с порога. — Я нашел ее сразу, и она сейчас свободна. Мисс Трелони, позвольте представить вам сестру Кеннеди!

ГЛАВА III

Наблюдатели

Меня поразило то, как две женщины посмотрели друг на друга. Полагаю, я настолько привык наблюдать за свидетелями и выносить им в уме оценку на основании их поведения и случайных движений, что эта привычка распространилась и на мою жизнь вне зала суда. В данный момент все, что интересовало мисс Трелони, интересовало и меня, и поскольку вид вновь пришедшей ее поразил, я тоже помимо воли впился глазами в сестру. Сравнивая двух женщин, я как-то по-новому оценил мисс Трелони. С первого взгляда было видно, насколько эти женщины не похожи. Мисс Трелони была темноволосой, изящно сложена, с прямой осанкой. Ее прекрасные глаза — огромные, широко раскрытые, черные и нежные, как бархат, — были наделены той загадочностью, которая кроется в безднах океанских глубин. Ощущения, которые возникали, если смотреть в них, должно быть, были сродни тем, которые испытывал доктор Ди, вглядываясь в черные зеркала во время своих колдовских ритуалов. На пикнике я услышал, как один старый джентльмен, известный путешественник по Востоку, описывал эффект ее глаз: «как будто ночью через открытую дверь всматриваешься в огни далекой мечети». Брови были обычны. Очерченные изящной дугой и состоящие из длинных изогнутых волосков, они служили прекрасным обрамлением красивых глубоких глаз. Волосы ее тоже были черными, мягкими, как шелк. Обычно черные волосы свидетельствуют о природной силе и решительности характера, но при взгляде на мисс Трелони такого ощущения не возникало. Наоборот, в голову приходили мысли об утонченности и прекрасном воспитании. И хотя тут не было и намека на слабость, в душе возникали мысли скорее о духовной силе, чем о физической. Гармония ее внешности казалась идеальной. Манера держать себя, фигура, волосы, глаза, подвижный большой рот — алые губы и белые зубы, казалось, освещали нижнюю часть лица, так же, как глаза — верхнюю, широкий контур скул, от подбородка к ушам; длинные изящные пальцы; рука, которая двигалась от запястья, словно наделенная собственными чувствами. Все эти грани совершенства сливались в единый образ, который венчали грация, общая красота и шарм.

Сестра Кеннеди, напротив, была ниже среднего для женщин роста, с крепкой и коренастой фигурой, полными руками и ногами, с широкими, сильными и проворными ладонями. Ее общая цветовая гамма в основном напоминала осеннюю листву: длинные и густые светло-русые волосы, светло-карие глаза блестели на веснушчатом загорелом лице. Ее румяные щеки казались скорее темно-коричневыми. Красные губы и белые зубы не разрушали общей цветовой гаммы, а скорее подчеркивали ее. У нее был бросавшийся в глаза курносый нос, но, как чаще всего и бывает, он выдавал человека отзывчивого, энергичного и веселого. Широкий белый лоб, который даже веснушки обошли стороной, явно был признаком человека здравомыслящего, обладающего недюжинным умом.

Доктор Винчестер по пути из госпиталя ввел ее в курс дела, поэтому она сразу же, не произнеся ни слова, приступила к выполнению своих обязанностей. Осмотрев со всех сторон недавно собранную кровать и взбив подушки, она обратилась к доктору, который в свою очередь дал указания нам: мы все вчетвером подняли бесчувственное тело и перенесли его с дивана на кровать.

Чуть позже полудня, когда вернулся сержант Доу, я на минуту заглянул к себе на Джермин-стрит, чтобы собрать одежду, книги и бумаги, которые мне могли понадобиться в течение нескольких ближайших дней, затем занялся своими судебными обязанностями.

Поскольку на тот день было назначено вынесение приговора по одному важному делу, заседание началось поздно, и я смог вернуться в дом на Кенсингтонплейс-роуд только к шести. Меня поселили в большой комнате, расположенной рядом с той, где лежал пострадавший.

В ту ночь график дежурства еще не был установлен, поэтому получилось так, что к началу вечера в доме собралось слишком много народа. Сестра Кеннеди, дежурившая весь день, легла спать, договорившись вернуться на свое место в двенадцать. Доктор Винчестер дождался в комнате начала обеда и вернулся сразу же по его окончании. Во время обеда в комнате были миссис Грант и сержант Доу, который решил закончить детальное изучение всего, что находилось в комнате и рядом с ней. В девять часов мы с мисс Трелони пришли сменить доктора. Чтобы набраться сил к ночному дежурству, она прилегла на несколько часов днем. Мисс Трелони сказала мне, что, по крайней мере, сегодня ночью будет сидеть и наблюдать за отцом.

Я не стал отговаривать ее, понимая, что это решение было твердым. Тут же я для себя решил, что, как и она, всю ночь не сведу глаз с ее отца, конечно, если она не против. Но о своих намерениях я ничего не сказал. В комнату мы вошли очень тихо, на цыпочках, так что доктор, который в ту минуту склонился над кроватью, нас не услышал и даже немного испугался от неожиданности, когда увидел нас перед собой. Я почувствовал, что царившая здесь атмосфера загадочности начала сказываться на его нервах, и он был не единственным в доме, кто попал под это воздействие. Он, как мне показалось, рассердился на самого себя за этот испуг и тут же заговорил быстро, как будто стараясь не дать нам времени осознать его замешательство:

— Я в полном недоумении: не могу найти ни единой причины, которая могла бы объяснить этот ступор. Я еще раз произвел самое тщательное обследование, на которое способен, и теперь полностью уверен, что мозг не поврежден, то есть нет никаких внешних травм головы. Да и все его жизненно важные органы, похоже, находятся в норме. Как вы знаете, я несколько раз покормил его, и это, очевидно, пошло на пользу. Дыхание у него глубокое и регулярное, а пульс стал медленнее и сильнее по сравнению с утром. Я не вижу ни намека на какой-либо из известных мне наркотиков, а его состояние не похоже ни на один из тех многочисленных снов, вызванных гипнотическим воздействием, которые я наблюдал в клинике доктора Шарко в Париже. А что касается этих ран, — он аккуратно прикоснулся к забинтованному запястью, лежащему поверх одеяла, — ума не приложу, как можно их объяснить. Они могли быть нанесены, например, ворсовальной машиной, но это предположение абсурдно. Совершенно невозможно, чтобы их нанесло какое-либо животное, если, конечно, оно заранее очень тщательно не наточило себе когти. Это, я полагаю, также невозможно. Кстати, не держите ли вы в своем доме каких-либо необычных животных, ну, например, тигра или что-нибудь в этом роде?

От грустной улыбки мисс Трелони у меня заныло сердце. Она ответила:

— Нет, что вы! Отец не терпит животных в доме, кроме умерших и мумифицированных, — эти слова были произнесены то ли с горечью, то ли с ревностью, не могу сказать точно. — Даже мой несчастный кот пострадал. Он хоть и самый милый и воспитанный кот на свете, но здесь живет как преступник, которого досрочно освободили. В эту комнату его не пускают.

Когда она говорила, скрипнула дверная ручка. В ту же секунду лицо мисс Трелони просияло, она встала и подошла к двери.

— Вот он! Это мой Сильвио. Он становится на задние лапки и начинает теребить ручку, когда хочет войти в комнату. — Она открыла дверь, обращаясь к коту как к маленькому ребенку: — Кто тут хочет войти? Ну, проходи, только мы должны оставаться на ручках.

Она подняла кота и направилась к нам, неся его на руках. Действительно, это было удивительное животное: серый персидский кот с длинной пушистой шерстью, обладавший царственными повадками, несмотря на мягкость характера. У него были массивные лапы, которые он тут же широко расставил, как только она посадила его на колени. Пока она его ласкала, он, извиваясь как угорь, выскользнул из ее рук и кинулся к маленькому столику в другом конце комнаты, на котором стояла мумия животного, и принялся там мяукать и сердито ворчать. Мисс Трелони **тут же** бросилась к нему и вновь подхватила его на руки, хотя он всеми силами отбивался и пытался освободиться, не пуская, однако, в ход ни когти, ни зубы. Было очевидно, что он очень любит свою прекрасную хозяйку. Как только она подняла его, он затих и перестал издавать какие-либо звуки. Она начала тихонько ругать его:

— Плохой Сильвио! Ты только что нарушил обещание, которое мамочка дала за тебя. Теперь попрощайся с джентльменами и отправляйся в комнату мамы!

Сказав это, она на прощанье протянула мне его лапку. Пожав ее, я не мог не заметить, какой большой и красивой была эта лапа.

— Ого, — сказал я, — эта лапа похожа на боксерскую перчатку с когтями.

Мисс Трелони улыбнулась:

— Еще бы! Вы разве не заметили, что у моего Сильвио семь пальчиков? Вот, смотрите. — Она сжала его лапу, и действительно, показалось семь когтей, каждый из которых был заключен в аккуратную, похожую на раковину кожную складку. Когда я погладил лапу, коготь случайно — кот уже перестал проявлять волнение, а наоборот тихонько мурлыкал — впился мне в руку. Отдернув руку, я слегка вскрикнул:

— Да когти у него острые как бритвы!

Доктор Винчестер, который в тот момент подошел к нам и, склонив голову, рассматривал кошачьи когти, странным голосом произнес:

— Ну-ка! — в его голосе слышалась обеспокоенность. Пока я гладил притихшего кота, доктор вернулся к столу, оторвал кусок промокательной бумаги и вновь подошел к нам. Положив бумагу себе на руку, он, бросив мисс Трелони «прошу прощения», взял лапу кота, приложил ее к своей руке и придавил. Высокомерному коту подобное фамильярное обращение, кажется, пришлось не по душе, он попытался вырвать лапу. Оказалось, что как раз этого доктор добивался: когда кот отдергивал лапу, его когти вышли из кожных складок и оставили на бумаге несколько царапин. Мисс Трелони унесла кота и вернулась через несколько минут. Заходя в комнату, она сказала:

— В этой мумии есть что-то очень странное! Когда Сильвио первый раз попал в эту комнату — он тогда был еще котенком, и я принесла его показать отцу, — с ним произошло то же самое. Он вспрыгнул на стол и попытался поцарапать и укусить эту мумию. Это и разгневало отца, за что он хотел выгнать его из дому. Только мои просьбы и обещания позволили ему остаться в доме.

Пока девушки не было, доктор Винчестер снял бинты с запястья ее отца. Рана уже была промыта, и глубокие красные порезы были отчетливо видны. Доктор сложил лист бумаги по линии, оставленной когтями кота, и поднес ее к ране. Проделав эту операцию, он торжественно посмотрел на нас и поманил к себе.

Царапины на бумаге совпадали с порезами на руке! Не надо было ничего объяснять, когда доктор сказал:

— Лучше бы было господину Сильвио держаться подальше от этой комнаты!

Мы все какое-то время помолчали. Потом мисс Трелони воскликнула:

— Но вчера вечером Сильвио там не было!

— Вы в этом уверены? Вы сможете это доказать, если потребуется?

Она помедлила с ответом:

— Я в этом абсолютно уверена, но, боюсь, доказать это будет сложно. Сильвио спит в корзине в моей комнате, и я точно помню, что вчера уложила его спать. Я укрыла его одеяльцем на ночь, а сегодня утром сама достала его оттуда. Естественно, я не видела, оставался ли он в корзинке, я была слишком занята своим бедным отцом, чтобы обращать внимание на что-либо другое, даже на Сильвио.

Доктор покачал головой и сказал с некоторой грустью в голосе:

— Во всяком случае, сейчас уже не имеет смысла что-либо доказывать. Любой кот легко успел бы за это время сто раз слизать следы крови — если бы таковые были — со своих лап.

Мы опять помолчали. И вновь тишину первой нарушила мисс Трелони:

— Все-таки бедный Сильвио не мог ранить отца. Дверь моей комнаты была закрыта, когда я услышала шум, и дверь в комнату отца тоже была закрыта, пока я стояла за ней и прислушивалась. Когда же я вошла в комнату, раны уже были на руке, значит, нанесли их еще до того, как Сильвио мог пробраться в комнату.

Эти аргументы мне как адвокату показались вполне убедительными. Суд признал бы этого подозреваемого невиновным. Я был определенно рад тому, что с Сильвио были сняты подозрения, наверное, потому что этот кот был любимцем мисс Трелони. Счастливчик! Хозяйка Сильвио не скрывала своей радости, когда я сказал:

— Суд постановил: не виновен!

Доктор Винчестер после некоторой паузы объявил:

— Приношу извинения господину Сильвио за свои подозрения, но у меня до сих пор не выходит из головы вопрос: что же так привлекло его в этой мумии. Он так же реагирует на остальные мумии, которые хранятся в доме? Я полагаю, здесь их немало. Когда я входил, в холле я заметил три.

— Да, тут их довольно много, — ответила она. — Иногда я не могу понять, где я нахожусь: в частном доме или в Британском музее. Но Сильвио не обращает на мумии внимания, за исключением лишь этой. Подозреваю, здесь причина в том, что это мумия животного, а не мужчины или женщины.

— Возможно, это кошка! — сказал доктор, поднимаясь и направляясь через всю комнату к столику, чтобы осмотреть мумию более внимательно. — Действительно, это мумия кошки, и к тому же очень искусно выполненная. Если бы она не была любимцем какой-то весьма важной особы, ее не стали бы столь тщательно готовить. Смотрите, раскрашенные бинты и обсидиановые глаза, в точности, как у человеческих мумий. Поразительно, как животные одного вида распознают друг друга. Эта кошка умерла, возможно, четыре или пять тысяч лет назад, а другой представитель этого семейства, хотя и другой породы, выросший практически в другом мире, готов броситься на нее, как будто она все еще жива. Я бы хотел немного поэкспериментировать с этим животным, мисс Трелони, если, конечно, вы не возражаете.

Скрепя сердце она согласилась:

— Конечно, вы можете делать все, что считаете разумным и необходимым, но я надеюсь, что вы не сделаете ничего такого, что могло бы навредить моему бедному Сильвио.

Доктор улыбнулся:

— Сильвио ничто не угрожает, меня интересует другая кошка.

— Что вы имеете в виду?

— Сильвио выступит в роли нападающей стороны, а вторая кошка — в роли пострадавшей.

— Пострадавшей? — в ее голосе послышались нотки тревоги. Доктор улыбнулся еще шире:

— Прошу вас, успокойтесь. Ей не будет причинен вред в нашем понимании этого слова, возможно, пострадают лишь ее структура и покровы.

— Как прикажете вас понимать?

— Очень просто, дорогая леди. Противником вашего Сильвио станет мумия кошки, подобная вот этой. Я полагаю, на Мьюзием-стрит таких мумий собрано немало. Я возьму одну из них и на какое-то время поставлю сюда вместо вашей. Надеюсь, вы не считаете, что временная замена противоречит указаниям вашего отца? Для начала мы выясним, что приводит в такое состояние Сильвио: именно эта мумия или вообще любая мумия кошки.

— Я не знаю, отец оставил очень точные указания... — с сомнением в голосе произнесла она. Но после минутного раздумья решилась: — Разумеется, в сложившихся обстоятельствах все, что может внести ясность, должно быть сделано. Мне кажется, что мумия кошки не может представлять собой ничего особенного.

Доктор Винчестер не ответил. Сейчас он сидел неподвижно с таким хмурым видом, что его серьезность передалась и мне. Эта внезапная перемена как будто раскрыла мне глаза: я вдруг осознал всю странность дела, в которое был уже так глубоко вовлечен. Эта мысль, возникнув однажды, больше не покидала меня. За миг она полностью захватила мой разум, породив бесчисленное множество вариантов ее истолкования. Сама комната и все, что находилось в ней, давало повод к странным мыслям. Здесь было собрано так много древностей, что попавший в нее помимо воли переносился далеко в прошлое, в незнакомые земли и давно забытые времена. Здесь было так много мумий и предметов, с ними связанных, отчего воздух был насквозь пронизан соответствующими запахами битума, благовоний и камеди — «нард* и нежные черкесские запахи», — что просто невозможно было не думать о прошлом. Естественно, комната была очень слабо освещена. Все источники света были специально тщательно затемнены таким образом, чтобы прямого яркого света, который воспринимается как сила, стихия, не было видно нигде. Комната была очень большой, умело выдержанные пропорции только подчеркивали ее размер. В ее необъятном чреве нашлось место для бесчисленного множества вещей, которые не часто встретишь в спальне. В дальних ее углах, казалось, затаились зловещие тени. Не один раз меня охватывало ощущение, что обилие предметов, связанных со смертью и далеким прошлым, наполняло мою душу страхом, заставляя оглядываться по сторонам, будто в комнате присутствовало нечто ужасное. В такие минуты даже находившиеся здесь доктор Винчестер и мисс Трелони не могло успокоить меня или уменьшить мое волнение. Появление в комнате нового человека в лице сестры Кеннеди стало для меня большим облегчением. Несомненно, эта деловая, уверенная в своих силах молодая женщина своим приходом несколько утихомирила мое разыгравшееся воображение. Казалось, что ее чувство здравого смысла, подобно невидимому излучению, заполняло все вокруг. До того момента я был полностью занят мысленными рассуждениями о том, что могло привести отца мисс Трелони в такое ужасное состояние, и все вокруг него, включая меня самого, постепенно вплелось в ткань моих размышле-

* Нард — растение рода валерианы и ароматическое масло.

ний... Но сейчас, когда она вошла, все вернулось на свои места: мистер Трелони вновь стал обычным пациентом, комната вновь обрела статус спальни, а тени утратили устрашающий оттенок. Единственное, что осталось неизменным, так это странный египетский запах. Можно заключить мумию в стеклянный сосуд и герметически его закрыть так, чтобы способствующий разложению воздух не мог проникнуть внутрь, но все равно ее запах будет ощущаться вокруг. Кое-кто может подумать, что четырех или пяти тысяч лет достаточно, чтобы разложились любые вещества, способные источать запахи, но опыт учит нас, что запахи не исчезают, и их секреты продолжают оставаться непознанными. Сегодня они также загадочны, как и в тот день, когда бальзамировщики опустили тело в ванну с содой...

Я резким движением расправил плечи, сбрасывая с себя египетские чары, которые, казалось, полностью поглотили мой разум, мою память, мою волю.

В эту секунду меня осенила мысль: если этот запах оказал такое сильное воздействие на меня, могло ли случиться так, что человек, который сейчас лежит на кровати перед нами, прожив полжизни или даже больше в этой атмосфере, постепенно, медленно, но уверенно впустил в свой внутренний мир нечто, что, проникнув во все уголки его тела, наделило его некой новой силой?..

Я вновь погрузился в свои мысли. Нет, так не пойдет. Мне нужно следить за собой и не позволять подобного рода предположениям захватывать себя. Вчера я спал всего полночи и сегодня не должен заснуть. Без объявления причины — я побоялся, что это может увеличить тревогу мисс Трелони — я спустился вниз и вышел из дома. Поиски аптеки не заняли много времени, и я скоро вернулся домой, несся с собой респиратор. Когда я пришел, было десять часов. Доктор уже собирался уходить, давая последние инструкции сестре. Мисс Трелони неподвижно сидела у кровати. Сержант Доу, который зашел в комнату сразу после ухода доктора, держался в стороне.

Когда к нам присоединилась сестра Кеннеди, мы условились, что она будет дежурить до двух часов, пока ее сменит мисс Трелони. Таким образом, согласно инструкции мистера Трелони, в комнате постоянно будут находиться мужчина и женщина. Кроме того, каждый из нас будет приходить немного раньше назначенного срока, чтобы новая пара наблюдателей была в курсе всего, что произошло в их отсутствие (если, конечно, хоть что-то будет происходить). Я лег на диван в своей комнате, предупредив слуг, чтобы меня разбудили незадолго до двенадцати. Через несколько мгновений я погрузился в сон.

Когда меня разбудили, мне понадобилось некоторое время, чтобы собраться с мыслями и вспомнить, кто я и где нахожусь. Короткий сон, впрочем, пошел мне на пользу. По сравнению с вечером я мог более трезво смотреть на окружающие меня вещи. Я умылся и, освеженный, вернулся в комнату. Я передвигался очень тихо. Сестра тихо и настороженно сидела у кровати, детектив расположился в кресле в противоположном углу комнаты, окутанный густой тенью. Пока я пересекал комнату, приближаясь к нему, он не шевелился, но когда я подошел, он медленно прошептал:

— Все нормально, я не смыкал глаз!

Этого можно было и не говорить, подумал я. Когда я сказал ему, что его смена закончена и он может идти спать до шести часов, он с явным облегчением поспешил удалиться. Однако, не дойдя до двери, он оглянулся и, снова подойдя ко мне, прошептал:

— Я сплю чутко и держу при себе пистолеты. Знаете, мне станет намного лучше, когда я перестану слышать этот запах от мумий.

Так, значит, он тоже, как и я, ощутил эту сонливость!

Я осведомился у сестры, не нужно ли ей что-нибудь. Я заметил, что у нее на коленях лежал флакон с нюхательной солью. Несомненно, она также почувствовала то же влияние, что и я. Она ответила, что у нее есть все необходимое и если ей что-либо понадобится, она тут же даст мне знать. Мне не хотелось, чтобы она заметила мой респиратор, поэтому я направился к стоявшему в тени креслу, которое находилось вне поля ее зрения. Там я медленно надел респиратор и устроился поудобнее.

Некоторое время, показавшееся мне весьма продолжительным, я просто сидел и думал, думал. В голове у меня роились самые разнообразные мысли, что и неудивительно, если вспомнить вчерашние день и вечер. И вновь я погрузился в мысли о египетском запахе; припоминаю, что испытал тогда несказанное удовольствие от того, что не ощущал его, как раньше. Респиратор делал свое дело.

Должно быть, эта мысль привела мой мозг в умиротворенное состояние, которое является причиной расслабления физического, так что мне — хотя я и не помню, чтобы засыпал и просыпался — было видение, или это был сон? Едва ли смогу сказать точно.

Я все еще сидел в кресле в комнате. На мне был респиратор, и я знал, что могу дышать свободно. Сестра совершенно неподвижно сидела на своем месте, повернувшись ко мне спиной. Больной лежал не шевелясь, своей полной неподвижностью напоминая мертвеца на смертном ложе.

Все больше походило на сцену из спектакля, чем на реальность: все вокруг было неподвижно и безмолвно. Откуда-то снаружи, издалека, доносились шумы города: редкий звук колес, крик загулявшего допоздна кутилы, эхо далекого свистка паровоза и грохота вагонов. Освещение комнаты было очень слабым, свет едва пробивался через зеленый абажур лампы. Это даже скорее можно было назвать легким рассеиванием темноты, чем светом. Зеленая шелковая бахрома абажура напоминала огромный изумруд, освещенный лунным светом. Комната, несмотря на темноту, была полна теней. Круговорот моих мыслей привел к тому, что мне стало казаться, будто все реальные вещи в этой комнате превратились в тени — тени, которые приходили в движение на фоне тусклого света высоких окон, тени, которые обладали способностью ощущать. Мне даже показалось, что я услышал какие-то звуки — как будто тихо замяукала кошка, зашуршали занавески, раздался легкий металлический щелчок, будто металлом коснулись металла. Я попытался приподняться в кресле и тут почувствовал, что, как в ночном кошмаре, сон полностью сковал меня и не выпускает из своих объятий, парализовав волю.

В ту же секунду все мои чувства вернулись из мира сна в мир реальности. Истошный крик разорвал тишину, почти оглушив меня. Комната внезапно наполнилась сияющим светом. Раздались звуки пистолетных выстрелов — один, два! — и белый дым наполнил комнату. Когда мои глаза наконец привыкли к свету, то, что я увидел, могло заставить меня самого закричать от ужаса.

ГЛАВА IV

Вторая попытка

Зрелище, увиденное мною, походило на страшный сон во сне, но его ужас подчеркивался ощущением реальности происходящего. Комната была такой же, какой я видел ее в последний раз, за исключением того, что в ярком свете, лившемся со всех сторон, исчезли тени и каждый предмет теперь был отчетливо виден во всех деталях.

У пустой кровати сидела сестра Кеннеди в той же позе, в которой мои глаза зафиксировали ее последний раз: с совершенно прямой спиной, в кресле, придвинутом к кровати. За спину, чтобы сидеть прямо, она подложила подушку, но ее шея была согнута, как у эпилептика в момент припадка. Она во всех смыслах этого слова окаменела. На ее лице не запечатлелось какое-либо особенное выражение: не было ни страха, ни ужаса, ничего, что можно было бы увидеть на лице человека, находящегося в таком состоянии. В глазах ни удивления, ни любопытства. Она попросту погрузилась в небытие; тело ее было теплым, она продолжала спокойно дышать, просто все, что было вокруг, перестало иметь к ней отношение. Постельное белье было скомкано, как будто лежавшего в кровати человека стянули на пол не раскрывая.

Угол одеяла свесился на пол, рядом с ним валялся один из бинтов, которыми доктор завязал поврежденное запястье. Чуть поодаль на полу лежали и другие обрывки бинтов, как будто указывая направление, в котором следовало искать больного. А лежал он практически на том же самом месте, где его обнаружили прошлой ночью, — у большого сейфа. И снова его левая рука была вытянута по направлению к сейфу. Но эта рука подверглась новому насилию: явно была совершена попытка разорвать руку рядом с тем местом, где был надет браслет с маленьким ключиком. Со стены был снят кривой кинжал в форме листа (один из тех, которыми так умело пользуются различные горные индийские племена), он и послужил орудием нападения. Было очевидно, что кинжал был отведен от руки в самый момент удара, поскольку только кончик кинжала, а не весь клинок коснулся плоти. Как оказалось, верхняя сторона руки была порезана до кости, и из раны ручьем лилась кровь. Кроме того, и старая рана на руке тоже была жестоко порезана или порвана. Из одного из разрезов толчками била кровь, как будто повторяя каждый удар сердца. У тела отца в луже крови на коленях стояла мисс Трелони, ее белая ночная сорочка была вся в крови. Посреди комнаты сержант Доу, в рубашке, брюках и в одних чулках без обуви, заряжал новые патроны в барабан револьвера, причем делал это отрешенно, механически. У него были сонные красные глаза, казалось, он еще не вполне проснулся и не понимал, что происходит вокруг. Несколько слуг с самыми разнообразными светильниками в руках сгрудились у двери.

Когда я встал с кресла и сделал несколько шагов вперед, мисс Трелони подняла на меня глаза. Увидев меня, она издала крик и вскочила с колен, указывая на меня пальцем.

Никогда не смогу я забыть картину, которую она в ту секунду представляла собой: ее белые одежды все забрызганы кровью, которая, когда она поднялась, тонкими ручейками начала стекать вниз к ее босым ногам. Я уверен, что всего лишь заснул. То влияние, которое сказалось на состоянии мистера Трелони, сестры Кеннеди и в меньшей степени сержанта Доу, обошло меня стороной. Респиратор помог мне, хотя и не предотвратил трагедию, последствия которой предстали перед моими глазами. Сейчас я понимаю, и тогда сразу понял, какой ужас, помноженный на предшествующие обстоятельства, должно было вызвать мое появление. На моем лице все еще был респиратор, закрывавший рот и нос, волосы во сне взъерошились. Резко двинувшись по направлению к объятым страхом людям в таком виде в беспорядочно мелькающем свете, я, должно быть, выглядел странно и устрашающе. Хорошо, что я понял это и успел предотвратить еще одну катастрофу: детектив, перезарядив револьвер, действуя механически, уже поднимал его в моем направлении, когда я рывком сдернул с себя респиратор и крикнул ему, чтобы он не стрелял. Так же механически он выполнил мое приказание: в его красных глазах не было и намека на осознанность действий. Как бы там ни было, опасность миновала. Ситуация разрядилась самым банальным образом: миссис Грант, сообразив, что на ее молодой хозяйке всего лишь ночная рубашка, успела сбегать за платьем и теперь прикрыла им ее. Это простое действие вернуло всех нас к реальности. Глубоко вздохнув, мы обратили свое внимание на самое ужасное, что было в этой комнате, — на лужу крови, которая растекалась под телом раненого. Несмотря на кошмар этого зрелища, я обрадовался, потому что сам факт кровотечения доказывал, что мистер Трелони все еще жив.

Урок прошлой ночи не прошел даром. Многие из присутствующих уже знали, что нужно делать в подобных случаях, и через несколько секунд руки добровольцев накладывали жгут. Сразу же был отправлен человек за доктором, некоторые из слуг удалились. Мы подняли мистера Трелони на диван, на котором он лежал вчера, и, сделав для него все, что было в наших силах, обратили внимание на сестру. За время суматохи ни одна часть ее тела не пошевелилась; она сидела, как и раньше, — неподвижно, выпрямив спину, ровно и глубоко дыша, на лице ее застыла спокойная улыбка. Поскольку было понятно, что мы ничего не сможем сделать до прихода врача, мы принялись анализировать происшедшее.

К этому времени миссис Грант увела свою хозяйку и переодела ее, так что она уже вернулась в комнату в платье и в домашних туфлях, кровь была смыта с ее рук. Теперь она немного успокоилась, хотя ее продолжала бить дрожь, а лицо было белым как мел. Взглянув на руку отца (я держал жгут), она отвернулась и посмотрела на нас, переводя взгляд с одного лица на другое, как будто ища утешения и не находя его. Для меня было очевидно, что она не знала, с чего начать, кому довериться, поэтому я поспешил успокоить ее:

— Со мной все в порядке, я просто заснул.

— Заснул! — она почти захлебнулась от негодования. — Вы спите, когда мой отец в опасности?! Вы же, кажется, должны были наблюдать за ним!

Ее слова не могли не кольнуть меня, тем более что она была права. Но я действительно хотел, чтобы она успокоилась, поэтому ответил:

— Просто заснул. Это, конечно, нехорошо, я понимаю, но вокруг нас витает нечто большее, чем «просто». Если бы это было не совсем так, я полагаю, что сейчас находился бы в таком же состоянии, как и сестра.

Она тут же перевела взгляд на странную фигуру, сидящую неподвижно в причудливой позе, как раскрашенная статуя, и ее голос смягчился. С присущей ей деликатностью она извинилась:

— Прошу меня простить! Я не хотела быть грубой. Но я сейчас в таком ужасном положении и так напугана, сама не понимаю, что говорю. Каждую секунду я ожидаю новых кошмаров, тайн и загадок!

Ее слова укололи меня в самое сердце.

— Не извиняйтесь передо мной! Я не заслуживаю этого! Я должен был дежурить и заснул. Все, что я могу сказать в свое оправдание, так то, что этого не хотел и старался избежать, но все произошло слишком быстро. В любом случае, что случилось, то случилось, ничего уже изменить нельзя. Возможно, когда-нибудь мы все поймем, но пока давайте попытаемся разобраться в этой ситуации. Расскажите, что вы помните.

Стремление вспомнить, что же произошло, казалось, вдохнуло в нее новые силы. Она собралась с мыслями и заговорила:

— Я спала и внезапно, как и в прошлый раз, проснулась от этого ужасного ощущения, что моему отцу грозит страшная и близкая опасность. Я вскочила с постели и бросилась в эту комнату в чем была. Тут было темно, как в чулане, но когда я открыла дверь, в комнате стало достаточно светло, чтобы я смогла разглядеть ночную рубашку отца, который лежал на полу у сейфа точно так, как и вчера ночью. Мне кажется, что потом на какую-то секунду я сошла с ума. — Она замолчала и поежилась.

Я перевел взгляд на сержанта Доу, который все еще бесцельно крутил в руках револьвер. Не отрывая рук от жгута, я обратился к нему:

— Сержант Доу, теперь расскажите нам, в кого стреляли вы.

Мой вопрос привел полицейского в чувство. Оглянувшись на оставшихся в комнате слуг, он сказал со строгостью в голосе, с какой обычно представители закона обращаются к незнакомым:

— Сэр, вам не кажется, что мы уже можем отпустить слуг? Так нам будет проще все обсудить.

Я кивнул в знак согласия, и слуги, поняв, чего от них хотят, неохотно покинули комнату. Последний закрыл за собой дверь, и только после этого сержант продолжил:

— Мне кажется, будет лучше, сэр, если я опишу свои ощущения, а не действия. Так, как они запомнились мне.

Чувствовалось, что его манера держаться значительно изменилась, очевидно, из-за странности ситуации, в которой он оказался.

— Я лег в постель полуодетым (в том, что и сейчас на мне), под подушку спрятал револьвер. Это последнее, что я помню до того, как заснул. Не знаю, сколько я проспал. Электрический свет я выключил, и в комнате было очень темно. По-моему, я услышал крик, но я в этом не уверен, потому что у меня разболелась голова, знаете, как у человека, которого будят сразу после двух рабочих смен подряд! В моем случае, конечно, было не совсем так, в общем, я сразу же подумал о револьвере и, схватив его, выбежал на лестничную площадку. Там до меня донесся крик или, скорее, призыв о помощи, и я побежал в эту комнату. В комнате было темно — лампа рядом с сестрой не горела, так что единственный свет поступал в комнату через открытую дверь. Мисс Трелони стояла на коленях у тела отца и кричала. Мне показалось, что какая-то тень мелькнула между мной и окном, и поэтому я недолго думая — к тому же я еще не совсем проснулся — пальнул в том направлении. Потом я немного сдвинулся вправо к окну и выстрелил еще раз. Затем с того большого кресла встали вы с этой штуковиной на лице. В тот миг мне показалось — повторяю, из-за того, что я еще не окончательно проснулся и сознание мое было как бы наполовину в тумане, что вы, я уверен, примите во внимание — вы находились там же, где и *то*, во что я стрелял. Поэтому я уже готов был выстрелить еще раз, но тут вы сняли с лица маску.

После этих слов я задал ему вопрос (я перешел на перекрестный допрос и тут уж чувствовал себя в своей тарелке):

— Попытайтесь вспомнить, сэр, что вы видели, какое это могло быть существо.

Сержант призадумался:

— Не знаю, сэр. Мне просто показалось, что там было что-то, но что это было или как выглядело, об этом не имею ни малейшего представления. Может, все произошло изза того, что я думал о револьвере, когда засыпал, а когда прибежал сюда, проснулся только наполовину, надеюсь, что в будущем, сэр, вы учтете это.

Он делал упор на этом обстоятельстве, как будто это была его последняя надежда на спасение. В мои планы не входило его в чем-либо обвинять, наоборот, я хотел, чтобы он оставался с нами. Кроме того, я и сам проявил себя не с лучшей стороны, поэтому как можно более вежливо сказал:

— Все верно, сержант. Ваши импульсивные действия были правильными, хотя, разумеется, вряд ли можно было бы ожидать, что вы, находясь в полусонном состоянии и еще не совсем выйдя из-под воздействия — что бы это ни было, — которое заставило заснуть меня и погрузило в каталептический транс сестру, станете тратить время на раздумья. Но давайте теперь по горячим следам попробуем восстановить, где конкретно стояли вы, где сидел я. Так мы сможем проследить траекторию пуль, выпущенных из вашего револьвера.

Перспектива активных действий и проверки его рабочих навыков как будто сразу же заставили его собраться. Он выглядел другим человеком, когда принялся за работу. Я попросил миссис Грант подержать жгут, а сам встал на место, где находился сержант, и посмотрел в ту погруженную во тьму точку, на которую он указывал. Когда он показывал мне, где стоял или как вытаскивал револьвер из кобуры, чтобы указать, куда стрелял, я не мог не обратить внимания на механическую точность его памяти. Кресло, с которого вставал я, все еще находилось на том же самом месте, что и раньше. Я попросил детектива указать рукой, куда он стрелял, потому что хотел пройти по направлению, в котором летели его пули.

Сразу за моим креслом, чуть-чуть позади него, стоял большой инкрустированный шкаф, его стеклянная дверца была разбита. Я спросил:

— В этом направлении вы выстрелили первый раз или это был ваш второй выстрел?

Ответ последовал незамедлительно:

— Второй. Первый раз я стрелял вон туда!

Он немного повернулся влево, к стене, у которой стоял сейф, и указал направление. Я последовал в указанную им точку и наткнулся на небольшой столик, на котором помимо прочих диковинных вещей покоилась мумия кошки, раздражавшая Сильвио. Вооружившись свечой, я легко обнаружил след, оставленный пулей. Она разбила маленькую стеклянную вазу и плоскую широкую черную чашу из базальта, изысканно украшенную иероглифами. Вырезанные линии были наполнены каким-то легким зеленым цементообразным веществом, а весь сосуд был отполирован до блеска. Пуля, сплющившаяся от удара о стену, лежала на столе.

Я вернулся к разбитому шкафу. Он явно использовался для хранения ценных редкостей: в нем лежало несколько больших жуков-скарабеев, изготовленных из золота, агата, зеленой яшмы, аметиста, ляпис-лазури, опала, гранита и сине-зеленого фарфора. К счастью, ни один из этих предметов не пострадал. Пуля прошла через заднюю стенку шкафа, и никаких других повреждений, кроме разбитого стекла, видно не было. В глаза мне бросился странный порядок, в котором были расставлены экспонаты на полке шкафа. Все скарабеи, кольца, амулеты и т. д. были расставлены неровным овалом вокруг миниатюрной резной фигурки из золота, изображавшей увенчанного диском и плюмажем бога с головой сокола. Я не стал тратить времени на дальнейшее внимательное изучение, поскольку мое внимание требовалось для более насущных вопросов, но для себя отметил, что вернусь сюда, когда будет время, и все осмотрю внимательнее. От этих старинных вещиц исходил явственный египетский запах, через разбитое стекло пробивался еще и аромат благовоний, камеди и битума, пожалуй, даже сильнее, чем от остальных предметов в этой комнате.

На все мои действия ушло всего несколько минут, и я был порядком удивлен, когда заметил, что в щели между занавесками и окнами пробиваются лучи зарождающегося рассвета. Когда я вернулся к дивану и взял у миссис Грант жгут, она подошла к окнам и раздвинула шторы.

Трудно себе представить что-либо более жуткое, чем вид этой комнаты в сером призрачном свете раннего утра.

Поскольку окна выходили на север, весь свет, поступавший в комнату, был серым, без намека на розовый оттенок, который отличает рассветы на восточной стороне горизонта. Электрический свет казался тусклым и в то же время слепящим, все тени приобрели четкость. В комнате не чувствовалось ничего от утренней свежести, не ощущалась и мягкость ночи. Все было жестким, холодным и невыразимо унылым. Лицо бесчувственного человека на диване имело жуткий желтый оттенок, а лицо сестры в свете горевшей на столе лампы казалось зеленым. Только лицо мисс Трелони было белым, и эта бледность отзывалась болью в моем сердце. В ту минуту казалось, что ничто на всем свете не сможет вернуть этому лицу цвет жизни и счастья.

Общее напряжение спало, когда в комнате появился доктор Винчестер. Переводя дыхание от бега, он задал только один вопрос:

— Кто-нибудь может хоть как-нибудь объяснить появление этих ран?

Обведя нас взглядом и не дождавшись положительного ответа, он, не говоря ни слова, приступил к своим обязанностям врача. В какой-то момент он бросил взгляд на сидящую неподвижно сестру, но тут же, хмуро сдвинув брови, продолжил работу, время от времени прося передать ему какой-либо необходимый инструмент или помочь каким-либо другим образом. Только после того, как артерии были соединены, а раны перебинтованы, он обратился к мисс Трелони с вопросом:

— Что с сестрой Кеннеди?

Ответ последовал незамедлительно:

— Я не знаю. Когда я вошла в комнату, это было в половине третьего, я увидела ее сидящей в той же позе, что и сейчас. Мы ее не передвигали и положения ее не меняли. С тех пор она так и не пришла в себя. Даже выстрелы сержанта Доу не побеспокоили ее.

— Выстрелы? Так, значит, вы выяснили причину происходящего здесь?

Все промолчали, поэтому ответил я:

— Мы ничего не выяснили. Я дежурил в комнате вместе с медсестрой. Вечером до этого я сообразил, что запахи мумий нагоняют на меня сон, поэтому сходил в магазин и купил респиратор. Я надел его, когда заступал на пост, но это не помогло, и я все равно заснул, а проснулся, когда в комнате уже было полно людей: тут были и мисс Трелони с сержантом Доу, который находился еще в полусонном состоянии и к тому же под воздействием запаха или того, что одурманило всех здесь присутствовавших. Ему показалось, что в темноте движется какая-то тень, и он дважды выстрелил. Когда я встал с кресла, на моем лице все еще оставался респиратор, и он принял меня за преступника, естественно, собрался снова выстрелить, но я вовремя успел снять респиратор. Мистер Трелони лежал у сейфа так же, как и в прошлый раз, из новых ран на его руке текла кровь. Мы перенесли его на диван и наложили жгут. Вот все, что нам пока известно. Мы не трогали нож, который, как вы видите, лежит возле лужи крови. Вот смотрите! — сказал я, подойдя к этому месту и подняв нож. — Его кончик красный от уже высохшей крови.

Доктор Винчестер несколько минут постоял молча и наконец сказал:

— Получается, что этой ночью ничего не прояснилось?

— Совершенно верно! — подтвердил я. На это он никак не отозвался, но, повернувшись к мисс Трелони, предложил:

— Лучше перенести сестру Кеннеди в другую комнату. Полагаю, с этим у нас проблем не будет?

— Никаких! Прошу вас, миссис Грант, проследите, чтобы для сестры Кеннеди приготовили комнату, и попросите двух мужчин перенести ее туда.

Миссис Грант тотчас же вышла. Через несколько минут она вернулась и сообщила:

— Комната готова, люди пришли.

Следуя ее указаниям, двое слуг вошли в комнату и, приподняв негнущееся тело сестры Кеннеди, под надзором доктора вынесли ее из комнаты. Мисс Трелони осталась со мной, а миссис Грант последовала за доктором в комнату сестры.

Когда мы остались одни, мисс Трелони подошла ко мне и, взяв меня за руки, сказала:

— Надеюсь, вы забудете мои слова. Я была в отчаянии и не понимала, что говорю.

Я ничего не ответил, только сжал ее руки и поцеловал их. Целовать женские руки можно по-разному, но мой поцелуй был лишь выражением уважения, почтительного отношения. Мисс Трелони приняла его с достоинством и благородством, которые были свойственны каждому ее движению, каждому слову. Я подошел к дивану и посмотрел на лежащего без сознания мистера Трелони. За несколько последних минут рассвет уже набрал силы, стало ощущаться некое подобие дневного света. Когда я смотрел на строгое холодное застывшее лицо, в жемчужно-белом свете походившее на мраморное изваяние, меня снова посетило ощущение того, что за всем, произошедшим за последние двадцать шесть часов, кроется какая-то загадка. Неспроста были сдвинуты брови; высокий широкий лоб олицетворял собой какую-то законченную мысль, которую широкий подбородок и массивная челюсть должны были помочь высказать. Пока я всматривался в лицо и размышлял, на меня опять накатили волны, которые ночью предшествовали приходу сна. Я воспротивился им и резко вернул себя к действительности. Это оказалось не настолько сложно, так как в эту секунду ко мне подошла мисс Трелони и, склонив голову мне на плечо, безмолвно расплакалась. В тот же миг во мне проснулись все качества, присущие мужчине. Пытаться выразить что-либо словами было бессмысленно, не было таких слов, которые могли бы передать то, что творилось в душе. Но мы поняли друг друга и без слов; она не отстранилась, когда я обнял ее за плечи, как обнимал когда-то давно маленькую сестру, которая со своими детскими проблемами искала защиты у старшего брата. Этот символический акт защиты наполнил меня решительностью, очистил мой разум от вялых, тягучих, навевающих сон мыслей. Однако инстинкт защитника заставил меня сдернуть руку с ее плеча, когда я услышал за дверью приближающиеся шаги доктора.

Зайдя в комнату, он первым делом внимательно осмотрел пациента и лишь потом заговорил, при этом брови его сдвинулись над переносицей, а рот превратился в тонкую четкую линию:

— Есть много общего в состоянии вашего отца и сестры Кеннеди. Какое бы воздействие ни было на них оказано, вероятно, оно идентично в обоих случаях. У Кеннеди транс выражен менее заметно. Я считаю, что в ее случае мы сможем добиться большего и быстрее, чем с нашим больным, поскольку руки у нас ничем не связаны. Я уложил ее на сквозняк, и уже стали проявляться признаки обычной потери сознания, хотя пока еще очень слабые. Жесткость ее конечностей начинает уменьшаться, а кожа становится более чувствительной или, лучше сказать, менее нечувствительной к боли.

— Почему же тогда, — спросил я, — мистер Трелони по-прежнему находится в таком бесчувственном состоянии, хотя его тело, насколько нам известно, совсем не потеряло гибкости?

— На этот вопрос я не могу дать ответа. Проблема, возможно, будет решена в течение нескольких часов, а возможно, и дней. Но постановка правильного диагноза будет полезна и нам, и, возможно, многим-многим другим после нас, кто знает! — добавил он с выражением человека, всей душой преданного своему делу.

Все утро он сновал из одной комнаты в другую, наблюдая за состоянием обоих пациентов. По его распоряжению миссис Грант осталась с сестрой, а с раненым постоянно находились либо я, либо мисс Трелони, а чаще мы вместе. Как ни странно, нам удалось каким-то образом выкроить время, чтобы принять ванну и переодеться, а пока мы обедали, с мистером Трелони оставались доктор и миссис Грант.

Сержант Доу отправился в Скотленд-Ярд составлять отчет о прошедшей ночи, а потом зашел в местный участок, чтобы вызвать своего коллегу Райта, как было условлено со старшим офицером Доланом. Когда он вернулся в дом, его вид не оставлял сомнений в том, что ему здорово попало за стрельбу в комнате пациента, а может, даже просто за стрельбу без определенных и веских оснований. Его замечание, брошенное мне, несколько прояснило ситуацию:

— Что бы там ни говорили, сэр, но добрая репутация еще что-то значит! По крайней мере, мне не запретили носить револьвер.

Тот день был долгим и беспокойным. Ближе к ночи состояние сестры Кеннеди значительно улучшилось, ее конечности вновь полностью обрели былую гибкость. Ее дыхание по-прежнему было ровным и регулярным, однако спокойное, хоть и застывшее, выражение на ее лице теперь уступило место другому: глаза закрылись веками и казалось, что она погрузилась в сон. Вечером доктор Винчестер привез еще двух сестер, одна из которых должна была оставаться с сестрой Кеннеди, а вторая — сменять на дежурстве мисс Трелони, которая настояла на том, что будет дежурить сама лично. Готовясь к дежурству, она поспала несколько часов днем. Мы собрались на небольшой совет и решили, кто и когда будет дежурить в комнате мистера Трелони. Миссис Грант будет оставаться с пациентом до двенадцати, когда ее должна сменить мисс Трелони. Новая сестра будет оставаться в комнате мисс Трелони и заходить к больному каждые пятнадцать минут. Доктор также будет дежурить до двенадцати, потом его сменю я. Один из детективов проведет рядом с комнатой всю ночь и будет регулярно заходить и проверять, все ли в порядке. Таким образом, наблюдение будет вестись и за самими наблюдателями, чтобы полностью исключить повторения событий прошлой ночи, когда больной остался без обоих наблюдателей одновременно.

Когда зашло солнце, нас всех охватило какое-то беспокойство, каждый по-своему начал готовиться к дежурству. Доктор Винчестер взял на вооружение мой опыт и отправился в магазин за респиратором. Доктор проявил такой интерес к идее с респиратором, что я посчитал необходимым убедить и мисс Трелони обезопасить себя подобным образом во время дежурства.

Настала ночь.

ГЛАВА V

Новые странные указания

Когда в половине двенадцатого я пришел из своей комнаты в комнату больного, там все было спокойно. Новая сестра, подтянутая, аккуратная и внимательная, сидела у кровати в кресле, где прошлой ночью сидела сестра Кеннеди. Доктор Винчестер занял позицию в некотором отдалении, между кроватью и сейфом. Он не смыкал глаз и был постоянно настороже. В респираторе, закрывавшем рот и нос, он выглядел довольно странно, если не сказать комично. Пока я стоял в дверях и рассматривал их, сзади послышался легкий шум. Я обернулся и увидел вновь прибывшего детектива, который кивнул мне, сделал рукой знак молчать и, не произнося ни звука, удалился. Стало ясно, что никто из наблюдателей не поддался сну.

Рядом с дверью в комнату я поставил стул: мне не хотелось подвергать себя опасности попасть в ту же ситуацию, что и вчера. Мои мысли, разумеется, крутились вокруг событий вчерашних дня и ночи. Они стали складываться в какие-то неожиданные для меня самого выводы, сомнения и предположения, но я не погрузился с головой в теплые, успокаивающие воды размышлений, как прошлой ночью, чувство реальности как никогда было со мной, я чувствовал себя, как часовой на посту. Работа ума — не такой уж медленный процесс, и когда думаешь о важном, время может лететь очень быстро. Довольно скоро, как мне показалось, дверь, которая оставалась чуть-чуть приоткрытой, распахнулась и из комнаты вышел доктор Винчестер, на ходу снимая с лица респиратор. Он вывернул его внешней оболочкой наружу и аккуратно понюхал.

— Я ухожу, — сказал он. — Рано утром вернусь, если, конечно, за мной не пришлют раньше. Сегодня, кажется, все спокойно.

Затем появился сержант Доу. Он тихо вошел в комнату и занял место, освобожденное доктором. Я по-прежнему оставался снаружи, но каждые несколько секунд заглядывал в комнату. Это делалось скорее для формы, чем ради какой-то определенной цели, поскольку в комнате было так темно, что даже в свете, просачивающемся из коридора, трудно было что-либо разглядеть.

За несколько минут до полуночи из своей комнаты появилась мисс Трелони. До того, как отправиться к отцу, она побывала в комнате сестры Кеннеди. Через несколько минут она оттуда вышла, как мне показалось, в несколько более приподнятом настроении. Она несла в руках свой респиратор, но перед тем как надеть его, спросила, не произошло ли чего-нибудь необычного с того момента, когда она пошла спать. Тихим шепотом — поскольку ночью в доме громко не разговаривали — я ответил, что все было хорошо, не случилось ничего особенного. Потом мы натянули на лица респираторы и вошли в комнату. Детектив и сестра поднялись, и мы заняли их места. Последним из комнаты вышел сержант Доу. Он, как мы договорились, закрыл за собой дверь.

Некоторое время я сидел молча, но мое сердце билось беспокойно. Помещение заполняла зловещая темнота. Единственным источником света была тусклая лампа, но из тьмы она выхватывала лишь круг на потолке, если не считать изумрудного мерцания ее освещенного изнутри абажура. Свет, казалось, только подчеркивал темноту, царившую в комнате. У меня, как и прошлой ночью, стало складываться впечатление, что эта темнота начала жить своей собственной жизнью, обретя способность ощущать, что творится под ее покровом. Мне совершенно не хотелось спать, и, более того, подходя каждые несколько минут к постели пациента, я замечал, что мисс Трелони тоже была настороже. Каждую четверть часа один из полицейских, слегка приоткрыв дверь, заглядывал в комнату. И мисс Трелони, и я, не снимая респираторов, каждый раз говорили им: «Все нормально», после чего дверь снова закрывалась.

С течением времени ощущение полной тишины и темноты только усиливалось. Освещенный круг на потолке никуда не делся, но теперь он казался не таким ярким, как вначале. Зеленый абажур лампы по цвету сейчас скорее напоминал серовато-белый маорийский нефрит, чем насыщенно-зеленый изумруд. Ночные звуки, доносившиеся с улицы, и свет звезд, неяркими полосами пробивавшийся вдоль оконных рам, делали темноту, царившую внутри, еще более мрачной и загадочной.

До двух часов до наших ушей из коридора доносился бой часов, серебряный колокол которых отсчитывал каждые четверть часа, но как только пробило два, меня охватило странное чувство. По движениям мисс Трелони, которая начала оглядываться по сторонам, я понял, что и она что-то почувствовала. В комнату заглянул детектив Райт, и мы на следующие пятнадцать минут снова остались в комнате одни с человеком, лежащим без сознания.

Мое сердце забилось с бешеной скоростью. Меня с головой охватило ощущение ужаса. Но это был не мой внутренний страх, который обезличен и не имеет четкой формы. Возникло ощущение, что в комнате появился кто-то посторонний, некая мыслящая субстанция находилась рядом со мной. Что-то коснулось моей ноги. Я поспешно опустил руку и наткнулся на пушистую шерсть Сильвио. Издав какой-то приглушенный звук, напоминающий рычание, он повернулся ко мне и ударил лапой по руке. Я почувствовал, что на руке выступила кровь. Тогда я медленно поднялся и сделал несколько шагов в сторону кровати. Мисс Трелони тоже поднялась, она всматривалась во что-то, находящееся рядом с ней, но вне поля моего зрения. Ее глаза округлились, а грудь то поднималась, то опускалась, как будто ей не хватало воздуха. Когда я прикоснулся к ней, она, похоже, этого даже не заметила, ее руки были вытянуты вперед, она как будто что-то отталкивала от себя.

Нельзя было терять ни секунды. Я обхватил ее руками и увлек с собой к двери. Толчком распахнув дверь, я выскочил в коридор и громко закричал: «На помощь! На помощь!» В тот же миг оба детектива, миссис Грант и сестра оказались рядом с нами. Сразу за ними прибежали несколько слуг, и мужчины, и женщины. Первой ко мне бросилась миссис Грант, я передал мисс Трелони в ее руки и кинулся назад в комнату, на ходу включив электрическое освещение. Сержант Доу и сестра последовали за мной.

Мы появились как раз вовремя. Рядом с большим сейфом, на том же месте, где и предыдущие две ночи, лежал мистер Трелони, левая рука которого, если не считать оставшиеся на месте бинты, была обнажена. Рядом с ним лежал листообразный египетский нож, который до того находился среди других вещей на полке шкафа с разбитым стеклом. Нож торчал в паркетном полу, где раньше лежал залитый кровью ковер.

Но больше в комнате не было видно никаких изменений, ни намека на чье-либо присутствие или что-нибудь необычное. Пока оба полицейских и я внимательно обследовали комнату, двое слуг с помощью сестры отнесли раненого на кровать. Мы не обнаружили ровным счетом ничего, что могло бы пролить свет на происшедшее. Через несколько минут в комнату вернулась мисс Трелони. Она была бледна, но собранна. Подойдя ко мне, она тихо сказала:

— Я почувствовала, что теряю сознание. Не знаю почему, но я испугалась!

Единственным, что в ту ночь еще раз заставило учащенно биться мое сердце, стал крик мисс Трелони, который раздался, когда я, опершись рукой на кровать, собрался поближе рассмотреть ее отца. Она закричала:

— Вы ранены! Смотрите! Смотрите! У вас на руке кровь. И на одеяле кровь! — После всех переживаний я совсем забыл о ране, которую нанес мне Сильвио. Когда я посмотрел на свою руку, я все вспомнил, но не успел промолвить и слова, как мисс Трелони схватила мою руку и подняла ее. Увидев параллельные царапины, она снова закричала:

— Это такие же раны, как и у отца! — Потом аккуратно, но быстро опустив мою руку, она обратилась ко мне и сержанту Доу: — Давайте пойдем со мной в мою комнату! Сильвио лежит там в своей корзинке.

Мы последовали за ней и действительно обнаружили Сильвио сидящим в своей корзине. Он был занят тем, что облизывал лапы. Детектив сказал:

— Он действительно здесь, однако странно, зачем бы ему сейчас вылизывать свои лапы?

Легкий стон вырвался из уст Маргарет... мисс Трелони, когда она нагнулась и взяла кота за одну из передних лап. Тому это, кажется, не понравилось, он издал угрожающий звук. В эту секунду в комнату вошла миссис Грант. Увидев, что мы уставились на кота, она сказала:

— Сестра сказала мне, что Сильвио, как только вы ушли к своему отцу, пришел в комнату сестры Кеннеди и все это время спал там. Сестра говорит, что сестра Кеннеди стонет и что-то бормочет во сне, будто ей снятся кошмары. Мне кажется, стоит послать за доктором Винчестером.

— Да, пожалуйста, пошлите кого-нибудь как можно скорее, — распорядилась мисс Трелони, и все мы отправились обратно в комнату.

Некоторое время мисс Трелони постояла над неподвижным телом отца, в задумчивости сдвинув брови, а потом с видом человека, принявшего окончательное решение, повернулась ко мне и произнесла:

— Не кажется ли вам, что нам необходимо проконсультироваться с кем-нибудь по поводу состояния отца? Я, конечно, безгранично доверяю доктору Винчестеру, это способный молодой человек, но он молод. Должны же быть какие-то специалисты, которые всю жизнь посвятили изучению подобных вопросов. Такой специалист, естественно, обладает большим опытом и знаниями, и это сможет помочь нам пролить свет на состояние бедного отца. Сейчас, по крайней мере, создается впечатление, что доктор Винчестер блуждает в потемках. Боже! Я уже не знаю, что мне делать, все это так ужасно! — Тут она ненадолго потеряла самообладание и расплакалась. Я попытался успокоить ее.

Доктор Винчестер прибыл очень скоро. Первым делом он бросился к своему пациенту, но, не найдя на его теле новых ран, направился к сестре Кеннеди. Когда доктор увидел ее нынешнее состояние, в его глазах появился лучик надежды. Он взял полотенце и, обмакнув один из его углов в холодную воду, слегка ударил им по щеке сестры. Кожа на лице тут же порозовела, спящая слегка пошевелилась. Доктор обратился к новой сестре (он называл ее сестрой Дорис):

— С ней все хорошо. Через несколько часов она придет в себя. Поначалу она будет испытывать головокружение или потеряет память, возможно, у нее будет истерика. В этом случае вы знаете, что делать.

— Да, сэр! — серьезно ответила сестра Дорис, и все мы снова направились в комнату мистера Трелони. Как только мы вошли, миссис Грант и вторая сестра вышли, и в комнате остались доктор Винчестер, мисс Трелони и я. Когда закрылась дверь, доктор Винчестер попросил меня рассказать, что произошло. Я ему описал все очень подробно, не упуская ни единой детали, так, как события отложились у меня в памяти. За время моего повествования, впрочем, не очень долгого, доктор то и дело задавал вопросы относительно того, кто находился в комнате, в каком порядке в комнату приходили люди. Он интересовался и другими деталями, но это и все, больше из нашего разговора мне ничего не запомнилось. Когда я закончил свой рассказ, он с решительным видом обратился к мисс Трелони:

— Я полагаю, мисс Трелони, что в случае с вашим отцом нам лучше обратиться за консультацией к специалисту.

Ее ответ прозвучал в ту же секунду, что несколько озадачило доктора:

— Я рада, что вы сами об этом заговорили. Я полностью с вами согласна. Кого бы вы посоветовали?

— А нет ли у вас кого-нибудь на примете? — ответил он вопросом на вопрос. — Может быть, ваш отец был с кем-то знаком? Он когда-нибудь к кому-нибудь обращался?

— Насколько я знаю, нет. Но я надеюсь, что вы посоветуете нам специалиста, которого считаете лучшим в своей области. Для моего бедного отца любая помощь будет полезна. Вы меня очень обяжете, если поможете определиться с выбором. Кто в Лондоне — или вообще в мире — самый лучший специалист по таким вопросам?

— Есть несколько хороших специалистов, но все они живут в разных точках планеты. Как ни странно, специалистами по головному мозгу рождаются, а не становятся. Хотя, чтобы стать действительно хорошим специалистом и заниматься этим делом в дальнейшем, тоже требуется немало усилий. Такие люди не принадлежат какой-то одной стране. На сегодняшний день лучшим считается японец Чуни, но его скорее можно назвать экспериментатором по хирургии, чем практиком. Есть еще Цаммерфест из Упсалы, Фенелон из Парижского университета и Морфесси из Неаполя. Это, разумеется, помимо наших английских специалистов: Моррисона из Абердина и Ричардсона из Бирмингема. Но выше всех я ставлю Фрере из Кингс-колледжа. Из тех, кого я назвал, он лучше других умеет увязывать теорию с практикой. Он не делает предпочтения какой-то конкретной области своей науки, как все перечисленные мной, и опыта ему не занимать. Для нас — тех, кто восхищается его талантом, неимоверно тяжко осознание того, что такой выдающийся ум, такие искусные руки рано или поздно оставят этот мир. Всем другим я бы предпочел Фрере.

— Что ж, — решительно заявила мисс Трелони, — тогда мы обратимся к доктору Фрере. Сделаем это утром, как можно раньше. Кстати, как к нему обращаться: «доктор» или «мистер»?

С плеч доктора Винчесетра словно спал тяжелый груз, и он заговорил намного свободнее и веселее, чем прежде:

— Его зовут сэр Джеймс Фрере. Завтра я сам поеду к нему утром, как можно раньше. Я попрошу его немедленно приехать сюда. — Потом он обратился ко мне: — Вам надо бы перевязать рану на руке.

— Да пустяки! — запротестовал было я, но доктор настаивал:

— Все равно руку следует осмотреть. Любая рана, нанесенная животным, может оказаться опасной. Всегда лучше перестраховаться.

И я подчинился. Тотчас доктор начал перевязку. Сначала он через увеличительное стекло осмотрел параллельные царапины и сравнил их с промокательной бумагой, на которой были отметины от когтей Сильвио (ее он достал из своей записной книжки). Вернув бумагу на место, он заметил:

— Очень жаль, что Сильвио имеет возможность свободно проникать в комнату и покидать ее, несмотря на то что не должен этого делать.

Утро наступало медленно. К десяти часам сестра Кеннеди уже пришла в себя настолько, что могла сидеть и членораздельно разговаривать. Однако мысли в ее голове все еще были затуманены, и она не могла вспомнить ничего из того, что приключилось с того момента, как ночью она заняла свое место возле кровати больного. Создавалось такое впечатление, что она не знает или не хочет ничего знать о событиях той ночи.

Было уже почти одиннадцать часов, когда доктор Винчестер вернулся с сэром Джеймсом Фрере. Когда я с лестничной площадки заметил их внизу в холле, сердце у меня сжалось, я знал, что мисс Трелони вновь придется признаваться незнакомому ей человеку в том, как мало она знает о своем отце.

Сэр Джеймс Фрере был из тех людей, которые вызывали к себе уважение. Он настолько четко знал, чего хочет, что не обращал внимания на пожелания и идеи менее значимых персон. Его пронизывающий взгляд, решительно очерченный рот и движение густых бровей сами по себе уже требовали незамедлительного и старательного исполнения его желаний. Каким-то непонятным образом, когда мы все представились и он влился в нашу компанию, тяготившее нас ощущение тайны куда-то улетучилось. Я с надеждой в душе проводил его глазами, когда в сопровождении доктора Винчестера он направился в комнату больного.

Там они оставались долго. Вскоре они вызвали к себе сестру, одну из новых, Дорис, но она недолго задержалась с ними. Потом, опять же вместе, они прошли в комнату сестры Кеннеди. Сэр Джеймс Фрере распорядился приставить к ней сиделку. Доктор Винчестер впоследствии рассказал мне, что сестра Кеннеди, хотя и совершенно ничего не знала о событиях, произошедших за время ее беспамятства, дала полные и внятные ответы на все вопросы доктора Фрере относительно состояния мистера Трелони, в котором он пребывал до того момента, когда она потеряла сознание. Затем они удалились в кабинет, где оставались так долго, а доносившиеся оттуда голоса, свидетельствующие о происходящем там нешуточном споре, зазвучали так громко, что мне стало неловко. Что касается мисс Трелони, то она уже практически была на грани обморока, когда они вышли к нам. Бедная девушка! На нее свалилось такое горе! После всех переживаний ее нервная система была почти полностью истощена.

Наконец двери кабинета распахнулись и они вышли. Сначала сэр Джеймс, с лицом, хмурым как у сфинкса, следом за ним — доктор Винчестер, его лицо было белым как простыня. У меня сложилось такое впечатление, что еще пару секунд назад его лицо, напротив, полыхало огнем. Сэр Джеймс пригласил мисс Трелони войти в кабинет. Мне также было предложено пройти с ними. Когда мы вошли, сэр Джеймс повернулся ко мне и сказал:

— Со слов доктора Винчестера я понял, что вы — друг мисс Трелони и знаете все, что здесь происходило, в подробностях. Возможно, будет нелишним, если вы останетесь с нами. Я наслышан о вас, мистер Росс, как о прекрасном адвокате, но не имел удовольствия познакомиться с вами лично. Поскольку доктор Винчестер утверждает, что в этом деле полно загадок, которые, похоже, поставили его и других в тупик, а, как он утверждает, для вас они представляют особенный интерес, возможно, неплохо будет держать вас в курсе событий. Лично я особенно не верю в загадки, кроме загадок науки, разумеется, и поскольку имеет место подозрение в попытке совершения убийства или ограбления, все, что я могу сказать, это: прежде чем совершить еще одну попытку, убийцам следовало бы подучить анатомию, поскольку они действовали совершенно безграмотно. Если их целью был грабеж, то и тут они действовали с вопиющей безалаберностью. Впрочем, это не мое дело — тут он затянулся огромной дозой нюхательного табака, после чего продолжил, повернувшись к мисс Трелони. — Теперь, что касается больного. Если оставить в стороне причины его нынешнего состояния, все, что на данный момент мы можем с уверенностью утверждать, это то, что пациент страдает от сильнейшего приступа каталепсии. Сейчас сделать ничего нельзя, кроме как поддерживать в нем силы. Я в общем поддерживаю методы лечения, предложенные моим другом доктором Винчестером. Я абсолютно уверен в том, что, если в состоянии больного произойдут хоть малейшие изменения, доктор Винчестер будет в состоянии принять адекватные меры. Это любопытный случай, очень любопытный! Если будет происходить что-либо необычное, я с удовольствием приеду снова в любое время. Есть лишь один аспект, к которому я хотел бы привлечь ваше внимание, и сейчас я обращаюсь к вам, мисс Трелони, поскольку это на вашей ответственности. Доктор Винчестер проинформировал меня, что вы не можете свободно действовать в данной ситуации, ваши руки связаны указаниями, оставленными вам отцом на случай возникших обстоятельств. Я настоятельно рекомендую вам перевести больного в другое помещение или, в качестве альтернативы, из его комнаты убрать все эти мумии и тому подобное. Любого человека посади в такую обстановку и заставь дышать таким воздухом, и он тоже начнет видеть вокруг себя кошмары. Вы уже имели возможность убедиться, какое воздействие может оказать такой запах. Та сестра — кажется, Кеннеди, так вы ее назвали, доктор? — еще не совсем вышла из каталептического состояния, и вы, мистер Росс, как мне сказали, тоже испытали нечто похожее. Могу с уверенностью сказать одно, — тут его брови насупились еще сильнее, а губы еще больше напряглись, — если бы я был здесь главным, я бы настаивал на том, что пациенту необходима смена атмосферы, или же вообще отказался бы от ведения дела в дальнейшем. Доктор Винчестер уже поставлен в известность, что дальнейшие мои консультации возможны только при выполнении этого условия. Я не сомневаюсь, что вы, как и подобает хорошей дочери, примете правильное решение, основанное на заботе о физическом и духовном здоровье отца, а не на его причудах, вызванных либо страхами, либо дешевыми «мистическими» загадками. К счастью, не настал еще тот день, когда Британский музей и Сент Томас Госпитал поменяются ролями. Всего хорошего, мисс Трелони. Я искренне надеюсь в скором времени увидеть вашего отца здоровым. Не забывайте, что вы можете рассчитывать на мою помощь в любое время дня и ночи, но только при условии, что будут выполнены те элементарные требования, которые я изложил выше. Всего доброго, мистер Росс. Надеюсь скоро снова с вами встретиться, доктор Винчестер.

Когда он ушел, никто из нас не проронил ни слова до тех пор, пока не стих грохот колес его экипажа. Первым решился нарушить молчание доктор Винчестер:

— Думаю, будет нелишним сказать, что с точки зрения медицины, он совершенно прав. По-моему, я его чем-то обидел, раз он выставил нам такие условия. Но все равно, что касается лечения, он полностью прав. Он, правда, не понимает, что данный конкретный случай не похож на все остальные, и не поймет, в какие рамки мы все поставлены указаниями мистера Трелони. Конечно же...

Его монолог прервала мисс Трелони:

— Доктор Винчестер, вы тоже хотите отказаться от этого дела или вы готовы продолжать, не нарушая известные вам указания?

— Отказаться?! Ну уж нет, сейчас меньше всего! Мисс Трелони, я буду с вами до конца дней, отведенных жизнью вашему отцу и каждому из нас!

Она ничего не ответила, лишь протянула руку, которую он сердечно пожал.

— Итак, — начала мисс Трелони, — если эти хваленые специалисты все такие же, как сэр Джеймс Фрере, я больше не желаю иметь с ними дела. Во-первых, он может сказать что-нибудь о состоянии моего отца не больше, чем вы, и если бы у него была хоть сотая доля вашей заинтересованности в этом деле, он бы не был столь педантичен. Конечно, я ужасно переживаю за состояние моего бедного отца, и, если я увижу, что есть хоть какой-то способ выполнить предписания сэра Джеймса Фрере, я их выполню. Сегодня я приглашу сюда мистера Марвина и спрошу его, насколько четки рамки условий, поставленных отцом. Если он скажет, что я имею право взять на себя ответственность и действовать по своему собственному усмотрению, я так и поступлю.

После этих слов доктор удалился, а мисс Трелони села писать письмо мистеру Марвину, в котором изложила нынешнее положение вещей и попросила его приехать и привезти любые бумаги, которые могли бы пролить свет на это дело. Она отправила письмо с экипажем, который должен был привезти адвоката, а мы остались терпеливо дожидаться его приезда.

От Кенсингтонпэлэс-гарденс до Линкольнс-Инн-Филдз недолгий путь, но если ты кого-нибудь ждешь с нетерпением, время ожидания покажется тебе вечностью. Впрочем, все в мире подвластно времени, и прошло в общей сложности меньше часа до того момента, когда мистер Марвин предстал перед нами.

Когда ему подробно рассказали о болезни мистера Трелони, он, понимая состояние мисс Трелони, обратился к ней:

— Я могу в любой момент обсудить с вами детали инструкций, оставленных вашим отцом, как только вы будете готовы.

— Прекрасно, если вы готовы, почему бы это не сделать прямо сейчас! — воскликнула она, явно не поняв значение его слов. Он вопросительно взглянул на меня и неуверенно произнес:

— Мы не одни.

— Я специально пригласила мистера Росса, — ответила она. — Он уже очень многое знает об этом деле, и мне бы хотелось, чтобы он знал еще больше.

Адвокат пришел в некоторое замешательство, что для тех, кто знал его лишь по залу суда, выглядело просто невероятно. С сомнением в голосе он ответил:

— Но, дорогая юная леди, это же воля вашего отца! Конфиденциальность отношений между отцом и детьми...

Она прервала его (на ее бледных щеках заиграл румянец):

— Мистер Марвин, вы что, действительно полагаете, что эти правила уместны в сложившихся обстоятельствах? Мой отец никогда ничего не рассказывал мне о своих делах. Я попала в такое положение, когда мне приходится узнавать его волю через человека, которого не знаю и о котором даже никогда не слышала до того момента, как мне в руки попало письмо отца, написанное специально на случай чрезвычайной ситуации. Я знаю мисера Росса недавно, но я полностью ему доверяю и хочу, чтобы он присутствовал. Конечно, — добавила она, — если это не противоречит прямым указаниям отца. Я прошу прощения, мистер Марвин, за свою резкость, но все это время я нахожусь в таком ужасном состоянии, что уже почти не контролирую себя.

На несколько секунд она прикрыла глаза рукой. Мы, двое мужчин, переглянулись и замерли в ожидании. Ей удалось совладать со своими чувствами, и она продолжила более сдержанно:

— Пожалуйста, не подумайте, что я вам не благодарна за то, что вы приехали сюда и к тому же так быстро. Я правда очень благодарна и полностью полагаюсь на ваше решение. Если вы хотите или считаете, что это необходимо, мы можем поговорить наедине.

Тут я встал, чтобы выйти, но мистер Марвин сделал предупредительный знак рукой. Было заметно, что ему пришлись по душе слова мисс Трелони. Его голос зазвучал более приветливо:

— Отнюдь, отнюдь! Со стороны вашего отца на этот счет не было никаких ограничений, я со своей стороны тоже не возражаю. На самом деле, может, так будет даже лучше. Исходя из того, что вы рассказали о болезни отца... и о других событиях, будет правильно, если мы с самого начала поймем, что все обстоятельства были четко оговорены в указаниях вашего отца. Прошу понять меня правильно, это очень четкие указания. Они настолько категоричны, что ему пришлось выписать мне доверенность, чтобы я мог действовать от его имени и наблюдать за точностью воплощения в жизнь его письменных инструкций. Заверяю вас, что он продумал каждую деталь, упомянутую в письме к вам! Пока он жив, он должен оставаться в своей комнате, и ничто из его вещей не должно быть вынесено из комнаты ни при каких обстоятельствах. Он даже составил список вещей, которые ни в коем случае нельзя двигать с места.

Мисс Трелони ничего не сказала. Кажется, последние слова адвоката ее поразили. Поэтому я вмешался, полагая, что правильно понял причину ее состояния:

— Можем ли мы увидеть список?

Лицо мисс Трелони на какой-то миг просветлело, но она тут же снова поникла, когда юрист ответил. Он явно был готов к этому вопросу, потому что ответ прозвучал сразу же:

— Только в том случае, если мне придется действовать на основании доверенности. Я принес этот документ с собой, —

в его словах послышалась деловая хватка, которую я и раньше замечал за ним по работе. Он передал документ мне в руки. — Вы увидите, мистер Росс, как четко там все изложено, и что доверитель специально сформулировал свои требования таким образом, чтобы не оставить ни единой возможности превратного толкования. Здесь все написано им самим, за исключением некоторых юридических формальностей; и, уверяю вас, вам еще не приходилось видеть документ, составленный с большим вниманием к деталям. Даже я не имею права ни на йоту смягчить инструкции, не нарушив при этом кодекс чести юриста, а это, разумеется, невозможно, — последние слова он добавил, очевидно, чтобы предотвратить любые воззвания к его личному мнению. Однако ему, похоже, показалось, что это прозвучало несколько резко, поэтому он поспешил добавить: — Я надеюсь, мисс Трелони, вы понимаете, что я всей душой хочу помочь облегчить ваши страдания, не выходя за рамки своих полномочий. Но ваш отец во всех своих действиях преследовал какие-то цели, суть которых он мне не открыл. Поэтому, насколько я понимаю, в его инструкциях нет ни одного слова, которое он бы не продумал досконально. Что бы ни было у него на уме, этому он посвятил всю свою жизнь; взвесил каждую деталь. Он был готов к встрече с неожиданностью в любую секунду. Боюсь, что мои слова причинили вам боль и прошу за это прощения. Я же вижу, вам уже пришлось многое пережить, но у меня нет выбора. Если вам понадобится моя консультация по какому бы то ни было вопросу, даю вам слово, что в любое время дня и ночи приеду к вам. Вот мой домашний адрес, — он чиркнул несколько слов в своей записной книжке. — А внизу адрес клуба, где я обычно бываю по вечерам.

Он вырвал страницу и передал ее мисс Трелони. Она его поблагодарила, после чего он пожал руку ей и мне и вышел.

Как только за ним закрылась дверь, в комнату постучалась миссис Грант. Когда она вошла, нам в глаза бросилось выражение боли и растерянности, которое застыло на ее лице. Поднявшись, мисс Трелони с побледневшим лицом спросила:

— В чем дело, миссис Грант? Что-то случилось? Новые неприятности?

— Мне очень трудно приносить вам такие вести, мисс, но все слуги, за исключением двух, сообщили мне, что хотят сегодня же покинуть дом. Они все между собой обсудили и послали дворецкого заявить от имени остальных, что готовы отказаться от зарплаты и даже выплатить неустойку, но хотят уйти прямо сегодня.

— Чем они это объясняют?

— Ничем, мисс. Они говорят, что им очень неловко, но никаких объяснений не дают. Я спросила Джейн, горничную с верхнего этажа, которая не присоединилась к остальным и собирается продолжать работать, так вот, она рассказала мне по секрету, что по глупости своей они решили, будто в доме завелись призраки!

На это стоило бы рассмеяться, но нам было не до смеха. Глядя на мисс Трелони, я не мог смеяться. Новый приступ страха не отразился на ее лице, потому что оно было сковано болью и ужасом. Что касается меня, то мне показалось, что сейчас было произнесено вслух именно то, что все это время сверлило мое сознание, но в чем я боялся признаться даже самому себе. Однако даже сейчас я чувствовал, что какая-то мысль, еще более темная и глубокая, осталась не высказанной.

ГЛАВА VI

Подозрения

Первой пришла в себя мисс Трелони. В ее голосе звучали гордость и презрение:

— Что ж, прекрасно! Пусть они уходят. Выдайте им деньги за работу по сегодняшний день включительно и добавьте месячную зарплату. До этого момента они проявили себя как хорошие слуги, и их увольнение вызвано исключительными обстоятельствами. Нельзя ожидать преданности от того, кто скован страхом. Тем, кто остался, оплата будет увеличена вдвое, и прошу вас прислать их ко мне сразу, как только понадобится.

Миссис Грант охватило негодование, которое, впрочем, она постаралась скрыть: ее душа домоправительницы протестовала против такого благородного отношения к сговорившимся между собой слугам:

— Они этого не заслуживают, мисс! Так поступить после такого к себе отношения! Да я в жизни не видела, чтобы к слугам кто-нибудь относился так же хорошо и обходительно, как вы! Они тут жили, как в королевском дворце, а только что-то случилось, тут же и хвосты поджали! Это гнусно, вот что я вам скажу!

Мисс Трелони была спокойна и сумела слегка охладить растревоженное чувство справедливости экономки, и та удалилась, настроенная менее воинственно. Через некоторое время она вернулась уже совсем в другом настроении и спросила мисс Трелони, распорядится ли та нанять новый штат слуг, или, по крайней мере, попытаться это сделать.

— Вы же знаете, мэм, — сказала она, — если среди слуг поселилось чувство страха, от него уже практически невозможно избавиться. Могут прийти новые люди, но и они сбегут так же быстро. Их ничто не удержит: даже если останутся отрабатывать свой обязательный месячный срок, они будут работать так, что вы пожалеете об этом своем решении. Женщины — стервы, но мужчины еще хуже!

Мисс Трелони ни голосом, ни видом не проявила беспокойства или возмущения:

— Мне кажется, миссис Грант, что нам лучше обойтись теми, кто остался. Пока мой отец болен, новых жильцов в доме не появится, так что помощь слуг понадобится лишь нам троим. Если тех слуг, которые остались, окажется недостаточно, я подыщу им помощь. Полагаю, будет несложно найти нескольких горничных, может, вы сможете порекомендовать кого-то. Прошу вас не забывать, что если те, кого вы найдете, подойдут нам и хорошо проявят себя, они будут получать столько же, сколько и те слуги, которые остались. Вы, миссис Грант, разумеется, понимаете, что я никоим образом не приравниваю вас к слугам, но ваше жалованье также будет удвоено.

Сказав это, она протянула экономке свою красивую руку, которую та пожала и, поднеся к губам, поцеловала, просто и свободно, как старшая женщина целует младшую. Я не мог не восхититься великодушием, с которым мисс

Трелони относилась к слугам. Про себя я вслед за миссис Грант повторил замечание, высказанное ею вполголоса, когда она выходила из комнаты: «Неудивительно, что этот дом напоминает королевский дворец, когда хозяйка — настоящая принцесса!»

Принцесса! Вот оно! Эта мысль мгновенно успокоила мое сердце, лучом света высветив в памяти воспоминание о том моменте, когда я впервые увидел ее на балу на Белгрейв-сквер. Царственная осанка, высокий рост, стройность; фигура, все изгибы и движения которой напоминали прекраснейшую лилию или лотос! Ее пышное платье из тонкой черной ткани с проблесками золота! В волосах старинное египетское украшение — небольшой хрустальный диск, помещенный между двух перьев из ляпис-лазури. Ее запястье было украшено широким браслетом старинной работы в виде пары раскрывающихся крыльев, покрытых золотом, их перья были выполнены из самоцветов. Несмотря на любезность, с которой она поздоровалась со мной, когда хозяйка бала представила нас друг другу, в тот миг я ее испугался. Только позже, во время пикника на реке, я осознал, как она благородна и прекрасна, и тогда мой благоговейный страх переродился в нечто большее.

Некоторое время она провела за письменным столом, то ли делая записи в дневнике, то ли составляя указания для слуг, потом отложила его и послала за оставшимися, преданными ей слугами. Я посчитал, что ей будет лучше разговаривать со слугами без меня, поэтому вышел из комнаты. Вернувшись, в ее глазах я заметил следы слез.

Следующий эпизод, в котором я принимал активное участие, был еще более неприятным и намного более болезненным. Ближе к вечеру в мой кабинет вошел сержант Доу.

Аккуратно закрыв за собой дверь и удостоверившись, что мы одни, он подошел ко мне.

— Что случилось? — спросил его я. — Кажется, вы хотите поговорить со мной наедине?

— Совершенно верно, сэр! Могу ли я рассчитывать, что наш разговор останется между нами?

— Разумеется! Во всем, что касается мисс Трелони, и, естественно, мистера Трелони, вы можете быть со мной абсолютно откровенны. Я полагаю, мы оба хотим им только добра и сделаем для этого все, что в наших силах.

Некоторое время он не решался начать.

— Вам, конечно, известно, что у меня есть определенные обязанности, и, полагаю, достаточно хорошо меня знаете, чтобы понимать, что я их выполню. Я — полицейский, детектив, и в мои обязанности входит трезво и объективно выяснять факты любого порученного мне дела. Я бы предпочел поговорить с вами с глазу на глаз, не думая об обязательствах перед кем-либо, кроме моих перед Скотленд-Ярдом, разумеется.

— Конечно, конечно! — автоматически ответил я. Мое сердце заколотилось, сам не знаю почему. — Будьте полностью со мной откровенны. Обещаю, что все сказанное здесь останется между нами.

— Благодарю вас, сэр. Надеюсь, о нашем разговоре не узнает никто, ни мисс Трелони, ни даже мистер Трелони, когда придет в сознание.

— Безусловно, если вы ставите такое условие! — сказал я более холодным голосом.

Детектив, похоже, уловил перемену в моем голосе, поэтому извиняющимся тоном произнес:

— Прошу прощения, сэр, я выхожу за рамки своих полномочий, разговаривая с вами. Но я давно вас знаю и поэтому считаю, что могу доверять вам. Не вашему слову, сэр, а вашей проницательности!

Я кивнул и попросил его продолжать. Он тут же начал свой рассказ:

— Я размышлял над этим делом снова и снова, пока у меня не начал заходить ум за разум. Однако я не могу найти какого-либо разумного объяснения. Во время каждого покушения никто, похоже, не входил в дом и уж точно не выходил из него. Какой из этого можно сделать вывод?

— Что кто-то или что-то уже находилось в доме, — улыбнулся я, хотя на душе у меня было совсем не весело.

— Именно так и я подумал! — воскликнул он, явно почувствовав облегчение. — Замечательно! Кто бы это мог быть?

— Кто-то или что-то, как я уже сказал, — ответил я.

— Допустим, что это был «кто-то», мистер Росс! Кот, конечно, мог поцарапать или укусить, но не мог вытащить человека из кровати и попытаться снять с его запястья браслет с ключом. Такое предположение годится лишь для романов, где частные детективы, которые могут назвать имя преступника еще до того, как свершилось само преступление, рассматривают такую возможность как вероятную. Но у нас, в Скотленд-Ярде, работают не идиоты, и мы считаем, что, если совершается преступление или попытка преступления, преступником является человек.

— Тогда допустим, что это был человек, сержант.

— Мы решили, что это «кто-то», сэр!

— Ну, хорошо, пусть будет «кто-то».

— А вас не удивило, что во всех трех случаях, когда было совершено насилие или попытка насилия, один и тот же человек оказывался на месте происшествия первым и поднимал тревогу?

— Дайте подумать! Мисс Трелони подняла тревогу в первый раз, во второй раз на месте был я сам, хотя почти сразу заснул, и сестра Кеннеди. Когда я проснулся, в комнате было полно народу, включая и вас. Насколько я помню, мисс Трелони тогда опять же появилась в комнате раньше вас. В третий раз я был с мисс Трелони, но она упала в обморок. Я вынес ее из комнаты, но потом вернулся, так что первым на месте оказался я. Если мне не изменяет память, то сразу за мной там появились вы.

Прежде чем ответить, сержант Доу на секунду задумался:

— Она либо присутствовала, либо оказывалась первой в комнате во всех трех случаях. Раны были нанесены лишь в первый и второй раз!

Я как юрист сразу понял, какой вывод последует. Мне показалось, что лучше сразу назвать вещи своими именами, поскольку лучший способ опровергнуть предположение — это высказать его в форме утверждения.

— Вы хотите сказать, что, поскольку в тех случаях, когда действительно были нанесены раны, мисс Трелони оказывалась на месте происшествия первой, это либо она сделала, либо каким-то образом связана с преступлением?

— Я не осмелился сделать такие однозначные выводы, но именно в этом кроется причина моих сомнений, — сержант Доу был мужественным человеком: его не пугали выводы, следовавшие из его умозаключения.

Какое-то время никто из нас не проронил ни звука. В моей душе зародился страх. Это не были сомнения относительно мисс Трелони или ее поступков — я боялся, что ее действия могут быть поняты неправильно. Где-то здесь крылась некая загадка, и если она не будет разгадана, придется искать подозреваемого. Большинство в таких случаях идет по линии наименьшего сопротивления. Если удастся доказать, что смерть мистера Трелони, коль таковая последует, принесет кому-либо выгоду, перед лицом подозрительных фактов кому угодно будет непросто доказать свою невиновность. Мои мысли инстинктивно выстроились в таком порядке, который наиболее удобен для защиты, пока обвинение еще не выдвинуто. В настоящее время я не собирался опротестовывать какие бы то ни было теории, которые могут прийти в голову детективу. Когда настанет время применить свои силы и опровергнуть эти теории, я с готовностью использую все свои юридические навыки и доступные мне средства.

— Я уверен, вы, не опасаясь последствий, несомненно, поступите так, как велит вам долг, — сказал я. — Что вы планируете предпринять?

— Я пока не решил, сэр. Понимаете, у меня еще даже нет подозреваемого. Если бы мне кто-нибудь сказал, что милая юная девушка причастна к такого рода делу, я бы счел его глупцом. Но мне приходится считаться с собственным заключением. Я хорошо знаю, что таким же с виду невинным людям выносился обвинительный приговор, когда весь суд, за исключением обвинения, которое знает факты, и судьи, который обязан выжидать, готов был подписаться под оправдательным вердиктом. Меньше всего мне хотелось бы причинить зло этой молодой леди, тем более когда на ее долю выпало такое горе. Можете быть уверены, что с моих уст не слетит ни слова, способного кого бы то ни было натолкнуть на мысль о ее вине. Именно поэтому я разговариваю с вами конфиденциально, как мужчина с мужчиной. Вы прекрасно умеете доказывать, в этом и состоит ваша профессия. В мои же обязанности входит лишь подозревать, основываясь на том, что мы называем для себя доказательствами, хотя на самом деле это улики. Вы знаете мисс Трелони лучше, чем я, и, хотя я могу осматривать комнату или перемещаться по дому как мне угодно, у меня нет таких возможностей, как у вас (ведь вы знакомы с ней лично и знаете, чем и как она живет), что подсказало бы мне суть ее действий. Если я попытаюсь разузнать что-нибудь у нее напрямую, это тут же вызовет у нее подозрения. И тогда, если она виновна, шансов доказать это не останется. Она легко сможет извратить факты. Но если же она невиновна, на что я всей душой надеюсь, будет чрезвычайно жестоко выдвигать ей подобные обвинения. Я по мере сил обмозговал это дело, прежде чем обратиться к вам, сэр, и, если позволил себе лишнее, прошу меня извинить.

— Вам абсолютно не за что извиняться, Доу, — искренне сказал я, так как смелость, откровенность и предупредительность этого человека заслуживали всяческого уважения. — Я рад, что вы были со мной так откровенны. Мы оба хотим докопаться до правды, а в этом деле столько странного (настолько странного, что не поддается обычному осмыслению), что единственный способ что-то прояснить — это добиться истины, какими бы ни были наши взгляды и цели.

Сержанту, похоже, понравились мои слова, поскольку он продолжил уже более уверенно:

— Поэтому я и понял, что доказательства будут накапливаться постепенно. По крайней мере, в голову начнут приходить кое-какие соображения, которые помогут нам определиться. Потом мы придем к заключению или, по крайней мере, отбросим все маловероятные версии, так что останется лишь одна, наиболее близкая к истине. Если не к истине, то к тому, что мы считаем истиной. После этого нам, пожалуй, придется...

В эту секунду распахнулась дверь и в комнату вошла мисс Трелони. Увидев нас, она тут же поспешно отступила назад, говоря:

— О, прошу прощения! Я не знала, что вы здесь занимаетесь делами.

Когда я поднялся, она уже почти вышла из комнаты.

— Прошу вас, заходите, — сказал я. — Мы с сержантом Доу просто обсуждали ситуацию.

Пока она колебалась, входить или нет, появилась миссис Грант, сообщившая о прибытии доктора:

— Мисс, приехал доктор Винчестер. Он хочет поговорить с вами.

Я подчинился просьбе, содержавшейся во взгляде мисс Трелони, и из комнаты мы вышли вдвоем.

Проведя осмотр, доктор сказал нам, что никаких изменений как будто не произошло, и добавил, что все равно хотел бы провести эту ночь в доме. Мисс Трелони это обрадовало, и она велела миссис Грант приготовить для него комнату. Чуть позже, когда мы случайно остались с ним наедине, он неожиданно сказал:

— Я решил остаться здесь сегодня, потому что хотел поговорить с вами. Поскольку лучше разговаривать без свидетелей, мне показалось, что это меньше всего вызовет подозрений, если вечером мы выкурим вместе по сигаре, когда мисс Трелони будет в комнате отца.

Мы по-прежнему придерживались такого графика дежурства, когда рядом с больным всю ночь должны были дежурить либо его дочь, либо я. Встретиться мы должны были лишь рано утром. Это меня тревожило, поскольку детектив в разговоре со мной упомянул, что желает лично, оставаясь незамеченным, проследить за ситуацией, и что именно в это время собирается быть особенно начеку.

Прошедший день был небогат событиями. Мисс Трелони поспала днем и после обеда отправилась сменить сестру. Миссис Грант оставалась с ней, в то время как сержант дежурил в коридоре. Доктор Винчестер и я пили кофе в библиотеке. Когда мы закурили сигары, он не спеша заговорил:

— Теперь, когда мы остались наедине, я бы хотел поговорить с вами конфиденциально. Мы с вами, конечно, связаны событиями, произошедшими здесь.

— Разумеется! — согласился я, но внутри у меня все похолодело, поскольку еще свеж был в памяти утренний разговор с сержантом Доу, оставивший ощущение тревоги и мучительных подозрений. Он продолжил:

— Этот случай проверил на стойкость психику каждого из нас. Чем больше я обо всем этом думаю, тем безумнее все кажется, а две нити, каждая из которых становится все крепче, расходятся в противоположные стороны.

— Какие две нити?

Прежде чем ответить, он внимательно посмотрел на меня. В такие моменты прямой взгляд доктора Винчестера мог привести в замешательство. Это бы и произошло со мной, если бы дело касалось лично меня, не считая моего интереса к мисс Трелони. Так что я спокойно выдержал его взгляд. Сейчас в этом деле я исполнял роль адвоката. С одной стороны, я был amicus curiae*, а с другой — представлял интересы лица, попавшего под подозрение. Мысль о том, что в голове этого совсем не глупого человека были две линии, одинаково прочные, но расходящиеся в разные

---

* Amicus curiae — не участвующее в деле лицо, которое обращает внимание суда высшей инстанции на необходимость пересмотра решения суда низшей инстанции.

стороны, уже сама по себе успокоила мою тревогу, вызванную ожиданием новых нападок. Когда доктор заговорил, на его лице появилась необъяснимая улыбка, которая по ходу рассказа уступила место сосредоточенно-серьезному выражению:

— Две нити: факты и... фантазии! К первой относится все: нападения, попытки ограбления и убийства, доведение до состояния невменяемости, подстроенная каталепсия, вызванная либо умышленным гипнозом и специальным наведением на определенные мысли, либо простым использованием яда, пока еще неизвестного токсикологам. Ко второй же относится некоторое воздействие, оказанное на людей. Воздействие, которое не описано ни в одной из известных мне книг, кроме романтической литературы. Еще никогда в жизни я так не чувствовал правоту слов Гамлета:

Есть многое на свете, друг Горацио,
Что и не снилось нашим мудрецам.

Давайте рассмотрим факты. Человек в своем доме, он окружен домочадцами, в доме полно слуг разного уровня, и это доказывает невозможность организованного заговора со стороны прислуги. Человек богат, образован, умен. Физиогномический осмотр показывает, что он, без сомнения, мужчина железной воли, который знает, чего хочет. Дочь, его единственный ребенок, насколько я понимаю, девушка яркая и умная, спит в соседней комнате. Нет никаких видимых причин для нападения или вообще любого другого нарушения спокойствия. Да и кто-нибудь посторонний вряд ли смог бы проникнуть в дом незамеченным. Но все же нападение совершено, жестокое и беспощадное нападение посреди ночи. Об этом становится известно очень быстро. Настолько быстро, что в уголовных делах такое обычно называют не случайностью, а преднамеренным замыслом. Нападавшего или нападавших вспугнули как раз в тот момент, когда те собирались закончить свое дело, какими бы ни были их намерения. Однако никаких следов их бегства не найдено: ни улик, ни беспорядка, ни открытой двери или окна, ни шума. Ничто не указывает на то, кто мог совершить преступление, и даже на то, что вообще что-либо совершено; кроме жертвы и ее окружения.

Следующей ночью попытка повторяется, несмотря на то, что дом полон обеспокоенных бдительных людей, в комнате и рядом с ней дежурят офицер полиции, опытная сестра, преданный друг и родная дочь жертвы. Сестра впадает в состояние каталепсии, а недремлющего друга, хотя и защищенного респиратором, охватывает глубокий сон. Даже детектив подвергается такому влиянию, под которым открывает стрельбу из пистолета в комнате больного, хотя даже не может с уверенностью сказать, во что же он стрелял. Ваш респиратор, пожалуй, единственное, что относится к категории фактов. То, что ваше сознание не помутилось, как у других (причем глубина помутнения сознания каждого пропорциональна количеству времени, проведенного им в комнате), указывает на возможную вероятность того, что одурманивающее воздействие носило не гипнотический характер. Однако опять же мы сталкиваемся с фактом, вызывающим противоречие. Мисс Трелони, которая находилась в комнате дольше вас всех — она постоянно заходила туда и, кроме того, оставалась там во время своего дежурства, — как будто вовсе не пострадала от этого воздействия. Это доказывает, что воздействие, чем бы оно ни было, избирательно, если, конечно, у нее не выработался, так сказать, иммунитет. Если окажется, что все дело в странных испарениях, идущих от этих древнеегипетских предметов, это сможет послужить правдоподобным объяснением. Однако тогда мы оказываемся лицом к лицу с фактом, что мистер Трелони, который провел в комнате больше всех времени, фактически прожил там большую часть своей жизни, был поражен сильнее остальных. Что это за воздействие, которое приводит к столь разным и даже противоречивым последствиям? Нет, определенно, чем больше я думаю об этой дилемме, тем менее понятной мне кажется ситуация! Даже в том случае, если физическое нападение на мистера Трелони совершил кто-то из живущих в доме, кто не попадает в число подозреваемых, одурманивание все еще остается загадкой. Не так-то просто погрузить человека в состояние каталепсии. Фактически, насколько известно современной науке, не существует способа добиться такого эффекта по желанию. Самая большая загадка в этом деле — мисс Трелони, которая как будто не пострадала ни от одного из воздействий или, возможно, разных видов одного и того же воздействия. Каждый раз она оставалась невредимой, за исключением единственного случая с полуобморочным состоянием. Вот что самое странное!

Я вслушивался в его слова с замиранием сердца. Его тон не был обличающим, и говорил он, не выражая подозрения, но было что-то тревожащее в его доводах. Хотя приведенные аргументы не были столь же прямыми, как подозрения детектива, они выделяли мисс Трелони из остальных, а в загадках подобного рода быть одному означает неминуемо попасть под подозрение, если не сразу, то в конечном итоге. Мне показалось, что лучше ничего не говорить. В таком деле молчание — действительно золото. Чем меньше я скажу сейчас, тем меньше мне придется защищаться, давать объяснения или отказываться от своих слов в будущем. В душе я был рад, что его изложение мыслей не подразумевало каких бы то ни было моих ответов. По крайней мере, сейчас. Доктор Винчестер, похоже, и не ждал от меня ответов. Когда я это понял, у меня отлегло с души, сам не знаю почему.

Некоторое время он сидел молча, подперев подбородок рукой, нахмурив брови, глядя в пустоту. Сигара непонятно каким образом держалась в его пальцах: он уже давно про нее забыл. Ровным голосом, как будто начиная с того самого места, где остановился, он продолжил свои рассуждения:

— Вторая сторона данной дилеммы — совершенно другое дело. Если мы решимся серьезно заняться ею, нам придется забыть про все, что имеет отношение к науке и опыту. Признаюсь, она имеет свою притягательность для меня, хотя с каждым новым умозаключением я ухожу в такие фантазии, что приходится одергивать себя и возвращаться к неоспоримым фактам. Иногда я начинаю подозревать, что флюиды или эманации из комнаты больного и на меня оказали свое воздействие, как на всех остальных, на детектива например. Конечно же, может оказаться, что если все дело в химии, если, скажем, были задействованы какие-нибудь наркотики в форме испарений, то воздействие может быть проникающим. Но с другой стороны: что может дать подобный эффект? Комната, я знаю, наполнена запахами мумий, что неудивительно, если принять во внимание количество хранящихся там предметов старины, извлеченных из могил, да еще и настоящая мумия животного, на которую нападал Сильвио. Кстати, завтра я его проверю. Я нашел мумию кошки в одном из музеев, и утром она будет в моем распоряжении. Когда я ее принесу, мы узнаем, могут ли сохраниться видовые инстинкты после нескольких тысяч лет смерти. Однако вернемся к делу. Запах мумий обусловлен присутствием неких веществ и комбинаций веществ, которые (как на основании многовекового опыта полагали древнеегипетские жрецы, самые образованные люди, ученые своего времени) способны блокировать природные процессы разложения. В действие должны вступить очень мощные силы, и вполне вероятно, что здесь мы столкнулись с редкими веществами и соединениями, свойства и могущество которых были забыты в более поздние прозаические времена. Интересно, обладал ли мистер Трелони какими-либо знаниями в этой области, были ли у него какие-либо подозрения? Одно я знаю наверняка: худшую атмосферу для комнаты, в которой находится больной, трудно представить, и я полностью поддерживаю решение сэра Джеймса Фрере отказаться от работы в таких условиях. Письмо с инструкциями, которое мистер Трелони адресовал своей дочери, и, судя по тому, что вы рассказали мне, настойчивость, с которой он добивался неукоснительного выполнения своих требований, прибегнув даже к помощи юристов, доказывает, что он, по меньшей мере, о чем-то догадывался. Знаете, создается такое впечатление, что он даже ожидал чего-то подобного... Интересно, сможем ли мы узнать что-нибудь об этом? Конечно, его бумаги помогли бы нам или хотя бы подтолкнули бы в нужном направлении... Это будет непросто, но необходимо. Он не может все время оставаться в своем нынешнем состоянии. Если что-нибудь случится, начнется следствие, и тогда самой тщательной проверке будет подвергнута каждая мелочь. Полицейское расследование покажет, что было совершено несколько покушений на убийство, а поскольку никаких улик не оставлено, придется искать хотя бы мотивы.

Доктор замолчал. Чем дольше он говорил, тем тише становился его голос, как будто от отчаяния. Во мне созрела уверенность, что настало подходящее время узнать, имеются ли у него какие-либо определенные подозрения. Как будто в ходе обсуждения я спросил:

— Вы кого-нибудь подозреваете?

В его взгляде, брошенном на меня, читался скорее испуг, чем удивление.

— Кого-нибудь? Вы, наверное, имели в виду что-нибудь. Я, безусловно, подозреваю, что было оказано некое влияние, но в данный момент этим мои подозрения и ограничиваются. Позже, если мои умозаключения или предположения как-то подтвердятся или конкретизируются, я смогу подозревать. Сейчас же у меня нет достаточных сведений, чтобы...

Он вдруг прервался и посмотрел на дверь. Тихо повернулась ручка. Сердце у меня в груди замерло в предчувствии чего-то недоброго. Тут же в памяти всплыли обстоятельства, при которых был прерван наш утренний разговор с детективом.

Дверь отворилась, и в комнату шагнула мисс Трелони. Увидев нас, она отступила на шаг, лицо ее покраснело. Несколько секунд она колебалась (в такие моменты несколько секунд начинают растягиваться в геометрической прогрессии, каждая последующая становится длиннее предыдущей). Когда она заговорила, напряжение, охватившее нас с доктором, спало:

— О, прошу меня простить, я не знала, что вы заняты. Я искала вас, доктор Винчестер. Я хотела спросить, могу ли я сегодня спокойно отправиться спать, если вы останетесь с нами. Я так устала и измучена, что боюсь, как бы не потерять сознание. Сегодня проку от меня наверняка не будет.

Доктор Винчестер не задумываясь поддержал ее:

— Конечно! Конечно же, отправляйтесь в постель и хорошенько выспитесь этой ночью. Бог свидетель — вам это необходимо. Я рад, что вы сами обратились ко мне с этим вопросом, потому что, когда я вас сегодня увидел, я подумал, что у меня на руках окажется еще один пациент.

Она облегченно вздохнула, отчего усталость будто исчезла с ее лица. Никогда я не забуду глубокий, искренний взгляд ее прекрасных черных глаз в тот момент ее обращения ко мне:

— Не могли бы вы подежурить у отца с доктором Винчестером сегодня ночью? Я так за него переживаю, что каждая секунда оборачивается для меня новым ужасом. Но я правда страшно устала. Если не высплюсь, то, наверное, сойду с ума. Сегодня я лягу в другой комнате, потому что, если останусь в прежней, рядом с отцом, от любого шороха у меня будет останавливаться сердце. Разумеется, вам придется меня разбудить, если случится что-нибудь непредвиденное. Я буду в спальне маленькой анфилады, которая рядом с будуаром напротив холла. Когда я только переехала в дом отца, я жила там. Мне было там так спокойно... Там будет проще отдохнуть, и я, возможно, смогу на пару часов забыться. Утром я буду полна сил. Спокойной ночи!

Когда я закрыл за ней дверь и вернулся к маленькому столику, за которым мы сидели до появления мисс Трелони, доктор Винчестер сказал:

— Эта бедная девушка крайне переутомлена. Я рад, что ей удастся отдохнуть. Отдых придаст ей новые силы, и к утру она будет в порядке. Ее нервная система сейчас на грани срыва. Вы обратили внимание, как она разволновалась и покраснела, когда увидела нас? Ведь на самом деле это самая обычная ситуация. В других обстоятельствах неожиданная встреча с гостями в комнате собственного дома так бы ее не напугала!

Я хотел было объяснить ее реакцию доктору, рассказав, что точно такая же ситуация повторилась сегодня утром, когда она натолкнулась на нас с детективом во время беседы, но вспомнил, что тот разговор был строго конфиденциальным и упоминание о нем могло бы вызвать излишнее любопытство. Поэтому я промолчал. Мы поднялись и направились в комнату больного, но пока мы шли тускло освещенными коридорами, у меня из головы не выходила одна мысль, которая преследовала меня и много дней спустя: как странно, что она дважды прерывала наш разговор как раз тогда, когда он касался одной и той же темы.

Определенно, все мы угодили в какую-то паутину странных совпадений.

ГЛАВА VII

Беда путешественника

Той ночью все прошло спокойно. Зная, что мисс Трелони не дежурит, мы с доктором Винчестером удвоили бдительность. Сестры и миссис Грант продолжали свое дежурство, и каждые полчаса в комнату заглядывали детективы. На протяжении всей ночи пациент оставался в трансе. Выглядел он здоровым, его грудь поднималась и опускалась в такт по-детски спокойному дыханию. За все это время он не пошевелился ни разу. Только дыхание отличало его от мраморного изваяния. На нас с доктором были респираторы, и какими же неудобными они показались нам в ту невыносимо жаркую ночь. Где-то между полуночью и тремя часами утра меня охватило беспокойство. Опять на меня накатило ставшее за последние ночи уже привычным ощущение надвигающегося ужаса. Но тускло-серый свет зари, пробивающийся из-за оконных занавесок, принес облегчение. За ним последовала расслабленная успокоенность, которую сменили заботы по дому. Той жаркой ночью я так настороженно ловил малейшие звуки, что мои уши начали испытывать почти физическую боль, как будто невидимый нерв связывал их с моим растревоженным мозгом. Каждое дыхание сестры и шорох ее платья, каждый тихий шаг полицейского, совершавшего свой неторопливый обход, каждый новый момент становился новым толчком к все большей и большей настороженности. Подобное чувство, похоже, распространилось на всех в доме, поскольку очень часто сверху доносился звук беспокойных шагов, несколько раз внизу открывали окна. С наступлением рассвета, однако, все это прекратилось, и весь дом как будто уснул. Доктор Винчестер отправился домой, когда на смену миссис Грант пришла сестра Дорис. Мне показалось, что он был немного разочарован или даже огорчен тем, что ничего необычного не произошло за время нашего долгого бодрствования этой ночью.

В восемь часов к нам присоединилась мисс Трелони. Я был обрадован, даже поражен, когда увидел, как на пользу пошел ей ночной отдых. От нее как будто исходил свет, так же, как и в тот день, когда я впервые увидел ее сначала на балу и потом во время пикника. На ее щеках даже появился намек на легкий румянец, хотя бледность щек все еще ярко контрастировала с чернотой бровей и огнем губ. С новыми силами к ней вернулась и прежняя нежность к отцу, даже большая, чем раньше. Меня не могло не тронуть то, как она заботливо поправляла его подушки или убирала волосы с его лба.

Меня же мое ночное дежурство порядком измотало, поэтому сейчас, когда меня сменила мисс Трелони, я поспешил в свою комнату, чтобы хорошенько выспаться. Когда я вышел из комнаты, в глаза больно ударил яркий свет ламп, горящих в коридоре, и вся тяжесть бессонной ночи как будто разом обрушилась на мои уставшие плечи.

Я прекрасно выспался. После ленча я собрался сходить на Джермин-стрит и уже готов был выйти из дома, когда заметил у входной двери взволнованного человека, внешний вид которого говорил о том, что дело у него срочное, не терпящее отлагательств. Слугу, дежурившего в тот день, звали Моррис, раньше он был что называется «на побегушках», но после ухода слуг был временно назначен на должность дворецкого. Незнакомец говорил довольно громко, поэтому причина его недовольства стала понятна сразу. Дворецкий был почтителен и в словах, и в манерах, но прочно занимал позицию в больших двойных дверях, не давая визитеру войти внутрь. Слова незнакомца, донесшиеся до моих ушей, прояснили ситуацию:

— Это замечательно, но мне необходимо встретиться с мистером Трелони! Какой смысл твердить, что это невозможно, если я говорю вам, что должен его видеть! Вы мне все время говорите «приходите позже, приходите позже»! Я пришел в девять — вы мне сказали, что он еще не проснулся и его вообще нельзя беспокоить, потому что он себя плохо чувствует. Я пришел в двенадцать — вы мне снова заявляете, что он еще не проснулся. Я прошу разрешения поговорить с кем-то из его родных — тут вы говорите, что мисс Трелони еще не проснулась. Наконец я прихожу сюда уже в три часа, а вы продолжаете утверждать, что он все еще спит! Где мисс Трелони? — «Она занята, и ее нельзя беспокоить». Так вот, ее необходимо побеспокоить! Ее или кого-то другого! Я здесь по специальному делу мистера Трелони, и приехал из тех мест, где слуги всегда начинают со слова «нет». Так вот, на этот раз «нет» меня не устраивает. За три года я наслушался этих «нет», когда обивал пороги домов и палаток, в которые попасть было труднее, чем забраться в гробницу. Да и люди в этих домах оказывались не живее, чем те мумии. Все! С меня хватит! Когда я приезжаю домой, иду к человеку, на которого работаю, и вижу, что и его дверь для меня закрыта и все с теми же объяснениями, меня начинает колотить. Что, мистер Трелони дал указания не пропускать меня, когда я приду?

Он замолчал и возбужденно потер лоб. Слуга ответил очень вежливо:

— Прошу прощения, сэр, если, выполняя свои обязанности, я чем-то обидел вас. Но у меня есть указания, и я должен их выполнять. Если вы хотите оставить записку, я передам ее мисс Трелони, и если вы оставите свой адрес, она сможет связаться с вами.

Последовавший ответ мог принадлежать только человеку доброму и справедливому:

— Дружище, лично тебя я ни в чем не виню и извини, если я как-то оскорбил твои чувства. Мне следует оставаться справедливым, даже когда злюсь. Но любой, оказавшись в моем положении, разозлился бы. Время поджимает. Нельзя терять ни минуты, ни секунды! А я тут уже шестой час болтаюсь, зная, что твой хозяин будет в тысячу раз злее, чем я, когда узнает, на что было потрачено время. Пока еще не поздно, лучше его десять раз разбудить, чем заставлять меня ждать здесь еще какое-то время. Господи, это просто ужас какой-то! Чтобы после всего, через что я прошел, вся моя работа пошла коту под хвост в последнюю минуту на пороге дома! И все из-за какого-то тупого лакея! Есть в доме кто-нибудь с головой? Или хотя бы без головы, но с правом принимать решения. Я за секунду смогу убедить его, что твоего хозяина необходимо разбудить, даже если он спит, как семеро спящих отроков*, вместе взятых...

---

* По христианской легенде, юноши-христиане из Эфеса, заснувшие более чем на 300 лет.

Не было сомнения в искренности этого человека или в срочности и важности его дела, по крайней мере, с его точки зрения. Я сделал несколько шагов в его сторону.

— Моррис, — сказал я, — доложите мисс Трелони, что этот джентльмен хочет ее видеть. Если она занята, попросите миссис Грант передать ей.

— Хорошо, сэр! — облегченно выдохнул он и поспешил выполнять указание.

Я провел незнакомца в небольшую гостиную напротив холла. Пока мы шли, он спросил:

— Вы секретарь?

— Нет, я друг мисс Трелони. Моя фамилия Росс.

— Большое спасибо за понимание, мистер Росс! — сказал он. — Меня зовут Корбек. Я бы вам дал свою визитную карточку, но в тех краях, откуда я прибыл, визитные карточки не в ходу. Даже если бы у меня и были визитные карточки, я полагаю, вчера вечером они бы тоже пропали...

Он резко остановился, как будто вдруг понял, что сказал лишнее. Некоторое время мы оба стояли молча. Ожидая, я его внимательно осмотрел. Это был невысокий крепкий мужчина, загоревший до цвета кофейного зерна, возможно, склонный к полноте, но в данный момент заметно истощенный. Глубокие морщины на его лице и шее были следствием не только возраста и воздействия солнца и ветра. Отчетливо были видны места, где мышечная масса и жировые клетки уменьшились в объеме и кожа начала обвисать. Шея была просто замысловатым переплетением морщин и складок, опаленных огненным дыханием пустыни. Дальний Восток, тропики и пустыня — все они оставляют на коже человека характерный оттенок, но каждый по-своему. Тот, кто хоть раз имел дело с ними, безошибочно сможет отличить один оттенок от другого. Легкая смуглость первого не похожа на яркую бронзу второго, а третий оставляет на коже такой темный загар, который, кажется, не потускнеет уже никогда. У мистера Корбека была большая, массивная и, так сказать, объемистая голова, покрытая всклокоченными темно-русыми волосами, и лысая от висков. У него был красиво очерченный лоб, высокий и широкий, с ярко выраженным, выражаясь физиогномическим языком, фронтальным синусом. Прямоугольная форма лба говорила о развитом логическом мышлении, а мешки под глазами — о склонности к языкам. Его нос, недлинный и широкий, свидетельствовал об энергичности, а массивная нижняя челюсть и квадратный подбородок, несмотря на густую, неухоженную бороду, — о решительности.

«Он как будто создан для жизни в пустыне», — глядя на него, подумал я.

Мисс Трелони вышла к нам очень скоро. Когда мистер Корбек ее увидел, он, похоже, был удивлен. Впрочем, его раздражение и волнение остались при нем, их хватило, чтобы с головой перекрыть такое несущественное и банальное чувство, как удивление. За то время, что он говорил, он не сводил с нее глаз. Про себя я отметил, что надо будет постараться как можно скорее выяснить причину его удивления. Мисс Трелони начала с извинения, которое немного остудило его пыл:

— Разумеется, если бы мой отец был здоров, вам не пришлось бы ждать. Более того, если бы я не дежурила у его постели в тот момент, когда вы пришли первый раз, я бы приняла вас сразу. А теперь не расскажете ли вы, что у вас за срочное дело, которое не терпит отлагательств?

Взглянув на меня, он несколько замялся. Тогда она добавила:

— В присутствии мистера Росса вы можете говорить все, что собирались сказать мне. Он помогает мне в этом ужасном деле, и я ему полностью доверяю. Мне кажется, вы не до конца осознаете серьезность ситуации. За три дня мой отец не то что не проснулся, но даже ни разу не пришел в сознание. Мне с ним очень-очень трудно. К несчастью, я почти ничего не знаю об отце и его жизни. Я переехала к нему всего год назад и ничего не успела узнать о его работе. Я даже не знаю, кто вы, или какие дела связывают вас с ним.

Эти слова были произнесены с грустной улыбкой, как бы извиняющейся, но в то же время очаровательной. Он внимательно смотрел на нее где-то с четверть минуты, а потом резко заговорил, будто собравшись с духом и отбросив мысли о конфиденциальности:

— Меня зовут Юджин Корбек. Я магистр гуманитарных наук, доктор права и магистр хирургии Кембриджа; доктор гуманитарных наук Оксфорда; доктор наук и доктор словесности Лондонского университета; доктор философии Берлинского университета; доктор восточной словесности Парижского университета. У меня есть и другие ученые степени, почетные и не очень, но я не стану утомлять вас их перечислением. Тех, которые я упомянул, будет, пожалуй, достаточно, чтобы пустить меня в комнату больного. Когда-то я, удовлетворяя свое любопытство и испытывая душевный подъем, правда, в ущерб своему кошельку, увлекся египтологией. Наверное, меня укусил какой-нибудь могущественный скарабей, потому что мое увлечение оказалось чрезвычайно сильным. Я занялся поиском захоронений, что позволяло мне кое-как себя обеспечивать и узнавать такие вещи, о которых не пишут в учебниках. Но я уже был прилично на мели, когда познакомился с вашим отцом, который занимался исследованиями за свой счет. С тех пор вопросы денег перестали меня волновать. Он — истинный покровитель искусств. Ни один страстный египтолог вроде меня не может рассчитывать на лучшего патрона!

Он говорил с чувством, и я, к своему удовольствию, заметил, что мисс Трелони была приятна похвала ее отца. Но я также обратил внимание на то, что мистер Корбек говорил так, будто нарочно старался затянуть время. Я посчитал, что таким образом он пытается почувствовать почву у себя под ногами, хочет понять, насколько можно доверять этим двум незнакомым людям, которых видел перед собой. И было очевидно, что чем больше он говорил, тем большее доверие испытывал к нам. Когда впоследствии я размышлял над этим, то, судя по тому объему информации, который он выдал нам, пришел к выводу, что он посчитал нас людьми, которым можно доверять.

— Я участвовал в нескольких экспедициях в Египет, организованных вашим отцом, и для меня всегда было большим удовольствием работать с ним. Многие из тех ценностей, которые сейчас находятся в его руках (поверьте мне, там есть и действительно редкие вещи), он раздобыл с моей помощью: они либо были найдены благодаря моим исследованиям, либо куплены через меня, либо... либо каким-нибудь другим способом. Ваш отец, мисс Трелони, обладает чрезвычайно глубокими познаниями в этой области. Иногда случается так, что ему становится известно о существовании какой-либо старинной вещи, которая его интересует, и тогда он готов в ее поисках обшарить весь мир, и я сейчас как раз и занимаюсь одним из таких дел.

Он вдруг замолчал, причем замолчал так внезапно, будто в прямом смысле захлопнул рот. Мы какое-то время подождали. Когда он продолжил свой рассказ, речь его стала медленной и взвешенной, так, если бы он старался предвосхитить любые вопросы с нашей стороны, что было для него нехарактерно:

— У меня нет права разглашать какие-либо подробности своей миссии, ни место, ни цель, ничего. Этой информацией владеет только сам мистер Трелони и я. Я дал клятву все хранить в строжайшей тайне.

Он ненадолго замолчал, его лицо выражало нерешительность. Неожиданно он спросил:

— Мисс Трелони, а вы уверены, что ваш отец действительно не в состоянии принять меня сегодня?

Теперь удивление появилось на ее лице. Но всего лишь на секунду: она поднялась и голосом, полным одновременно достоинства и любезности, ответила:

— Следуйте за мной, вы сами все увидите! — и направилась к комнате отца. Мистер Корбек пошел за ней, я замыкал ряд.

Мистер Корбек вошел в комнату так, будто он бывал здесь уже не раз. Когда человек оказывается в новой для себя обстановке, он подсознательно начинает вести себя по-другому, меняет манеру поведения, это видно сразу, но мистер Корбек, горя желанием повидаться со своим могущественным другом, лишь бегло обвел комнату взглядом и тут же переключил все свое внимание на кровать. Я пристально наблюдал за ним, поскольку чувствовал, что этот человек сможет пролить свет на то странное дело, в которое мы были вовлечены.

Не то чтобы я сомневался в нем. Было видно, что это абсолютно честный человек, но это и было именно то качество, которого нам сейчас приходилось бояться. Он был из тех людей, которые считают чувство долга высшей из ценностей, и если бы он посчитал своим долгом сохранить то, что ему известно, в тайне, он хранил бы эту тайну до конца. Мы имели дело со случаем необычным по меньшей мере, когда к обещанию хранить молчание можно отнестись более либерально. Для нас неведение означало бессилие. Если бы нам стало известно что-либо из прошлой жизни мистера Трелони, мы хотя бы смогли представить себе обстоятельства, предшествовавшие нападению, таким образом получив возможность помочь пациенту выздороветь. Возможно, некоторые из вещей, хранившихся в комнате, все-таки можно переставить...

Мои мысли вновь закружились в хороводе, так что мне пришлось одернуть себя, чтобы продолжить наблюдение. На загорелом, обветренном лице мистера Корбека при виде друга, находящегося в таком состоянии, появилось выражение безграничной скорби. Суровость мистера Трелони оставалась на его лице даже во сне, но теперь это делало его вид еще беспомощнее. Легко смотреть на слабого или обычного человека в таком положении, но этот уверенный в себе и властный человек, погруженный в беспробудный сон, сейчас больше всего напоминал величественные руины. Мы к его виду уже привыкли, но я заметил, что в присутствии постороннего на мисс Трелони, как, впрочем, и на меня самого, с новой силой нахлынуло чувство жалости. Лицо мистера Корбека омрачилось. Вся жалость улетучилась, а на смену ей пришло выражение угрюмой решительности, не предвещавшей ничего хорошего тому, кто был причиной падения этого титана. Но и это выражение задержалось на лице недолго. Теперь мистер Корбек выглядел как человек, который только что принял решение и готов к действиям. Его вулканическая энергия подсказала ему, что нужно делать. Он обвел нас взглядом. Когда он заметил сестру Кеннеди, его брови слегка поползли вверх. Она заметила его взгляд и вопросительно посмотрела на мисс Трелони. Та тоже не произнесла ни слова, но взглядом дала понять, что ей следует выйти — сестра тихо прикрыла за собой дверь. Мистер Корбек первым делом посмотрел в мою сторону, он, как и подобает настоящему мужчине, хотел получить информацию из уст другого мужчины, а не женщины, но потом, вспомнив о необходимости быть учтивым, обратился к мисс Трелони:

— Расскажите мне все, что знаете. Как все это началось и когда.

Мисс Трелони умоляюще посмотрела на меня, и я незамедлительно приступил к рассказу обо всем, что мне было известно. Пока я говорил, он, похоже, ни разу не пошевелился, а его лицо постепенно из бронзового сделалось серым. Когда в конце я упомянул о визите мистера Марвина и о доверенности, его взгляд слегка просветлел. И когда я, заметив его интерес, более подробно описал условия, прописанные в этом документе, он промолвил:

— Прекрасно! Теперь я знаю, что делать!

От этих слов у меня все внутри похолодело. Подобная фраза, прозвучавшая в такой момент, казалось, лишала меня надежды на прояснение ситуации.

— Что вы имеете в виду? — спросил я, осознавая, насколько беспомощно прозвучал мой вопрос.

Его ответ только подкрепил мои опасения:

— Трелони знает, что делает. Все его указания имеют определенную цель, и мы не имеем права нарушать его планы. Совершенно очевидно, что он ожидал чего-то подобного и попытался себя полностью обезопасить.

— Как видно, не полностью! — не сдержавшись, воскликнул я. — Где-то должно было остаться слабое место, иначе он не лежал бы сейчас перед нами в таком состоянии!

Спокойствие мистера Корбека удивило меня. Мне казалось, что мое замечание послужит для него аргументом, но оно его вовсе не заинтересовало, по крайней мере, не так, как я того ожидал. Что-то похожее на улыбку промелькнуло на его смуглом лице, когда он ответил мне:

— Это еще не конец истории! Трелони не стал бы так заботиться о своей защите, не имея на то веских оснований. Вне всякого сомнения, он и этого ожидал, по крайней мере не исключал и эту возможность.

— Знаете ли вы, чего именно он ожидал или что считал источником угрозы? — этот вопрос задала мисс Трелони.

Ответ последовал в ту же секунду:

— Нет! Ни о том, ни о другом я ничего не знаю. Могу лишь догадываться... — он внезапно замолчал.

— Догадываться о чем? — нетерпеливо спросила девушка, не в состоянии скрыть свои страдания.

И снова бронзовое лицо сделалось серым. Но и в самих этих словах, и в том, как они были произнесены, слышались чуткость и вежливость:

— Поверьте, я бы сделал все, что в моих силах, чтобы избавить вас от тревоги. Но у меня есть долг!

— Какой долг?

— Долг хранить молчание! — когда он произнес последний звук этого слова, его уста сомкнулись, как стальной капкан.

Несколько следующих минут никто из нас не проронил ни слова. Для мыслей, завертевшихся в наших головах, тишина была на руку. Негромкие звуки повседневной жизни, доносившиеся из дома и извне, казались посторонними и неуместными. Первой нарушила молчание мисс Трелони.

В ее глазах я заметил проблеск надежды. Прежде чем начать говорить, ей пришлось взять себя в руки:

— По какому срочному делу вы хотели видеть моего отца, хотя и знали что он... нездоров? — за время короткой паузы она смогла собраться с силами.

Мгновенная перемена в мистере Корбеке выглядела почти курьезно. Сначала он удивился, потом сделался отрешенно-бесстрасным, все это походило на некую пантомиму. Но всякая комедийность улетучилась, когда он вспомнил о своей первоначальной миссии:

— Боже мой! — воскликнул он, поднимая руку над спинкой кресла, на которой она до того момента покоилась, и опуская ее с такой силой, которая сама по себе привлекла внимание. Его брови нахмурились, когда он продолжил:

— Я совсем забыл! Какое поражение! И именно сейчас! На краю успеха! Он совершенно беспомощен, а у меня язык связан! Я не могу ни двинуться, ни шагу ступить без его указаний!

— Прошу вас, поделитесь с нами! Я так волнуюсь о своем дорогом отце! Ему грозит очередная беда? Надеюсь, что нет! Господи, как я на это надеюсь! Я уже и так столько натерпелась! Меня опять бросает в дрожь, когда я слышу, как вы вот так говорите! Вы можете рассказать нам что-нибудь, что успокоит нас и развеет эту ужасную неопределенность?

Он выпрямился во весь рост и сказал:

— Увы! Я не могу, не могу вам ничего рассказать. Это тайна, — он указал на кровать. — Однако... Однако я прибыл сюда за его советом, его решением, его помощью. А он в таком состоянии... Но время-то летит! Скоро может быть уже слишком поздно!

— Заклинаю, расскажите! — взмолилась мисс Трелони, ее лицо было перекошено от боли. — Говорите же. Скажите хоть что-нибудь. Вся эта загадочность, тревога и ужас убивают меня!

Мистеру Корбеку было непросто скрыть свое волнение.

— Я не могу раскрыть вам детали, но меня постигла ужасная потеря. Моя миссия, которой я посвятил три года, оказалась удачной. Я нашел все, что искал, и даже более того! Я все это привез в сохранности домой. Это сокровища, бесценные сами по себе, но они вдвойне дороги для него, для того, чью волю я выполнял и чьими инструкциями руководствовался. Я прибыл в Лондон только прошлой ночью, но сегодня утром проснулся и обнаружил, что мое бесценное сокровище пропало! Было украдено каким-то загадочным способом. В Лондоне ни одна живая душа не знала, что я должен приехать. Никто, кроме меня самого, не представлял, что находилось в той потрепанной дорожной сумке, которая была у меня в руках. В моем номере была лишь одна дверь, которую я сам закрыл на замок и запер на засов. Номер находится высоко, на пятом этаже, так что любое проникновение через окно исключается. Вообще-то я даже окна лично закрыл на шпингалеты, чтобы полностью быть уверенным в безопасности. Сегодня утром шпингалеты оставались в прежнем положении... Но моя сумка оказалась пустой!.. Представляете, пустой! Я поехал в Египет на поиски набора древних ламп, которые хотел разыскать мистер Трелони. Прикладывая неимоверные усилия и подвергаясь смертельной опасности, я их нашел, в целости и сохранности привез домой... И вот! — он отвернулся, поддавшись чувствам. Даже его несгибаемый дух был надломлен утратой.

Мисс Трелони сделала шаг вперед и взяла его за руку. Я с удивлением наблюдал за ней. Волнение и боль, через которые она прошла, казалось, теперь наполнили ее решительностью. Спина выпрямилась, глаза заблестели, энергия ощущалась в каждом ее движении и жесте. Даже голос ее был полон живой силы. Несомненно, она удивительно сильная женщина, и ее сила пробуждалась, когда возникала необходимость.

— Нам надо действовать немедленно! Желания моего отца должны быть исполнены, если мы в состоянии это сделать. Мистер Росс, вы юрист. В нашем доме находится человек, которого вы считаете одним из лучших детективов Лондона. Вне всякого сомнения, мы можем что-то сделать. Можно начать прямо сейчас!

Ее энтузиазм вдохнул в мистера Корбека новую жизнь:

— Вот это да! Вы — точная копия своего отца! — вот и все, что он сказал, но восхищение ее энергией проявилось в том, как он пожал ей руку.

Я направился к двери, собираясь привести сержанта Доу, и по одобрительному взгляду Маргарет, мисс Трелони, сообразил, что она правильно поняла мои намерения. Я уже почти вышел, когда мистер Корбек окликнул меня:

— Одну минутку, — сказал он. — До того, как вы приведете сюда постороннего, я попрошу вас не забывать, что он ни в коем случае не должен узнать то, что уже стало известно вам, а именно, то, что объектом длительных, трудных и опасных поисков были лампы. Все, что я смогу ему рассказать, все, что он вообще должен знать, это то, что была похищена моя собственность. Некоторые из ламп мне придется описать, особенно изготовленную из золота. Больше всего я боюсь, что вор, не догадываясь о ее исторической ценности, захочет переплавить ее, чтобы покрыть свои расходы. Я бы заплатил в десять, в двадцать, в сто, в тысячу раз больше той цены, которую он мог бы при этом выручить, лишь бы она не была уничтожена. Детективу я расскажу только то, что посчитаю необходимым. Поэтому позвольте мне самому отвечать на все его вопросы, если, конечно, я сам не попрошу об этом кого-то из вас.

Мы оба кивнули в знак согласия. Тут мне в голову пришла одна мысль, и я сказал:

— Кстати, если необходимо, чтобы все дело прошло без лишней шумихи, будет лучше, если это возможно, обратиться к услугам частного детектива. Если дело попадет в Скотленд-Ярд, мы уже не сможем избежать шума, и дальнейшее соблюдение конфиденциальности станет невозможным. Я поговорю с сержантом Доу, прежде чем он поднимется сюда. Если, когда мы придем, я ничего не скажу, это будет означать, что он согласен взяться за дело в частном порядке.

Мистер Корбек тут же отозвался:

— Секретность здесь самое важное. Единственное, чего я боюсь, это того, что все или несколько ламп будут уничтожены.

К моему крайнему изумлению, на это замечание ответила мисс Трелони. Ее голос был негромким, но уверенным:

— Они не будут уничтожены, ни одна из ламп не пострадает!

Мистер Корбек удивленно усмехнулся:

— Да откуда вы можете знать?

Ее ответ прозвучал еще более загадочно:

— Я не знаю откуда, но уверена в этом. Я это чувствую, как будто всю жизнь эта уверенность была во мне!

ГЛАВА VIII

Поиски ламп

Поначалу сержант Доу колебался, но в конце концов согласился в частном порядке консультировать нас в деле, которое мы хотели ему поручить. Он попросил меня не забывать, что готов лишь давать консультации, поскольку, если возникнет необходимость в действиях, ему придется передать дело в ведение управления. На этом я его и оставил в кабинете, отправившись за мисс Трелони и мистером Корбеком. Сестра Кеннеди заняла свое место у кровати, когда мы вышли из комнаты.

Меня восхитило то, как осторожно, вдумчиво и четко путешественник рассказал о своем деле. Он говорил все без утайки, но в то же время в описании своей пропажи не открыл ни одной детали. Он не акцентировал внимания на загадочных обстоятельствах похищения, наоборот, представил все как обычную гостиничную кражу. Зная, что его главной задачей было обнаружение пропавших предметов до того, как они подвергнутся какой-либо переработке, я обратил внимание на редкостные интеллектуальные способности, благодаря которым он сумел изложить суть дела, не упомянув при этом деталей. «Да уж, — подумал я, —

восточные базары многому научили этого человека, а его западный интеллект позволил ему даже превзойти учителей!» Он весьма понятно изложил суть дела детективу, который после секундного раздумья произнес:

— Главное выяснить: тигель или чаша?

— Как это понимать? — встревоженно спросил мистер Корбек.

— Это старое воровское выражение, пришедшее из Бирмингема. Я думал, что сейчас, когда стали модными жаргонные словечки, его все знают. В старые времена в Браме, где сосредоточено множество мелких металлообрабатывающих предприятий, золотых и серебряных дел мастера скупали металл практически у кого угодно. И поскольку обычно металлические изделия в небольших количествах покупались дешевле, если не интересовало их происхождение, то традиционно у того, кто принес товар, спрашивали лишь одно: хочет ли он его переплавить. В этом случае покупатель назначал свою цену и занимался переплавкой — тигель всегда находился на огне. Если же решено было сохранить товар в его первоначальном виде, то он отправлялся на чашу весов и шел по цене лома.

Подобное происходит и в наши дни, и не только в Браме. Когда мы разыскиваем украденные часы, нам часто приходится сталкиваться с такими мастерами, однако в груде колесиков и пружинок невозможно найти именно те, которые интересуют нас. Но сейчас мало кто разыскивает украденные вещи. В вашем случае все зависит от того, является ли вор «добрым человеком». Так называют опытного жулика, который хорошо знает свое дело. Такой человек всегда точно знает, как лучше продать вещь: как простой металл или же она стоит большего. В последнем случае он обращается к кому-либо, кто сможет продать ее позже где-нибудь в Америке или во Франции. Кстати, как вы думаете, сможет ли кто-нибудь, кроме вас, определить истинную стоимость ваших ламп?

— Кроме меня — никто!

— Они единственные в своем роде или существуют и другие такие же?

— Насколько я знаю, нет, — ответил мистер Корбек. — Хотя допускаю, что могут быть и копии.

Детектив выдержал небольшую паузу, прежде чем задать очередной вопрос:

— Сможет ли другой специалист (например, кто-нибудь из Британского музея, или продавец, или коллекционер, как мистер Трелони) определить стоимость, художественную ценность ламп?

— Конечно! Любой, у кого есть глаза, с первого взгляда поймет, что эти вещи бесценны.

Лицо детектива просветлело.

— В таком случае у нас есть шанс! Если дверь в ваш номер была заперта, а окна закрыты, кражу не могли совершить уборщица или коридорный, случайно зашедшие в комнату. Кем бы ни был вор, вся операция спланирована заранее, и вор рассчитывает получить за свою добычу хорошие деньги. Нужно проверить ростовщиков. Во всем этом есть и положительная сторона: мы сможем вести расследование, не поднимая шума. В Скотленд-Ярд можно не обращаться, если, конечно, вы этого сами не захотите. Все можно сделать частным порядком. Если вы действительно не хотите огласки, как говорили ранее, то это наш шанс.

Помолчав, мистер Корбек спросил:

— Я подозреваю, что вы не рискнете выдвинуть какую-либо версию относительно совершенного ограбления?

Полисмен улыбнулся с видом человека знающего и опытного:

— Все очень просто, в этом у меня нет сомнений, сэр. Все подобные преступления совершаются по одному и тому же сценарию. Преступник досконально знает дело и своего не упустит. Кроме того, он по опыту знает, где искать удобный случай поживиться и что для этого нужно. Его жертва — обычно просто осторожный человек, который не знает всех хитростей и ловушек преступника — почти всегда совершает ту или иную оплошность, которая на руку вору, тут-то капкан и захлопывается. Когда мы узнаем все подробности вашего дела, вы сами удивитесь, что не смогли понять всей технологии преступления самостоятельно, ведь все так просто!

Это, кажется, не понравилось мистеру Корбеку, потому что его ответ прозвучал несколько резко:

— Послушайте-ка, мой дорогой друг, что я скажу. В этом деле нет ничего простого, кроме одного: вещи пропали. Окно было закрыто, камин заложен кирпичом. В комнату ведет только одна дверь, которую я лично закрыл на ключ и запер на засов. Дверь верхней створки не имела. Я много слышал о гостиничных кражах через такие створки. Ночью я ни разу не выходил из своей комнаты. Перед тем как лечь спать, я осматривал свои вещи и когда проснулся, снова захотел на них взглянуть. Если вы видите в таких обстоятельствах заурядную кражу — вы мудрый человек. Вот все, что я хочу сказать. А теперь я собираюсь не сидеть сложа руки, а заняться делом и вернуть свое.

Мисс Трелони успокаивающим жестом положила свою ладонь ему на руку и спокойно сказала:

— Не надо напрасно терзать себя. Я уверена, что пропавшие вещи найдутся.

Сержант Доу повернулся к ней так резко, что мне тут же отчетливо вспомнились его подозрения на ее счет.

— Позвольте спросить, мисс, на чем основывается ваша уверенность?

Я с ужасом ждал ее ответа, потому что детектив, у которого уже возникло подозрение, в любых ее словах будет искать лишь подтверждение ему. Ее ответ болью отозвался в моих ушах.

— Не могу сказать, на чем, но уверена, что так и будет!

Детектив несколько секунд не сводил с нее глаз, не произнося ни слова, потом бросил быстрый взгляд на меня.

Обсудив еще кое-какие детали с мистером Корбеком относительно своих дальнейших действий, выяснив подробности планировки гостиницы и комнаты и обговорив методы идентификации пропавших ламп, он отправился по своим делам. Мистер Корбек еще раз обратил его внимание на необходимость держать дело в тайне, чтобы преступник не почуял опасности и не уничтожил лампы. Мистер Корбек пообещал вернуться под вечер и остаться с нами в доме, но сейчас у него была масса своих дел, требующих внимания, так что он тоже удалился.

Весь день мисс Трелони пребывала в лучшем за последнее время расположении духа и выглядела здоровее, несмотря на шок, вызванный известием о краже ламп.

Большую часть дня мы занимались тем, что рассматривали редкостные вещи, собранные мистером Трелони. После того что я услышал от мистера Корбека, я начал понимать, какой величиной был мистер Трелони в мире египтологии. В свете последних известий все теперь выглядело по-другому. Чем дольше я рассматривал египетские диковинки, тем более возрастал мой интерес. Томительные подозрения уступили место любопытству и восхищению. Дом походил на настоящий музей произведений древнего искусства. Кроме того, что вся комната мистера Трелони была заполнена разнообразными антикварными вещами — от огромных саркофагов на полу до разного рода скарабеев на полках застекленных шкафов, большая передняя, лестничная площадка, кабинет и даже будуар тоже были буквально напичканы древними реликвиями, при виде которых у любого коллекционера потекли бы слюнки.

Мисс Трелони с самого начала вместе со мной с растущим интересом рассматривала все вокруг. Изучив содержание нескольких шкафов с изысканными амулетами, она обратилась ко мне:

— Вы не поверите, но я раньше даже внимания не обращала на все это. Только после того, как заболел отец, у меня появился интерес к этим вещам. Но теперь они все больше и больше привлекают мое внимание. Может, это начинает проявляться страсть к коллекционированию, которая передалась мне по наследству? Если это так, то странно, что раньше это абсолютно не ощущалось. Разумеется, большинство из собранных здесь предметов я видела и даже когда-нибудь рассматривала, но воспринимала их как нечто такое, что было здесь всегда, а то, что постоянно рядом, редко вызывает особый интерес. Знаете, я подобное наблюдала и с фамильными портретами, которые сами члены семьи воспринимают как нечто само собой разумеющееся и не удостаивают внимания. Было бы чудесно, если бы вы позволили мне рассматривать все это вместе с вами.

Для меня было неимоверной радостью услышать от нее такое предложение. Вместе мы обошли различные комнаты и коридоры, восхищаясь великолепными экспонатами. Здесь было такое огромное количество самых разнообразных предметов, что большинство из них мы смогли лишь бегло осмотреть. По мере продвижения мы пришли к выводу, что изучать все это нужно более внимательно и последовательно, день за днем. В большом зале стояла большая стальная конструкция, элементы которой были украшены цветочным орнаментом, которую мистер Трелони, по словам Маргарет, использовал для того, чтобы поднимать тяжелые каменные крышки саркофагов. Конструкция не была тяжелой и довольно легко перемещалась по комнате, и мы с ее помощью стали по очереди поднимать крышки и рассматривать бесконечные ряды иероглифических картинок, выгравированных на них. Несмотря на заверения в том, что она совершенно не разбирается во всем этом, у Маргарет были довольно глубокие познания. Год, прожитый с отцом, не прошел для нее даром. Она была на удивление умной и проницательной девушкой, наделенной к тому же прекрасной памятью, что позволило ей подсознательно, день за днем общаясь с отцом, накопить такой объем информации, которому позавидовал бы иной ученый.

Но какой же наивной она при этом казалась! Простая и беззаботная девочка! От идей, высказанных ею, веяло такой свежестью и незаученностью, что я на время позабыл обо всех бедах и загадках, наполнивших этот дом, и снова почувствовал себя мальчишкой...

Самыми интересными из всех саркофагов были, несомненно, те три, которые находились в комнате мистера Трелони. Два из них были изготовлены из темного камня (один из порфира, второй из чего-то наподобие железной руды), и оба были покрыты иероглифами. Но третий разительно от них отличался. Он был из какого-то желто-коричневого материала, который по цвету и структуре больше всего напоминал мексиканский оникс, лишь естественный узор на его поверхности был не таким ярким. Кое-где виднелись почти прозрачные вкрапления. Вся поверхность саркофага, и крышка, и основание, были полностью покрыты маленькими иероглифами. Сотни, тысячи иероглифов, выстроенных последовательно. Задняя стенка, фасад, стороны, края, дно — все изобиловало изящными рисунками, которые, выкрашенные в синий цвет, четко выделялись на желтом каменном фоне. Сам саркофаг был огромным: почти девять футов в длину и около ярда в ширину. Его бока были выгнуты, даже углы представляли собой не стык граней, а закругления, выполненные так мастерски, что это радовало глаз.

— Да, — сказал я, — это наверняка предназначалось для великана.

— Или для великанши! — добавила Маргарет.

Этот саркофаг стоял рядом с одним из окон. У него была особенность, которая отличала его от всех остальных саркофагов в доме. Все они (из какого бы материала ни были изготовлены: из гранита, порфира, железной руды, базальта, сланца или дерева) имели довольно примитивную форму внутри. У некоторых внутренние стенки были полностью или частично покрыты иероглифами, у некоторых нет. Но у всех до единого на внутренней поверхности не было никаких выступов и даже неровностей. Их можно было бы использовать как ванны, и действительно, они чем-то напоминали мраморные и каменные римские ванны, которые мне доводилось видеть. Но у этого внутри имелось возвышение, по контуру напоминающее человеческий силуэт. Я спросил Маргарет, может ли она это както объяснить, на что она ответила:

— Отец всегда отказывался говорить об этом. У меня это сразу же вызвало любопытство, но когда я спросила его, он сказал: «Когда-нибудь, девочка моя, я тебе все расскажу...

если доживу! Но не сейчас! Его история еще не получила того завершения, на которое я рассчитываю. Когда-нибудь, возможно, скоро, все прояснится, и тогда мы снова поговорим об этом. И поверь, это будет необыкновенно интересный разговор, от первого слова до последнего!» Потом однажды я спросила его, но как-то слишком несерьезно, наверное: «Отец, а история того саркофага уже закончена?» Он покачал головой и пристально посмотрел на меня: «Пока еще нет, девочка моя, но когда-нибудь это произойдет. Если только я до этого момента доживу! Если только доживу!» То, что он постоянно повторял эту фразу, сильно меня напугало, и я больше ни разу не рискнула спрашивать его об этом

Ее слова растревожили меня. Не могу сказать, как и почему, но будто где-то вдалеке забрезжил луч надежды. Бывают такие моменты, думал я, когда разум сам принимает нечто услышанное за правду, хотя суть услышанной мысли или связь между мыслями, если их несколько, остаются непознанными. До сих пор все, что было связано с мистером Трелони и тем несчастьем, которое постигло его, было окутано таким густым туманом, что любая мелочь, способная пролить свет или дать хотя бы малейший намек на прояснение ситуации, принесла бы нам несказанное облегчение. Теперь у нас появилось два ключа к решению загадки. Первое: мистер Трелони связывал с этим конкретным предметом опасность для своей жизни. Второе: он чего-то ждал или надеялся на что-то, о чем до полной развязки не рассказывал даже собственной дочери. Кроме того, нельзя было забывать, что этот саркофаг значительно отличался от остальных. Для чего нужно это странное возвышение внутри? Я ничего не сказал мисс Трелони, так как побоялся, что мои расспросы могут либо испугать ее, либо поселить в ней пока еще необоснованные надежды, но про себя я решил как можно скорее продолжить свои исследования.

Рядом с саркофагом стоял низкий столик из зеленого камня с красными прожилками, как у гелиотропа. Его ножки были выполнены в виде лап шакала, и каждую из них обвивала змея, искусно отлитая в натуральную величину из чистого золота. На столике стоял удивительной формы прекрасный каменный сундучок, или шкатулка. Больше всего по форме это напоминало маленький гроб, только его длинные стороны не обрывались там, где был переход на торец, а продолжались до конца, образуя неправильный семигранник. У него было две плоскости на каждой из сторон, один торец, верхняя сторона и нижняя. Камня, из единого куска которого эта вещь была изготовлена, раньше мне видеть не доводилось. Ближе к основанию он был ярко-зеленым, как изумруд, но без характерного блеска, разумеется. Камень никак нельзя было назвать холодным, ни по цвету, ни по фактуре, он был чрезвычайно твердым и красивым. Поверхность его была гладкой, как у обработанного драгоценного камня. Кверху цвет становился светлее, причем переход от темного оттенка к более светлому был практически незаметен. Зеленый цвет превращался в красивый оттенок желтого, как цвет китайского фарфора. Это не было похоже ни на что, виденное мною раньше, ни на один известный мне камень, драгоценный или обычный. Я посчитал, что это обломок каменной породы или редкостный кусок самоцвета, искусно отполированный со всех сторон, кроме нескольких мест, и украшен прекрасными иероглифами того же сине-зеленого цвета, что и изображения на саркофаге. В длину он был примерно два с половиной фута, в ширину — где-то половина этого, высота составляла почти фут. Места, не украшенные иероглифами, были неравномерно распределены от широкой части к острой. В этих местах камень был не таким матовым. Я попытался приподнять крышку, чтобы выяснить, не пропускали ли эти пятна свет, но она оказалась крепко закрепленной. Крышка и основа были так идеально подогнаны, что казалось, будто весь ларец изготовлен из одного куска камня, внутри которого непонятным образом сделана полость. На боках и торцах виднелись необычного вида выпуклости, обработанные так же мастерски, как и любой другой участок поверхности этого ларца, который являл собой пример высочайшего мастерства в искусстве обработки камня. На них были странные отверстия или полости, причем все неповторимой формы. Они также были покрыты иероглифическими изображениями, искусно вырезанными и заполненными тем же сине-зеленым веществом.

С другой стороны большого саркофага стоял еще один алебастровый столик, тоже весь покрытый символическими изображениями богов и знаков зодиака. На нем находилась квадратная коробочка со сторонами примерно фут в длину, которая была сделана из пластин горного хрусталя, вставленных в каркас из красного золота, и украшена прекрасными иероглифическими изображениями, покрытыми краской того же оттенка, что на саркофаге и ларце. Коробочка выглядела вполне современно.

Но если сама коробочка представляла собой произведение современного искусства, этого нельзя было сказать о ее содержимом. Внутри на золотистой подушечке, гладкой, как шелк, и блестящей, как старинное золото, покоилась мумифицированная кисть руки, сохранившаяся поразительно хорошо. Это была женская кисть красивой удлиненной формы с тонкими и длинными пальцами, сохранившаяся почти в таком же состоянии, в каком тысячи лет назад легла на стол бальзамировщика. Бальзамирование не лишило ее красоты. Даже изящное запястье, лежащее на подушечке, кажется, совсем не потеряло гибкости. Насыщенно-кремовый цвет кожи напоминал цвет старой слоновой кости. Смуглость кожи подразумевала длительное воздействие жары, но под покровом тени, в защите от прямого воздействия солнца. Самым поразительным в этой руке было то, что она имела семь пальцев: два средних и два указательных. Верхний край запястья был неровным, как будто оно было отломано, на нем виднелось красно-коричневое пятно. Рядом с рукой на отдельной подушечке лежал маленький скарабей, искусно вырезанный из изумруда.

— Это еще одна загадка отца. Когда я его спросила, что это, он ответил, что это, пожалуй, вторая по ценности вещь из его коллекции. Когда я поинтересовалась, какая же первая, он отказался отвечать и вообще запретил мне задавать вопросы на эту тему. «Со временем, — сказал он, — я сам тебе все расскажу... Если доживу!»

Снова эта фраза «Если доживу!». Похоже на то, что три вещи — саркофаг, шкатулка и рука — составляли некое загадочное единство.

В эту минуту мисс Трелони вызвали по каким-то домашним делам, и я продолжил свой осмотр в одиночестве. Но теперь, когда ее не было рядом, все здесь потеряло свое очарование. Позже в тот день меня попросили зайти в будуар, где мисс Трелони и миссис Грант обсуждали вопрос о размещении мистера Корбека. Они сомневались, поселить ли его рядом с комнатой мистера Трелони или подальше от нее, и решили спросить мое мнение. Я посчитал, что не стоит его оставлять слишком близко, поскольку, если потребуется, его всегда легко можно переселить поближе.

Когда миссис Грант ушла, я спросил у мисс Трелони, почему обстановка комнаты, в которой мы находились, — будуара, так отличалась от остальных комнат в доме.

— Отцовская предусмотрительность! — ответила она. — Когда только я приехала сюда, он подумал (и был совершенно прав), что меня могут напугать все эти предметы, связанные со смертью и могилами. Поэтому решил эту и еще одну маленькую комнату рядом, где я вчера спала (вот эта дверь ведет в нее), обставить красивой мебелью. Видите, здесь все прекрасно. Этот комод принадлежал самому Наполеону.

— Так в этой комнате нет ничего, связанного с Египтом? — спросил я, скорее для поддержания разговора, поскольку обстановка комнаты говорила сама за себя. — Какой чудесный комод. Можно взглянуть поближе?

— Конечно! Пожалуйста! — улыбнулась она в ответ. — Отделка, по словам отца, как снаружи, так и внутри, просто восхитительна.

Я подошел и внимательно присмотрелся. Комод был изготовлен из мозаично сложенных кусочков тюльпанного дерева с позолотой. Я попытался выдвинуть один из ящиков, самый большой, чтобы получше рассмотреть отделку. Когда я потянул за ручку, изнутри послышался дребезжащий звук, как будто покатилось что-то металлическое, позванивая мелкими деталями.

— Ого! — сказал я. — Внутри что-то есть. Наверное, лучше не открывать.

— Я туда ничего не клала, — ответила она. — Кто-то из горничных, должно быть, что-то засунул туда и забыл. Откройте, прошу вас!

Когда я выдвинул ящик, и мисс Трелони, и я застыли от изумления.

Внутри лежало множество древнеегипетских ламп разных размеров и самых невероятных форм. Мы склонились над ящиком, чтобы получше рассмотреть их. Мое сердце готово было выскочить из груди, и по глубокому дыханию мисс Трелони я понял, что она тоже пришла в невероятное волнение.

Когда мы рассматривали лампы, не смея прикоснуться к ним и боясь даже о чем-то думать, раздался звонок в дверь, и в холл в сопровождении сержанта Доу вошел мистер Корбек. Дверь в будуар была открыта, и они, увидев нас, тут же направились в комнату, сначала мистер Корбек, за ним, чуть медленнее, сержант Доу. Лицо мистера Корбека сияло от счастья, он взволнованно произнес:

— Разделите мою радость со мной, дорогая мисс Трелони, мой багаж прибыл, и все вещи в целости и сохранности! — Тут его лицо омрачилось, и он добавил: — Кроме ламп. Ламп, которые в тысячу раз ценнее всего остального... — В этот момент он замер, заметив бледность на лице мисс Трелони. Затем его взгляд проследовал в том же направлении, что и ее, и мой, и остановился на груде ламп в ящике. Издав крик то ли радости, то ли удивления, он бросился к ним и протянул руку:

— Мои лампы! Мои лампы! Они спасены! Спасены! Спасены!.. Но как, во имя Господа Бога... всех богов, как они здесь оказались?

Никто из нас не проронил ни слова. Лишь детектив издал долгий и глубокий вздох. Я посмотрел на него, и он, заметив мой взгляд, перевел глаза на мисс Трелони, которая стояла спиной к нему.

На его лице было то же выражение, как и тогда, когда он высказал мне свои подозрения по поводу того, что именно она первой оказывалась в комнате своего отца после совершения покушений.

ГЛАВА IX

Нужна информация

При виде ламп мистер Корбек от радости будто потерял голову. Он бережно брал их в руки одну за другой и любовно осматривал. От удовольствия и возбуждения его дыхание сделалось таким глубоким, что напоминало кошачье урчание. Внезапно прозвучавшие слова сержанта Доу нарушили тишину, как фальшивая нота разрушает мелодию:

— Вы полностью уверены, что это именно те лампы, которые украдены у вас?

Мистер Корбек возмутился:

— Разумеется! Я полностью в этом уверен. Во всем мире больше не существует такого набора ламп!

— Это вы так считаете! — Эти слова детектив произнес спокойным тоном, но вид у него при этом был довольно раздраженный. Я не сомневался, что на это у него имелись веские причины, поэтому замер в ожидании. Он продолжил: — Разумеется, в Британском музее может храниться нечто подобное, или у самого мистера Трелони уже был свой комплект. Знаете ли, ничто не ново на этом свете, мистер Корбек, даже в Египте. Возможно, это оригиналы, а у вас были копии. Есть ли какие-нибудь характерные детали, по которым вы можете с уверенностью сказать, что это именно ваши лампы?

К моменту, когда детектив закончил свой вопрос, мистер Корбек уже порядком разозлился. Забыв о сдержанности, он с негодованием излил поток почти бессвязных, разрозненных, но вполне понятных фраз:

— С уверенностью сказать! Копии! Британский музей! Черт возьми! Наверное, в Скотленд-Ярде держат специальных сотрудников, которые учат идиотов-полицейских египтологии! Смогу ли я с уверенностью сказать?! Да я их три месяца по пустыне носил на себе, по ночам не спал, следил, чтобы их не украли! Да я их с лупой изучал часами, пока не начинали болеть глаза! Пока не запомнил каждое мельчайшее пятнышко, царапинку и вмятинку как свои пять пальцев, так же, как их, несомненно, все это время знал и тот не ведающий ничего святого тупой идиот, который их украл! Посмотрите сюда, молодой человек. Взгляните! — Он выстроил лампы в ряд на комоде. — Вам когда-нибудь приходилось видеть перед собой комплект ламп подобных форм? Хотя бы одну из таких? Вы когда-нибудь раньше видели такой совершенный набор? Хоть в Скотленд-Ярде, хоть в Боу-стрит? Смотрите! На каждой одна из семи форм богини Хатор. А посмотрите на эту фигуру «Ка» принцессы обоих Египтов, которая стоит между Ра и Осирисом в Лодке Мертвых, а перед ней коленопреклоненное Око Сна, а Гармохис, восходящий на Севере! Вы видели подобное в Британском музее... или в Боу-стрит? Может быть, исследования, проведенные в музеях Гизы, Фитцвильяма*, Парижа, Лейдена или Берлина подсказали вам, что этот сюжет распространен в иероглифике, и это

* Музей в Кембридже.

всего лишь копия? Может, вы в состоянии объяснить мне, что означает эта фигура Птаха-Сокара-Осириса, который держит Тета, завернутого в папирус? Раньше вам такое приходилось видеть? Хоть в Британском музее, хоть в Гизе, хоть в Скотленд-Ярде?

Внезапно поток слов прервался, и он продолжил совсем другим тоном:

— Похоже, тупой идиот — это я сам! Прошу прощения, друзья мои, за свою грубость. Я не сдержался, когда вы высказали сомнение в том, достаточно ли я хорошо знаю эти лампы. Вы ведь не обиделись?

Ответ детектива был искренним:

— Что вы, сэр, конечно нет! Мне нравится, когда люди начинают злиться. Когда человек злится, от него легче всего узнать правду. Я же сохраняю спокойствие, такова моя работа! Вы, между прочим, за две последние минуты рассказали мне про эти лампы больше, чем за все то время, когда описывали детали, по которым их можно идентифицировать.

Мистер Корбек, раздосадованный своей несдержанностью, недовольно хмыкнул и, резко повернувшись ко мне, спросил уже своим обычным голосом:

— Теперь расскажите мне, как вам удалось их вернуть?

От неожиданности я ответил не задумываясь:

— Да мы их и не возвращали!

Путешественник рассмеялся.

— Что же это значит? — спросил он. — Как это вы их не возвращали, если вот они перед нами! Когда мы вошли, вы их рассматривали.

К этому моменту я уже пришел в себя и собрался с мыслями:

— Вот так! Мы случайно на них натолкнулись за секунду до вашего прихода.

Мистер Корбек отступил на шаг и воззрился на нас с мисс Трелони, переводя взгляд с нее на меня и обратно:

— Вы что, хотите сказать, что никто из вас их сюда не принес и вы просто нашли их в этом ящике? Их что, вообще никто не приносил?

— Я полагаю, кто-то должен был их сюда принести, сами по себе они не могли сюда попасть. Но кто это был, когда или как они сюда попали, мы не знаем. Нужно будет расспросить слуг, может быть, кому-то из них что-нибудь известно.

Несколько секунд все мы стояли молча. Мне показалось, что время течет очень медленно. Первым нарушил тишину детектив, который в задумчивости произнес:

— Чертовски интересно! Прошу прощения, мисс! — и тут же опять замолчал.

Мы стали по очереди вызывать слуг и спрашивать их, известно ли им что-нибудь о тех вещах, которые лежат в комоде в будуаре, но никто из них ничего не мог сказать. Мы не говорили им, что это за вещи, и не показывали их.

Мистер Корбек упаковал лампы в вату и уложил их в жестяную коробку. Могу добавить, что ее затем отнесли наверх в комнату детектива, где всю ночь ее должен был охранять человек, вооруженный револьвером. На следующий день в дом доставили небольшой сейф, и лампы поместили в него. Сейф открывался двумя разными ключами. Один из них я оставил при себе, а второй положил в свой депозитный ящик в банковском хранилище. Все мы решительно были настроены на то, что лампы не должны снова исчезнуть.

Примерно спустя час после того, как обнаружились лампы, приехал доктор Винчестер. У него был большой сверток, в котором, когда его развернули, оказалась мумия кошки.

С разрешения мисс Трелони мумию отнесли в будуар, туда же доставили и Сильвио. К нашему всеобщему, за исключением самого доктора Винчестера, удивлению, он не выказал ни малейшего раздражения, более того, он, кажется, вообще ее не заметил. Сильвио совершенно спокойно стоял на столе рядом с мумией и довольно урчал. Потом, согласно своему плану, доктор с котом в руках направился в комнату мистера Трелони, и мы все последовали за ним. Доктор Винчестер был возбужден; мисс Трелони встревожена. Мне было крайне интересно, поскольку я начинал понимать, что задумал доктор. Детектив был невозмутим и наблюдал за всем как бы со стороны, но мистер Корбек, со свойственным ему энтузиазмом, сгорал от любопытства.

Как только доктор Винчестер переступил порог комнаты, Сильвио начал мяукать и извиваться. Наконец, выпрыгнув у него из рук, он кинулся к мумии кошки и впился в нее когтями. Мисс Трелони с трудом удалось забрать его и вынести из комнаты. Как только Сильвио оказался за пределами комнаты, он тут же успокоился. Когда мисс Трелони вернулась в комнату, со всех сторон посыпались комментарии:

— Я так и думал! — воскликнул доктор.

— Что это может значить? — спросила мисс Трелони.

— Удивительно! — констатировал мистер Корбек.

— Довольно странно, но это ничего не доказывает! — резюмировал детектив.

— Я пока повременю с выводами! — сказал я, посчитав, что надо тоже вставить слово.

Затем с общего согласия мы на время оставили эту тему.

В тот вечер я в своей комнате делал кое-какие записи относительно происшедшего за день, когда в дверь тихо постучали. В комнату вошел сержант Доу, плотно закрыв за собой дверь.

— Итак, сержант, — обратился я к нему, — что скажете?

— Сэр, я хотел поговорить с вами об этих лампах. — Я кивнул и приготовился слушать. Он продолжил: — Вам известно, что комната, в которой нашли лампы, ведет прямиком в ту, где вчера спала мисс Трелони?

— Да.

— Прошлой ночью я слышал, как где-то в доме открылось и закрылось окно. Я осмотрел весь дом, но нигде ничего не обнаружил.

— Да, это мне известно! — подтвердил я. — Я сам слышал звук открывающегося окна.

— Сэр, вы в этом не находите ничего странного?

— Странного? — переспросил я. — Да все, что здесь происходит, настолько удивительно и непонятно, что можно лишиться рассудка. Все настолько странно, что не остается ничего другого, кроме как просто ждать, что же произойдет дальше. А что вы подразумеваете под словом «странного»?

Детектив помедлил с ответом, будто подбирая подходящие слова, и нерешительно начал:

— Видите ли, я не из тех людей, кто верит в магию и всякое такое. Я верю только в факты. За многие годы я убедился, что все можно объяснить рационально, всему есть объяснение. Этот новый джентльмен утверждает, что его вещи были похищены из номера в гостинице. Лампы, как я понял из некоторых его слов, на самом деле принадлежат мистеру Трелони. Его дочь, хозяйка дома, оставив комнату, которую обычно занимает, решает спать на первом этаже. Ночью было слышно, как открывалось окно. Когда мы, проведя день в попытках понять, как же было совершено это таинственное ограбление, возвращаемся в дом, мы обнаруживаем украденные вещи в комнате, которая находится непосредственно рядом с той, в которой она спала, туда даже ведет дверь!

Он замолчал. Во мне снова проснулись мрачные мысли и ощущение боли, как тогда, когда мы разговаривали в прошлый раз. Однако мне следовало вести себя достойно. То, как я относился к ней, и мои чувства (теперь я уже мог их смело назвать глубокой любовью и преданностью) требовали очень многого. Я спросил самым спокойным голосом, на который в ту секунду был способен, так как знал, что пытливый взгляд опытного следователя был устремлен на меня:

— И ваши выводы?

Он ответил тоном убежденного в своих словах человека:

— Мои выводы заключаются в том, что никакого ограбления не было вовсе. Предметы кем-то принесены в этот дом и переданы через окно на первом этаже. Потом их положили в комод, чтобы там их обнаружили в подходящее время!

Я почувствовал некоторое облегчение. Его версия была уж слишком неправдоподобной. Впрочем, не желая выдавать себя, я спросил с серьезным видом:

— И кто же, по-вашему, принес их в дом?

— Тут я еще не пришел к окончательному выводу. Возможно, сам мистер Корбек. Это слишком серьезное дело, чтобы доверять его кому-то со стороны.

— Если довести вашу мысль до конца, получается, что мистер Корбек — лжец и мошенник и что он находится с мисс Трелони в сговоре, цель которого — кого-то ввести в заблуждение относительно этих ламп.

— Это суровые слова, мистер Росс. Они были сказаны с такой прямотой, что поселили во мне новые сомнения.

Однако я все же прислушаюсь к своей интуиции. В этом деле, возможно, и не участвует мисс Трелони, а кто-то другой. На самом деле, если бы совершенно посторонние обстоятельства не заставили меня подозревать ее, мне бы и в голову не пришло связывать ее с этим делом. Но по поводу Корбека у меня нет сомнений. Если кто-то и заинтересован во всем этом, так это он! Без его пособничества вещи не могли быть украдены из гостиницы, если факт кражи действительно имел место, как он утверждает. Если же кражи не было... Что ж, в любом случае он лжет. Мне кажется, плохой идеей было оставить его в доме, в котором собрано так много ценных вещей, разве что теперь мне и моему помощнику удобнее будет наблюдать за ним. Уж поверьте, мы будем смотреть в оба. Сейчас он наверху в моей комнате, охраняет лампы. Но Джонни Райт тоже там, и он не уйдет оттуда, пока я не поднимусь к ним. Так что шансы совершить еще одну кражу невелики. Разумеется, мистер Росс, все это тоже должно остаться между нами.

— Конечно! Можете рассчитывать на мое молчание! — сказал я, и он отправился наблюдать за египтологом.

Кажется, тягостные испытания сыпались на мою голову парами, и сегодня мне предстоит повторение вчерашней последовательности событий, так как вскоре у меня состоялся еще один частный разговор с доктором Винчестером, который, как обычно посетив своего пациента, собирался домой. Он уселся в кресло, которое я ему предложил, и тотчас же начал разговор:

— Все это очень странно. Мисс Трелони только что рассказала мне про украденные лампы и про то, как вы нашли их в наполеоновском комоде. Это только добавляет загадочности всему происходящему, но, знаете, я наоборот испытал какое-то облегчение. Я уже исчерпал все рациональные и естественные доводы в этом деле и теперь все больше склоняюсь к иррациональным и сверхъестественным. Тут есть такие моменты, которым, чтобы окончательно не сойти с ума, просто необходимо как можно скорее дать объяснение. Я думаю, за помощью можно обратиться к мистеру Корбеку, задать ему пару вопросов, но так, чтобы не усложнять дело и не ставить нас в неловкое положение. Кажется, он обладает глубочайшими познаниями во всем, что касается Египта. Возможно, он согласится перевести кое-какие иероглифы. Ему это не составит труда. Как вы считаете?

Несколько секунд я раздумывал. Затем сказал, что нам необходима любая помощь, от кого бы то ни было. Про себя я подумал, что оба эти человека заслуживают доверия, и если они объединят свои усилия, это только принесет пользу, вреда уж точно не будет.

— В любом случае нужно спросить его. Он глубоко эрудирован в области египтологии, кроме того, по-моему, он просто хороший и к тому же энергичный человек. Кстати, нужно соблюдать осторожность, делясь с другими информацией, полученной от него.

— Разумеется! — воскликнул он. — Я и не думаю никому ничего рассказывать, кроме вас, естественно. Нельзя забывать, что мистеру Трелони, когда он придет в себя, очевидно, не понравится, если мы будем с кем попало обсуждать его дела.

— Послушайте, — предложил я, — а почему бы вам не задержаться на некоторое время? Я приглашу мистера Корбека выкурить с нами по сигаре. Мы как раз сможем поговорить.

Доктор не возражал, и я отправился в комнату мистера Корбека и пригласил его к нам. Мне показалось, что детективы обрадовались, когда он ушел. По пути в мою комнату он сказал:

— Мне совсем не нравится оставлять лампы под охраной только этих двоих, они имеют слишком большую ценность, чтобы поручать их полиции!

Из этого я сделал вывод, что и сам сержант Доу попал под подозрение.

У мистера Корбека и доктора Винчестера после первого же взгляда друг на друга завязались самые дружественные отношения. Путешественник заверил нас, что готов с радостью оказать любую помощь, которая будет в его силах, если это, поспешил добавить он, не коснется тем, которые он не имеет права обсуждать. Такое не самое многообещающее начало доктора Винчестера не смутило:

— Я бы хотел попросить вас перевести несколько иероглифов.

— Конечно, с превеликим удовольствием! Все, что смогу. Иероглифическое письмо, знаете ли, еще не до конца расшифровано, хотя мы уже знаем многое! Где надпись?

— Есть две надписи, — сказал доктор. — Одну из них я сейчас принесу.

Он вышел из комнаты и вернулся через минуту, неся с собой мумию кошки, которую тем вечером показывал Сильвио. Ученый взял ее в руки и после недолгого осмотра заключил:

— Тут нет ничего особенного. Это обращение к Баст, богине Бубастиса, с просьбой насытить хлебом и молоком луга Элизиума. Внутри еще могут быть надписи, и если вы развернете ее, я, возможно, смогу рассказать больше. Но не думаю, что там окажется что-то необычное. По тому, как она завернута, я полагаю, что эта мумия была изготовлена в Дельте и относится к позднему периоду, тогда изготовление мумий стало делом обычным и недорогим. А где же вторая надпись, которую вы хотели мне показать?

— Это надпись на кошачьей мумии в комнате мистера Трелони.

Лицо мистера Корбека омрачилось.

— Нет! — возразил он. — Этого я сделать не могу! Я в данный момент практически скован обещанием сохранять тайну относительно всего, что находится в комнате мистера Трелони.

Реакция доктора Винчестера на это замечание последовала одновременно с моей, только я произнес всего три слова «Шах и мат». Это, по-моему, заставило доктора подумать, что я понял ход его мыслей и намерения больше, чем это было на самом деле. Он пробормотал как бы про себя:

— Практически скован обещанием сохранять тайну?

Мистер Корбек тут же ответил на вызов:

— Не поймите меня неправильно! Я не давал какую-то конкретную клятву, что никому ничего не буду рассказывать, но я обязан уважать оказанное мне мистером Трелони доверие, должен сказать, немалое. Судя по всему, многие предметы были собраны в его комнате не просто так, а с определенной целью. И я, как его друг и доверенное лицо, не имею права пытаться как-то предвосхитить достижение этой цели. Мистер Трелони, как вам известно — или, скорее, неизвестно, иначе вы бы так не реагировали на мое замечание — ученый, выдающийся ученый. Он годами работал над одной темой, ради которой не жалел ни труда, ни затрат, рисковал собственной жизнью, отказывал себе во всем. Он уже очень близок к завершению работы, которая поставит его в один ранг с самыми выдающимися учеными и исследователями нашего времени. Но надо же случиться, что именно сейчас, когда в любой момент к нему может прийти успех, он оказывается на больничной койке!

Он замолчал, переполненный эмоциями. Через некоторое время, немного успокоившись, продолжил:

— Опять же, не поймите меня превратно и в другом вопросе. Я уже упомянул, что пользовался безграничным доверием мистера Трелони, но не хочу, чтобы вы подумали, будто мне известны все его планы, цели или намерения. Мне известен исторический период, который его интересовал, и историческое лицо, жизнь которого он исследовал, и документы, связанные с которым, собирал по крупицам с безграничным терпением. Но кроме этого мне ничего не известно. Все, что он делал, было подчинено единой цели, в этом я уверен. Я могу также предположить, что это была за цель, но обсуждать эту тему с кем-либо не имею права. Прошу вас запомнить, джентльмены, что я добровольно принял на себя роль человека, которому можно доверить тайну. Я сам уважал доверие мистера Трелони и вынужден просить всех своих друзей поступать так же.

Он говорил с большим достоинством, и с каждой секундой наше с доктором Винчестером уважение к нему только росло. Мы понимали, что он еще не все сказал, что хотел, поэтому терпеливо дожидались продолжения:

— Я так много наговорил! Я понимаю, что всего сказанного мною уже достаточно, чтобы подвергнуть угрозе успех его предприятия. Но я уверен, что вы оба хотите только помочь ему и его дочери, — тут он посмотрел мне прямо в глаза, — приложив к этому все свои силы, искренно и самоотверженно. Он сейчас находится в таком ужасном состоянии, и обстоятельства этого настолько загадочны, что я не могу не подумать, что все это каким-то образом может быть результатом его работы. Совершенно очевидно, что он все заранее просчитал. Бог его знает! Я сделаю все возможное, чтобы помочь вам, использую все свои знания. Когда я приехал в Англию, я был счастлив, что успешно выполнил задание, которое он мне поручил. Я заполучил то последнее, чего ему не хватало, и был уверен, что теперь он сможет начать свой эксперимент, на который все время намекал. Просто уму непостижимо, что именно в такой момент на него свалилось это несчастье! Доктор Винчестер, вы врач и, если судить по вашему лицу, человек умный и энергичный. Скажите, можно ли хоть как-то вывести этого человека из такого противоестественного состояния?

На некоторое время повисла тишина, затем последовал ответ, неторопливый и взвешенный:

— Я не знаю ни одного обычного средства, которое могло бы вывести его из подобного ступора. Может быть, ему бы помогло что-то необычное. Но, боюсь, искать это «что-то» бесполезно. Хотя есть одно условие...

— Какое?

— Знания! Мне абсолютно ничего не известно о Египте, его языке, письменности, истории, тайнах, медицине, ядах, оккультных силах... Ведь во всем этом и кроется загадка этой таинственной страны. Болезнь, или состояние, или что бы это ни было, от чего страдает мистер Трелони, каким-то образом связано с Египтом. С самого начала у меня возникло такое подозрение, позже оно переросло в уверенность, хотя доказательств у меня не было. То, что вы сегодня рассказали, подтверждает догадки и заставляет меня думать, что необходимо найти доказательства. Я не думаю, что вам точно известно, что происходило в этом доме с той ночи, когда было совершено нападение, когда нашли тело мистера Трелони. Я предлагаю сейчас ввести вас в курс дела. Если мистер Росс не против, я попрошу его все вам рассказать. У него в этом больше опыта. Более того, он владеет информацией, полученной от непосредственных участников или свидетелей дела прямо на месте, и к тому же сам участвовал во всем происходящем. Когда вы узнаете все, я надеюсь, вы сможете сами решить, что больше поможет мистеру Трелони в исполнении его воли, ваше молчание или ваш рассказ.

В знак согласия я кивнул. Мистер Корбек вскочил на ноги и взволнованно протянул каждому из нас руку.

— Идет! — сказал он. — Я ценю ваше доверие и со своей стороны даю слово: если мне покажется, что в интересах мистера Трелони я должен все рассказать, я это сделаю, ничего не утаив.

Я как можно более подробно описал ему все, что произошло с того момента, когда меня разбудил стук в дверь моего дома на Джермин-стрит. Единственное, о чем я умолчал, — это о моих чувствах к мисс Трелони и некоторых несущественных деталях, практически не имеющих отношения к делу. Кроме того, я не упомянул о своих беседах с сержантом Доу, которые носили частный характер и не подлежали огласке. Мистер Корбек слушал мой рассказ, затаив дыхание. Время от времени он в порыве возбуждения вскакивал и начинал мерить комнату шагами, потом спохватывался и усаживался обратно в кресло. Иногда он хотел что-то сказать, но сдерживал себя. Мне показалось, что устное изложение событий как-то прояснило и мои собственные мысли, поскольку по мере того как я говорил, все уже начинало казаться мне не таким уж таинственным и мистическим. События, важные и не очень, сложились в определенный порядок, в одно целое. Вся история наполнилась логическим смыслом, за исключением одного: причины, которая сейчас, наоборот, казалась загадочной как никогда. В этом преимущество целостного или неразорванного изложения. Разрозненность отдельных фактов, сомнений, предположений и догадок уступает место целостному единству, которое более убедительно.

То, что мистеру Корбеку мой рассказ показался убедительным, было очевидно. Как настоящий мужчина, он без всяких оговорок сразу заговорил по делу:

— Теперь все встало на свои места. Сейчас активна некая Сила, которая требует к себе особого подхода. Если мы будем продолжать и дальше работать в потемках, мы только станем мешать друг другу. Сталкиваясь лбами, мы только испортим все то хорошее, чего могли бы добиться, если бы каждый работал в каком-то одном направлении. Мне кажется, первое, чего мы должны добиться, — это вывести мистера Трелони из неестественного состояния, в котором он сейчас находится. То, что его можно привести в сознание, не вызывает сомнения, пример тому — случай с сестрой. Хотя неизвестно, подвергался ли он какому-либо дополнительному отрицательному воздействию за все то время, которое пролежал в своей комнате. В любом случае нам следует попытаться. Он до сих пор в этой комнате, и каким бы ни было влияние, оно продолжается и сейчас. Нам следует это принять как очевидный факт. В конце концов, днем больше или днем меньше — уже не существенно. Сейчас уже поздно, а завтра, возможно, перед нами встанет задача, решение которой потребует свежих сил. Вы, доктор, я полагаю, хотите выспаться, потому что у вас на завтра, очевидно, намечены и другие дела. А вы, мистер Росс, насколько я понимаю, сегодня ночью должны дежурить в комнате больного. Я дам вам книгу, которая поможет вам скоротать время. Мне нужно сходить поискать ее в библиотеке. Я помню, где видел ее в последний раз, когда был здесь, и не думаю, что мистер Трелони с тех пор прикасался к ней. Ему уже давно известно все, что могло бы вызвать его интерес в этой книге. Вам необходимо, по меньшей мере, полезно понять и другие вещи, о которых я расскажу вам позже. О том, что может быть полезным доктору Винчестеру, рассказать ему сможете вы, ибо я вижу, что довольно скоро наша работа даст результат. Каждый из нас будет заниматься своим участком, решать свою задачу, для чего потребуется сосредоточиться на чем-то конкретном. Вам необязательно читать всю книгу. Все, что интересно для вас (я имею в виду наше дело, разумеется, так как вся книга посвящена описанию путешествия в страну, тогда еще совсем не изученную), — это вступление и две-три главы, которые я укажу.

Он горячо пожал руку доктору Винчестеру, который поднялся, чтобы уходить.

На какое-то время оказавшись в одиночестве, я задумался. Мне казалось, что мир вокруг меня беспредельно велик. Единственная крохотная точка, которая вызывала мой интерес, была лишь пятнышком в безграничной пустоте. Снаружи и вокруг была темнота, полная затаившихся опасностей, которая давила со всех сторон. Центральной фигурой в нашем маленьком оазисе была сама красота. И эта фигура стоила того, чтобы ее любить, чтобы свернуть ради нее горы, чтобы умереть за нее!..

Мистер Корбек вскоре вернулся и принес книгу, которую нашел-таки на том же самом месте, где она была три года назад. Вложив в нее несколько бумажных закладок в тех местах, где мне следовало читать, он вручил ее мне со словами:

— С этой книги начинал мистер Трелони, с этой книги начинал я, и у меня нет сомнения, что и для вас она послужит началом увлекательного исследования, чем бы все ни закончилось. Если кому-нибудь из нас вообще суждено когда-либо увидеть конец.

У двери он остановился:

— Я бы хотел взять назад кое-какие свои слова. Детектив — славный малый. То, что вы мне о нем рассказали, выставляет его в ином свете. В подтверждение этого могу лишь сказать, что теперь я могу спокойно идти спать, оставив лампы под его присмотром.

Когда он вышел, я, захватив книгу, надел респиратор и отправился на дежурство в комнату больного.

ГЛАВА X

Долина Колдуна

Я положил книгу на маленький столик, на котором стояла затененная лампа, и отодвинул в сторону экран. Таким образом, на книгу теперь падал свет, но я мог в любую секунду увидеть кровать, сестру и дверь. Нельзя сказать, что условия были комфортными или подходящими для внимательного изучения темы, требующей концентрации мыслей. Это была книга, написанная на голландском языке и изданная в 1650 году в Амстердаме. Кем-то между строк был вписан дословный перевод в основном на английском, причем английское слово стояло под соответствующим голландским, так что из-за грамматических различий между языками даже само чтение перевода оказалось непростым делом. Приходилось постоянно перебегать глазами с начала предложения в конец и обратно. Да еще и расшифровка непонятного почерка двухсотлетней давности. Впрочем, через какое-то время я заметил, что мне уже намного проще воспринимать английские слова, выстроенные по голландским конструкциям, а когда я немного привык к почерку, моя задача еще больше упростилась.

Поначалу окружающая обстановка и опасение того, что мисс Трелони может неожиданно войти в комнату и застать меня за чтением книги, слегка беспокоили меня. Перед тем как доктор Винчестер ушел, мы между собой решили, что не следует ее посвящать в ход предстоящего расследования. Мы посчитали, что для женского разума столкновение с подобной загадкой может вызвать шок, и, кроме того, она, как дочь мистера Трелони, могла оказаться в неловкой ситуации впоследствии, если бы пошла на прямое нарушение его указаний, даже если бы всего лишь знала об этом. Но когда я вспомнил, что ее дежурство начиналось в два часа и раньше она появиться не должна, я успокоился. У меня впереди было почти три часа. Сестра Кеннеди сидела в своем кресле у кровати, внимательно и терпеливо следя за происходящим. На лестничной площадке тикали часы, слышен был звук и других часов в доме; шумы городской жизни, текущей за окном своим чередом, сливались в однообразный отдаленный гул, который время от времени превращался в грохот, когда западный ветер доносил сюда скопление звуков. Впрочем, все равно преобладала тишина. Свет, падающий на мою книгу, и умиротворяющая зелень шелковой бахромы на абажуре лампы усилили сумрак, окружавший меня. С каждой прочитанной строчкой он казался все глубже и глубже. И когда очередной раз взглянув на больного, я вновь опускал глаза на страницу, она казалась мне ослепительно-белой. Впрочем, в конце концов я так погрузился в чтение, что все мое внимание сосредоточилось на книге.

Сочинение принадлежало перу некоего Николаса Ван Гайна Хорнского. В предисловии он рассказывал, как, увлеченный книгой под названием «Пирамидография», принадлежавшей перу Джона Гривза из Мертоновского колледжа, сам отправился в Египет, где так заинтересовался его чудесами, что несколько лет жизни потратил на посещение различных загадочных мест и на исследование руин многих древних храмов и захоронений. Из уст арабского историка Ибн Абд Аль-Хокина ему довелось услышать множество историй о строительстве великих пирамид, некоторые из них он записал. Их я читать не стал, а сразу перешел к следующей закладке.

Как только я приступил к чтению новой главы, у меня появилось тревожное ощущение какого-то воздействия. Раз или два я бросил взгляд в сторону сестры, посмотрел, не пошевелилась ли она, ибо мне показалось, что рядом со мной кто-то находится. Сестра сидела на своем месте, как всегда настороже, так что я вновь сосредоточился на книге.

В этой части рассказывалось о том, как, за несколько дней преодолев горы на востоке Асуана, путешественник оказался в определенном месте. Далее я приведу его слова без изменений, передав их перевод на современном языке:

«Ближе к вечеру мы приблизились к входу в узкую, глубокую долину, простиравшуюся на восток и запад. Я хотел продолжить по ней путь, потому что солнце, к тому моменту почти опустившееся за горизонт, осветило широкий проход за сужающимися холмами. Но феллахи наотрез отказались входить в долину в такое время, объясняя это тем, что ночь может настигнуть их еще до того, как они успеют пересечь ее. Поначалу они ничем не объясняли причину своего страха. До сих пор они следовали за мной, куда бы я ни пожелал отправиться, в любое время, без колебаний. Под нажимом они признались мне, что это место называется Долиной Колдуна и туда никто не может ходить ночью. Когда я попросил их рассказать мне о Колдуне, они отказались, заявив, что у него нет имени и им ничего о нем не известно. Однако на следующее утро, когда солнце встало и осветило долину, от страха не осталось и следа. Они сообщили мне, что в древние времена (они использовали выражение «миллионы миллионов лет назад») здесь был похоронен Великий Колдун. Это был то ли царь, то ли царица, они не знали точно. Имя они не смогли назвать, поскольку продолжали настаивать, что имени нет, и каждый, кто осмелится дать ему имя, угаснет при жизни так, что после смерти от него не останется ничего, что могло бы вновь возродиться в Другом Мире. Пока мы пересекали долину, они держались плотной группой и быстро шли впереди меня. Никто не осмелился идти позади. В свое оправдание они заявили, что руки у Колдуна длинные и идти последним опасно. От этого мне не стало лучше, поскольку мне самому пришлось занять почетную позицию замыкающего. В самом узком месте долины, на южной стороне, возвышалась огромная отвесная каменная скала. Ее поверхность была гладкой и однородной. Вся она была испещрена кабалистическими знаками, фигурами людей и животных, рыб, рептилий и птиц, символами солнца и звезд и бесчисленными другими старинными символами, многие из которых изображали отдельные части тела: руки и ноги, пальцы, глаза, носы, уши и губы. Эти загадочные знаки не смог бы расшифровать и сам ангел-хранитель в Судный день. Скала была обращена прямо на север. В ней было что-то настолько странное, настолько не похожее на все остальные горы, украшенные вырезанными письменами, которые мне доводилось видеть раньше, что я распорядился остановиться и провел остаток дня, изучая скалу через подзорную трубу. Египтяне в моей группе были чрезвычайно взволнованы и пытались всеми способами заставить меня следовать дальше. Я оставался на этом месте до раннего вечера, когда уже отчаялся отыскать вход в гробницу, которая, по моим предположениям, должна была там находиться. К тому моменту мои люди дошли почти до бунта, и я был попросту вынужден покинуть долину, если не хотел остаться один без сопровождения. Но про себя я решил во что бы то ни было отыскать захоронение и исследовать его. Затем я проследовал дальше в горы, где повстречался с арабским шейхом, который согласился помочь мне. Арабы не так суеверны, как египтяне, так что шейх Абу Сам и его люди решились принять участие в моих исследованиях.

Вернувшись в долину с этими бедуинами, я попытался взобраться наверх по скале, но у меня ничего не получилось, так как скала была почти абсолютно гладкой. Камень, сам по себе достаточно ровный и гладкий, был идеально отполирован. То, что когда-то здесь была лестница, не вызывало сомнений, поскольку удивительный климат этой чудесной страны не стер следы пилы, зубила и молотка там, где ступени были срезаны или сбиты.

Путь наверх снизу был для меня закрыт, лестниц достаточной длины у меня не было, поэтому я решил подступиться с другой стороны. Я приказал спускать себя на веревках с более высоких окружающих скал до тех пор, пока я не увижу перед собой ту часть отвесной скалы, где, по моему мнению, должен находиться вход в гробницу. Там я его и обнаружил, однако проем был заложен огромной каменной плитой. Вход был выбит в скале на высоте более ста футов, это примерно две третьих высоты скалы. Иероглифические и кабалистические знаки были вырезаны в скале таким образом, чтобы замаскировать вход. Резьба была глубокой и тянулась непрерывно через всю лицевую сторону скалы, через портал входа, через огромную каменную плиту, которая, собственно, и являлась дверью. Эта плита была пригнана к отверстию, служащему входом, с такой поразительной точностью, что мне не удалось найти в щели между плитой и скалой место, куда можно было бы вогнать зубило или любой другой из имеющихся у меня инструментов. Мне пришлось приложить немало усилий, чтобы проломить камень и проникнуть в гробницу (мои предположения оправдались, и это оказалась именно гробница). Каменная дверь провалилась внутрь, и я, проходя рядом с ней, обратил внимание на длинную металлическую цепь, которая была намотана на держатель, укрепленный рядом с входом.

Эта гробница оказалась построенной по всем правилам. Как и в любой египетской гробнице, здесь был зал и шахта, ведущая вниз и заканчивающаяся в погребальном склепе, на стенках которого сохранилась таблица с рисунками, судя по виду, напоминавшими запись о каком-то событии. Эти рисунки, смысл которых теперь уже утрачен навсегда, были выполнены яркими красками.

Всю поверхность стен камеры и коридора покрывали странные, высеченные в камне письмена жутковатого вида. Огромный каменный гроб, или саркофаг, который покоился в углублении, сделанном в полу погребального склепа, украшали искусно вырезанные символы. Араб, командовавший остальными, и еще двое, осмелившихся проникнуть в гробницу вместе со мной (для них работа в такой зловещей обстановке явно была не в новинку), каким-то образом смогли снять крышку с саркофага, не повредив ее. Они сами удивились этому, поскольку обычно, как сказали они, чем меньше стараешься, тем больше везет. И действительно, не было заметно, чтобы они проявляли какую-то особенную осторожность. Они грубо двигали по гробнице разнообразные предметы обстановки, так что легко могли повредить их. Только благодаря тому, что все было очень массивным и плотным, включая сам саркофаг, ничто не пострадало. Меня их неосторожность сильно беспокоила, поскольку саркофаг, облицованный неизвестным мне необычным камнем, был прекрасен. Мне было жалко и досадно от мысли, что его не удастся забрать с собой. Время и законы путешествий по пустыне запрещали это: я имел право взять с собой лишь то, что мог унести на себе.

Внутри саркофага находилось тело, несомненно женское, завернутое, как и большинство мумий, во множество полос ткани. По некоторым украшениям на тканях я сделал вывод, что это была знатная женщина. Одна рука, не обернутая, лежала на груди. У мумий, которых я видел раньше, руки всегда были запеленуты, а рядом с завернутым телом лежали различные деревянные украшения, выполненные в форме руки и раскрашенные в естественные цвета.

Но эта рука выглядела странно. Это была настоящая рука той, чье забинтованное тело лежало здесь. Рука на погребальном покрове была из плоти и после бальзамирования по виду стала напоминать мрамор. Кисть и предплечье были темноватого белого цвета, оттенка слоновой кости, долгое время пролежавшей на открытом воздухе. Кожа и ногти прекрасно сохранились, будто тело было положено в могилу только вчера. Я коснулся руки и слегка пошевелил ее. Она была такой же мягкой и подвижной, как любая живая рука, хотя и несколько упругой от долгого бездействия, как руки факиров, которых я видел в Индии. Что поражало еще больше — на этой древней руке было семь пальцев; все хорошей формы, длинные и удивительно красивые. По правде говоря, меня бросило в дрожь, кровь застыла у меня в жилах, когда я прикоснулся к руке, которая многие тысячи лет пролежала неподвижно и все же выглядела, как живая. Под ладонью, как будто охраняемый ею, лежал огромный рубин, камень неимоверного размера (ведь рубины обычно небольшие). Он был прекрасен, его цвет напоминал цвет крови, озаряемой светом. Но самое удивительное в этом камне заключалось не в его размерах или окраске (хотя, как я уже сказал, их исключительность была бесценна), а в том, что изнутри его лилось свечение, испускаемое семью звездами с семью лучами. Оно было таким ярким, будто внутри камня находились настоящие звезды. Когда я поднял руку и увидел этот камень во всей красе, восхищение почти лишило меня возможности шевелиться. Я смотрел на него, не в силах двинуться с места, так же, как и те, кто был рядом со мной, будто перед нашими глазами предстал не рубин, а змеевласая голова Медузы Горгоны, которая обращала в камень каждого, кто встретится с ней взглядом. Это ощущение было настолько сильным, что мне захотелось поскорее уйти оттуда. То же почувствовали и мои спутники, поэтому, захватив удивительный камень и еще несколько амулетов, странных и прекрасных одновременно, искусно отделанных драгоценными каменьями, мы поспешили к выходу. Я хотел бы остаться здесь дольше и внимательнее изучить мумию, но страх не позволил мне этого сделать, поскольку до меня вдруг дошло, что я нахожусь посреди пустыни один, люди, окружающие меня, здесь лишь потому, что не отличаются особенной порядочностью. Мы были в заброшенной гробнице, вырубленной в скале на высоте сотни футов, и никто меня здесь не найдет, да и вряд ли кто-нибудь станет искать. Но в душе я решил, что обязательно сюда вернусь, и с более надежным сопровождением. Мое желание подогревалось тем, что, рассматривая бинты, окутывающие мумию, я успел заметить, что удивительную гробницу наполняли удивительные предметы, среди которых был и странной формы ларец, изготовленный из какого-то неизвестного мне камня, в котором, как подумалось мне, могли находиться и другие драгоценности, поскольку сам он был надежно укреплен в большом саркофаге. В гробнице находился и еще один сундук, менее странного вида, но также прекрасный и искусно украшенный. Он был изготовлен из прочнейшего камня, а его крышка запечатана каким-то материалом, напоминавшим камедь или алебастр, как будто для того, чтобы внутрь не мог проникнуть воздух. Сопровождавшие меня арабы, думая, что за такими толстыми стенками должны скрываться огромные сокровища, начали настаивать на том, чтобы вскрыть сундук, и мне пришлось согласиться. Но их надежды не оправдались. Внутри теснились четыре изящных кувшина, украшенные разнообразными узорами. Один из них был сделан в форме головы человека, второй — собаки, третий — шакала, четвертый — ястреба. Я знал, что такие погребальные сосуды использовались для хранения внутренних органов мумифицированного тела, но, вскрыв один из них (защитный слой воска был тонкий и поддавался легко), внутри мы обнаружили лишь масло. Бедуины, разлив почти все масло, принялись руками шарить внутри сосуда, думая, что сокровище скрыто на дне. Но их надежды опять не дали результата: внутри не оказалось никаких сокровищ. Я почувствовал опасность, когда заметил, как алчно арабы осматривали все вокруг. Чтобы побыстрее покинуть это место, я постарался вызвать у них суеверный страх, что подействовало на этих грубых людей. Предводитель бедуинов поднялся наверх, чтобы дать сигнал оставшимся поднимать нас, а я, не желая оставаться один на один с людьми, которым не доверял, поспешил за ним. Остальные не торопились вслед за нами, из чего я заключил, что они занялись разграблением гробницы. Я побоялся об этом говорить вслух, чтобы не вызвать еще большего ажиотажа. Наконец, появились и они. Один из них, тот, который поднимался первым, едва достигнув верха обрыва, оступился и полетел вниз. Он погиб мгновенно. Остальные добрались благополучно. За ними последовал их предводитель, а я поднялся последним. Прежде чем покинуть это место, я как смог водрузил на место каменную плиту, закрывавшую вход в гробницу. Я хотел сохранить ее нетронутой для дальнейшего изучения в будущем.

Когда все мы оказались на скале над обрывом, облегчением было вновь увидеть яркое солнце после мрака, царившего в загадочной гробнице. Радовало даже то, что бедный араб, упавший с обрыва, лежал под светом солнца, а не в мрачной пещере. Я был готов спуститься со своими спутниками вниз и предать его тело земле, но шейх не придал значения этому происшествию, он лишь послал двоих из своих людей вниз позаботиться о теле, а мы отправились своим путем.

Когда мы расположились на ночлег, вернулся лишь один из арабов. Он рассказал, что пустынный лев убил его напарника после того, как они, выйдя за границы той страшной долины, похоронили тело в песке и отметили место кучей больших камней, чтобы шакалы или другие хищные звери не смогли выкопать его.

Позже, когда все расположились вокруг костра, я заметил, как он показывает своим друзьям какой-то светлый предмет, с которым обращался особенно аккуратно и с явным благоговением. Я незаметно приблизился к нему и увидел, что это было не что иное, как белая рука мумии, которая защищала красный камень в большом саркофаге. Я услышал слова бедуина, когда он сказал, что нашел ее на теле разбившегося. Ошибки быть не могло, поскольку на руке было семь пальцев. Тот человек, очевидно, оторвал руку от тела, когда мы с шейхом обратили внимание на что-то другое. По реакции остальных я понял, что он собирается использовать эту руку в качестве амулета или магического предмета. Если она и имела магические силы, они предназначались не для того, кто отделил ее от мертвого тела, ведь он погиб сразу же после этого. Вдобавок амулет уже получил свое ужасное крещение: на запястье мертвой руки было пятно красного цвета, как будто ее окунули в свежую кровь.

Ту ночь я провел в страхе, ибо опасался покушения на свою жизнь: если эта рука за свои магические силы была так оценена, какую же ценность мог иметь камень, который она охраняла! Из-за того, что о нем знал лишь предводитель бедуинов, мне было еще страшнее, поскольку он в любой момент мог приказать своим людям схватить меня. Единственный способ, которым я мог защитить себя, — это попытаться не спать ночью и при первой же возможности расстаться с этими людьми и вернуться домой, сначала добравшись до берегов Нила, затем — спустившись вниз по его течению до Александрии. При этом мне придется найти новых проводников, которым не будет известно, какие удивительные вещи имеются у меня.

В конце концов сон овладел мной настолько, что я уже не в силах был противиться ему. Опасаясь, что во сне на меня нападут или обыщут (бедуин видел, как я прятал камень в своей одежде), я незаметно вытащил камень и зажал его в руке. Казалось, в нем одинаково отражался и трепещущий свет костра, и сияние звезд на безлунном небе. Я заметил, что на его обратной стороне были выгравированы какие-то знаки, подобные тем, которые я видел в гробнице. Когда глубокий сон наконец сковал мое сознание, камень семи звезд был крепко зажат в моей руке.

Я проснулся оттого, что на мое лицо упали лучи утреннего солнца. Я сел и осмотрелся. Костер погас, и лагерь был пуст, лишь одно тело я увидел рядом с собой. Это был предводитель арабов. Он лежал на спине и был мертв. Его лицо было почти черным, а глаза широко раскрыты и устремлены в небо, как будто там он увидел что-то невообразимо жуткое. Его задушили: осматривая его, я заметил на его шее красные следы в тех местах, где ее сжимали пальцы. Следов было так много, что я их сосчитал; их оказалось семь, и все они были параллельными, кроме следа от большого пальца, будто были оставлены одной рукой. Я пришел в ужас, потому что сразу же вспомнил о семипалой руке мумии.

Даже здесь, посреди бескрайней пустыни, магия имела силу!

Неожиданно для меня, когда я нагнулся над телом и раскрыл правую руку, которую до этого момента инстинктивно крепко сжимал даже во сне, из нее выпал камень и угодил прямо в рот мертвеца. Mirabile dictum* произошло в этот момент: из мертвого рта хлынул поток крови, на какое-то время поглотивший камень. Я перевернул тело, чтобы отыскать его, и обнаружил, что мертвец лежал на своей правой руке, как если бы упал на нее, а в руке был зажат огромный нож, острый на конце и по всей длине лезвия, такие ножи арабы носят на поясе. Возможно, он собирался убить меня, когда его настигло возмездие, свершенное руками людей, десницей Господа или же силами древних божеств, неизвестно. Этого мне было достаточно, и я, схватив свой камень, который сиял в луже крови, как только что родившаяся звезда, бросился прочь от этого жуткого места. Я продолжил свой

* Mirabile dictum — нечто удивительное.

путь по пустыне в одиночестве, пока милостию Божией не наткнулся на арабское племя, расположившееся лагерем у источника воды. Они дали мне соль, позволили отдохнуть с ними, после чего отправили меня дальше.

Мне неизвестно, что случилось с рукой или с теми, в чьем распоряжении она находилась. Какие раздоры, подозрения и жадность она пробудила у своих владельцев, я не знаю. А это наверняка случилось, поскольку люди, во власти которых она была, забрали ее с собой. Наверняка она сейчас используется каким-нибудь пустынным племенем в качестве магического талисмана силы.

При первой же подвернувшейся возможности я осмотрел звездный рубин, поскольку хотел понять, что же было на нем изображено. На нем были следующие символы, значение которых, однако, мне непонятно...»

Пока я читал это захватывающее повествование, дважды мне показалось, что по страницам пробежала какая-то тень, которую мое воображение, взбудораженное прочитанными строками, облекло в форму руки. В первом случае я заметил, что иллюзия возникла из-за движения бахромы на зеленом шелковом абажуре лампы, но во второй раз мой взгляд натолкнулся на руку мумии, которая лежала в противоположном конце комнаты, освещенная призрачным светом звезд, пробивавшимся через неплотно задвинутые шторы. Неудивительно, что в моем сознании эта рука, книга и история, которую я только что прочел, оказались связанными между собой, поскольку, если глаза меня не обманывали, здесь, в этой самой комнате рядом со мной, находилась именно та рука, о которой писал путешественник Ван Гайн. Я посмотрел в тот угол, где стояла кровать. Вид сестры, которая спокойно сидела рядом с ней, уменьшил мое волнение.

В такое время, в такой обстановке и читая такую книгу, важно иметь по соседству живого человека.

Я сидел, не сводя глаз с книги, лежащей передо мной на столе. Прочитанное породило такое количество странных мыслей, что в голове у меня помутилось. Казалось, что свет на кончиках белых пальцев перед моими глазами начинал производить некий гипнотический эффект. Внезапно все мысли разом как бы улетучились из моей головы, и на какой-то миг мир вокруг меня замер.

На страницу раскрытой книги легла настоящая рука! Что же в этой руке было такого, что поразило меня? Я знал эту руку и любил ее. Для меня было счастьем смотреть на руку Маргарет Трелони или касаться ее, но в тот миг я все еще находился под впечатлением прочитанного, поэтому мое сердце бешено забилось в груди. Эффект был секундный и прошел еще до того, как до меня донесся ее голос:

— Что с вами? Почему вы так всматриваетесь в книгу? Мне показалось, что вы опять впали в то состояние!

Я вскочил на ноги:

— Я читал старую книгу из библиотеки, — воскликнул я и, захлопнув книгу, сунул ее себе под мышку. — Я сейчас отнесу ее обратно; я понимаю, что ваш отец настаивает на том, чтобы все вещи, особенно книги, находились на своих местах.

Своими словами я намеренно уводил ее внимание в другом направлении, поскольку не хотел, чтобы она увидела, какую именно книгу я читал. Я решил не пробуждать в ней любопытства, оставив книгу в комнате. Я вышел из комнаты, но не в библиотеку, а к себе, там я и положил книгу. В своей комнате я мог бы продолжить чтение, когда днем у меня появится время для отдыха. Когда я вернулся, сестра Кеннеди уже уходила, и в комнате остались лишь мисс

Трелони и я. Когда рядом была она, мне не нужны были никакие книги. Мы уселись недалеко друг от друга и принялись шепотом разговаривать, коротая время. Через какое-то время я, к своему удивлению, заметил, что свет за шторами из серого сделался желтым. То, о чем мы говорили, имело отношение к больному лишь в той степени, в которой все, что касается дочери, касается и ее отца. Мы разговаривали о Египте, о мумиях, мертвецах, о склепах и бедуинах. К тому же в свете набирающего силу утра я мог убедиться, что на руке мисс Трелони было не семь пальцев, а пять. Я видел это отчетливо, поскольку ее рука лежала в моей.

Когда утром прибыл доктор Винчестер, он сначала навестил своего пациента, а потом зашел ко мне. Я как раз сидел в столовой и обедал... или ужинал — я уже не мог точно сказать — после чего собирался пойти к себе и выспаться. В это же время пришел и мистер Корбек, так что мы смогли продолжить свой вчерашний разговор. Я сказал мистеру Корбеку, что прочитал главу о том, как была найдена гробница, и что, мне кажется, доктору Винчестеру также следует ее прочитать. Доктор попросил взять книгу с собой: утром ему предстояла длительная поездка в Ипсвич поездом, и по пути он мог бы заняться чтением. Он сказал, что вечером привезет ее обратно. Я поднялся наверх в свою комнату, чтобы принести книгу, но нигде не смог ее найти, хотя точно помнил, что оставил ее на маленьком столике рядом с кроватью, когда заходил сюда после того, как мисс Трелони пришла на свое дежурство в комнату больного. Все это было очень странно, поскольку это была не та книга, которую мог бы взять кто-нибудь из слуг. Мне пришлось вернуться и объяснить остальным, что не могу нигде ее найти.

Когда доктор Винчестер ушел, я смог все обсудить с мистером Корбеком, который, кажется, знал книгу голландского автора наизусть. Я рассказал ему, что мое чтение было прервано сменой сиделок как раз в том месте, где начиналось описание кольца. Улыбнувшись, он сказал:

— Вам не стоит расстраиваться по этому поводу. Ни во времена Ван Гайна, ни почти два столетия после него значение этих символов не поддавалось расшифровке. Только после того, как к работе приступили Юнг и Шампольон, Берч и Лепсиус, а также Розеллини, Сальволини, Мариет Бей, Уоллис Бадж, Флиндерс Петри и другие выдающиеся ученые своего времени, были достигнуты положительные результаты, и удалось расшифровать иероглифы.

Позже я вам их объясню, если к тому времени этого не сделает сам мистер Трелони или если он не запретит это мне. Мне кажется, вам следует узнать, чем закончилась история Ван Гайна, поскольку после описания камня и рассказа о том, как он привез его в Голландию и на этом завершил свои путешествия, книга заканчивается. Самое главное в этой книге то, что она заставляет прочитавших ее задуматься... И не только задуматься, но и взяться за дело, как было с мистером Трелони и со мной. Мистер Трелони — прекрасный знаток восточных языков, но он не знает северных языков. Мне же любые языки даются очень легко. Когда я занимался исследованиями в Лейдене, чтобы облегчить себе работу в библиотеке, я выучил голландский. Случилось так, что в то время, когда мистер Трелони, собирая свою коллекцию книг по Египту, через книготорговца купил этот том с письменным переводом и начал его изучать, мне в Лейденской библиотеке в руки попала такая же книга на языке оригинала. Нас обоих поразило то, что с одной стороны гробница была высечена в скале так высоко, что до нее никто не смог бы добраться и все подступы к ней были тщательно уничтожены, а с другой стороны, выровненную поверхность утеса, внутри которого она была скрыта, по словам Ван Гайна, всю украшали искусно выполненные рисунки. Нас удивило и еще одно: со времен Ван Гайна до наших дней знание египетских древностей и истории шагнуло далеко вперед, но в случае с этой гробницей, сооружение которой в таком месте, очевидно, потребовало гигантских затрат денег и труда, нигде не имелось никаких указаний на то, кто в ней покоится. Более того, само название места, «Долина Колдуна», в наши дни не могло не привлечь внимания. Когда мы встретились с ним (ему для работы понадобилась помощь другого египтолога), мы обсудили и эту, и множество других тем и решили заняться поисками загадочной долины.

До начала путешествия у нас было время (многое нужно было подготовить заранее, чем мистер Трелони занялся лично), я отправился в Голландию, чтобы попытаться, если получится, проверить достоверность рассказа Ван Гайна. Я поехал сразу в Хорн, где принялся за поиски дома путешественника или его потомков, если такие имелись. Не буду утомлять вас рассказом о своих поисках... и их удачном завершении. Хорн — город, который, кроме того, что утратил свою значимость как торговый центр, со времен Ван Гайна практически не изменился. Его облик остался таким же, как и тогда: в таких старых сонных местах сто или двести лет не играют значительной роли. Я нашел дом путешественника и узнал, что никого из его потомков не осталось. Я проверил городские документы, но все сводилось к одному: смерть и вымирание рода. После этого я решил узнать судьбу его сокровищ, ведь у такого путешественника наверняка должна была быть ценнейшая коллекция. Многие предметы из его собрания, как я выяснил, находились в музеях Лейдена, Утрехта и Амстердама. Некоторые осели в частных собраниях богатых коллекционеров. Наконец, в Хорне, в магазине старого часовщика и ювелира, я нашел то, что он считал своим самым ценным сокровищем: огромный рубин с семью звездами, обработанный в форме скарабея, с выгравированными иероглифами. Старик не знал значения иероглифических знаков, и до его мирного сонного города не доходили известия о последних открытиях в области филологии. Ему ничего не было известно о Ван Гайне, кроме того, что такой человек действительно когда-то жил и его на протяжении двух веков почитали в их городе как великого путешественника. Для него этот камень был всего лишь редкостным рубином, к тому же испорченным резьбой, но поначалу он ни за что не хотел расставаться с этой уникальной драгоценностью, хотя позже все же поддался уговорам из-за денег. В моем распоряжении были солидные средства, поскольку я работал с мистером Трелони, который, я полагаю, вам известно, очень богат. В скором времени я уже был на пути в Лондон. Звездный камень был надежно упрятан в моем кошельке, а сердце переполняла безграничная радость и ликование.

У нас в руках находилось подтверждение истории Ван Гайна. Когда я приехал в Лондон, украшение для безопасности упрятали в большой сейф мистера Трелони, и мы, полные надежд, отправились в экспедицию.

Мистер Трелони неохотно оставил свою молодую жену, которую горячо любил, но она понимала его желание довести поиски до конца. Поэтому, как всякая разумная женщина, она скрыла свои страхи и тревоги (которые в ее случае были особенными) и проводила его в дорогу.

ГЛАВА XI

Гробница царицы

Мистер Трелони возлагал на эту экспедицию не меньше надежд, чем я. У него характер не такой непостоянный, как у меня; никогда надежда и отчаяние не сменялись в нем слишком быстро. Главное: у него была четко определенная цель, а когда у человека есть четкая цель, надежда превращается в уверенность. Иногда мне приходило в голову, что, возможно, существует два таких камня или что приключения Ван Гайна — всего лишь фантазии путешественника, навеянные покупкой какого-нибудь необычного сувенира где-то в Александрии или в Каире, а может быть, в Лондоне или Амстердаме. Но у мистера Трелони никогда не возникало сомнений в правдивости всей истории. Однако наши головы были заняты не только мыслями о правдивости рассказа Ван Гайна. Дело было вскоре после восстания Ораби-паши, и Египет не слыл самым безопасным местом, особенно для англичан. Но мистер Трелони оказался человеком, которому не ведом страх. Да и я себе порой кажусь не лишенным мужества, так что мы собрали группу арабов, из тех, с кем либо я, либо мистер Трелони имели дело в предыдущих экспедициях в пустыню и кому мы могли доверять (то есть им мы не доверяли меньше, чем остальным). Нас было довольно много, чтобы защитить себя от мародерствующих банд, к тому же мы были прилично оснащены. Мы получили разрешение на путешествие и заручились пассивной поддержкой властей, из тех, кто еще был лоялен по отношению к Британии. Понятно, что в получении разрешения главную роль сыграли деньги мистера Трелони. Сначала мы на египетских лодках по Нилу доплыли до Асуана, где шейх выделил нам в помощь нескольких арабов, и оттуда, заплатив обычный бакшиш, отправились в путешествие через пустыню.

После продолжительных блужданий, осмотрев каждый поворот в бесконечном лабиринте гор, в один из вечеров мы, наконец, вышли к долине, которая соответствовала описанию Ван Гайна. Долина эта, опоясанная высокими крутыми скалами, сужалась к центру и расширялась на восток и на запад. При свете дня на скале, которая была прямо перед нами, мы тут же заметили отверстие, находившееся высоко над землей, и иероглифические фигуры, которые явно должны были скрывать этот ход от посторонних глаз.

Но знаки, которые ставили в тупик Ван Гайна и его современников, для нас не являлись загадкой. Благодаря плеяде ученых, положивших жизни на изучение иероглифического письма, засовы, запиравшие вход в таинственную темницу египетского языка, были взломаны. На отесанной стороне скалы мы, постигшие секреты, смогли прочесть то, что фиванские жрецы начертали там почти пятьдесят столетий назад.

То, что наружные надписи оставили жрецы, причем довольно враждебно настроенные, не вызывало ни малейших сомнений. Надпись, сделанная иероглифами на скале, гласила:

«Боги оставили это место. «Та, что без имени» оскорбила их и оставлена здесь в одиночестве навсегда. Кто приблизится к этому месту, будет уничтожен их гневом!»

Такое предостережение, очевидно, было очень убедительно в те времена, когда писалось, и еще тысячу лет после того, и даже когда язык, на котором оно написано, стал мертвым для людей, населяющих эти места. Память о таких страхах живет дольше, чем их причина. Даже символы, использованные в самой надписи, усиливали значимость слов с помощью повтора. «Навсегда» в иероглифе обозначает понятие «миллион лет». Символ был повторен девять раз, тремя группами по три, и после каждой группы стояли символы Верхнего мира, Нижнего мира и Неба. Это означало, что для «той, что оставлена в одиночестве» гневом всех богов, не будет воскресения ни в Царстве Солнечного света, ни в Царстве Мертвых, а ее душе не возродиться в Царстве Богов.

Ни мистер Трелони, ни я не решились рассказать комунибудь из наших людей, что означали эти письмена. Хотя они и не верили в ту религию, которая обещала кару, или в богов, о гневе которых говорилось, они были настолько суеверны, что предпочли бы все бросить и сбежать, чтобы не рисковать.

Их необразованность и наша осторожность спасли нас от беды. Мы разбили лагерь неподалеку, но в таком месте, где выступающая скала закрывала обзор, и надпись не была постоянно на виду у наших людей, ибо само название этого места — «Долина Колдуна» — вселяло в них страх, а через них и в нас. Из деревянных бревен, которые мы привезли с собой, мы соорудили приставную лестницу для подъема к входу гробницы. На вершине скалы на выступающей балке был закреплен подъемный блок. Мы обнаружили большую каменную плиту, которая служила дверью в гробницу, она была неуклюже вставлена на свое место и подперта несколькими камнями. Ее собственный вес надежно удерживал ее в таком положении. Чтобы войти в гробницу, нам пришлось протолкнуть ее внутрь. Миновав дверь, мы увидели висевшую большим кольцом на стене цепь, которую упоминал в своем рассказе Ван Гайн. Насколько можно было судить по обломкам каменной двери, вращавшейся на железных петлях сверху и снизу, при строительстве было затрачено немало усилий на то, чтобы дверь можно было закрыть или запереть изнутри.

В гробницу вошли лишь мы с мистером Трелони. У нас с собой было множество фонарей, и мы закрепляли их на стенах по мере продвижения внутрь. Для начала мы хотели узнать общее расположение залов и коридоров, а потом уже изучить все подробно. Эта гробница была одной из самых красивых и удивительных из всех, которые нам доводилось видеть раньше. Тщательность, с которой были сделаны все скульптуры и рисунки, и превосходное качество исполнения наводили на мысль, что эта гробница сооружена при жизни той, чьим местом вечного упокоения ей суждено было стать. Иероглифы были вырисованы четко и аккуратно, цвета, в которые они были раскрашены, выглядели великолепно. В этой горной пещере, до которой не доходили влажные испарения даже при разливах Нила, все выглядело так же свежо, как и в тот момент, когда художники отложили свои палитры. Была здесь одна особенность, которую невозможно было не заметить. Несмотря на то, что знаки на внешней стороне скалы были вырезаны жрецами, сглаживание поверхности утеса, очевидно, строители гробницы запланировали еще до начала работ. Символичность картин и резьбы внутри свидетельствовала о том же. Небольшая естественная пещера была частично обработана и превращена в передний зал. В конце его в стене был вырезан портик с колоннами, обращенный на восток. Колонны были массивными и имели по семь граней, такого нам раньше не доводилось видеть ни в одной из гробниц. На архитраве находилось скульптурное изображение Лунной лодки, в которой плыла богиня Хатор с головой коровы, украшенной диском и перьями, и псоглавый Хапи, бог Севера. Лодка, управляемая Гарпократом, держала курс на север, который был обозначен Полярной звездой в окружении созвездий Дракона и Большой Медведицы. У последней звёзды, формирующие так называемый «большой ковш» (размером они превосходили все остальные), были заполнены золотом, которое в свете факелов излучало сияние, будто наполненное особенным смыслом. Пройдя через портик, мы натолкнулись на то, что составляло архитектурную особенность пещерных гробниц. Это были камера (или капелла) и шахта, в полной сохранности, как и писал Ван Гайн, хотя в его дни названия, которые древние египтяне дали этим частям, не были известны.

Стела у восточной стены оказалась настолько примечательной, что мы изучили ее подробно, хотя еще пока не видели мумии, которая являлась целью наших поисков. Эта стела представляла собой большую плиту из ляпис-лазури, всю испещренную мелкими изящными иероглифами. Резьба была заполнена каким-то мелкозернистым веществом цвета чистой киновари. Надпись начиналась такими словами:

«Тера, царица Египта, дочь Антефа, повелителя Севера и Юга. Дочь Солнца. Царица Венцов».

Затем шло детальное описание всей ее жизни и правления.

Символы верховной власти были на женский манер обильно разукрашены, особенно двойная корона Верхнего и Нижнего Египта, изображенная в мельчайших деталях. Нам обоим было странно видеть Хеджет и Дешер — белый и красный венцы Верхнего и Нижнего Египта — на стеле, посвященной царице; поскольку всегда существовало правило, исключений из которого зафиксировано не было, что в Древнем Египте корону носили только цари и иногда богини. Потом мы нашли этому объяснение, о чем я расскажу подробнее позже.

Такая надпись сама по себе была настолько необычна, что могла бы привлечь к себе внимание кого угодно и где угодно, но вы даже представить себе не можете, какое впечатление она произвела на нас. Мы были не первыми, кто видел ее, но первыми, кто мог понять истинное значение начертанных на ней символов с тех пор, как почти пять тысячелетий назад вход в гробницу был запечатан большой каменной плитой. Именно нам была дарована возможность прочитать это послание из страны мертвых. Послание, оставленное тем, кто посмел противопоставить себя древним богам и утверждал, что сумел подчинить их себе в те времена, когда только жрецы имели право толковать их волю и их гнев.

Стены камеры в конце шахты и самой погребальной камеры, в которой находился саркофаг, были обильно покрыты надписями. Все надписи, за исключением тех, на стеле, были выполнены голубовато-зеленой краской. Если на вырезанные в камне иероглифы смотреть со стороны, создавался эффект старых выцветших индийских бус.

Мы спустились по шахте, использовав снаряжение, которое принесли с собой. Трелони шел первым. Шахта была глубокой, больше семидесяти футов, и не была засыпана камнями. Внизу коридор поворачивал к погребальной камере, причем он был длиннее, чем обычно. Проход не был замурован.

Внутри камеры мы обнаружили большой саркофаг, изготовленный из желтого камня. Я не стану его описывать, поскольку вы могли видеть его в покоях мистера Трелони. Крышка саркофага лежала на земле. На ней не было следов какого-либо скрепляющего вещества, выглядела она точно так, как ее описывал Ван Гайн. Разумеется, наше волнение было безмерным, когда мы заглянули внутрь. Нужно сказать, что мы испытали некоторое разочарование. Я не мог не почувствовать, насколько более впечатляющим было зрелище, представшее перед глазами голландца, когда тот, заглянув внутрь саркофага, увидел белую руку, лежавшую, как живая, на погребальных покрывалах. Мы действительно увидели там часть руки, она была белая как слоновая кость.

Однако наше потрясение отличалось от испытанного Ван Гайном! Конец запястья был покрыт засохшей кровью! Это выглядело так, будто мертвое тело источало кровь! Комки запекшейся крови покрывали все запястье, сквозь них проглядывала белая кость, походившая на обломок опала. Кровь стекла вниз и оставила на коричневых тканях следы, напоминавшие ржавчину. Видя подобное доказательство, можно было не сомневаться, что и все остальное из рассказа голландца тоже было правдой: и кровь на руке мумии, и отпечаток семи пальцев на шее задушенного шейха.

Я не буду утомлять вас подробностями всего, что мы там увидели, или откуда мы почерпнули информацию (кое-что мы уже знали из научных работ, кое-что узнали по надписям на стеле и из скульптур и иероглифов на стенах).

Царица Тера была представительницей Одиннадцатой, или Фиванской, династии египетских фараонов, которая находилась у власти в двадцать девятом — двадцать пятом веках до рождения Христа. Она унаследовала престол своего отца Антефа, поскольку была его единственным ребенком. Должно быть, девочка отличалась сильным характером и выдающимися способностями: она была еще очень молода, когда умер ее отец. Ее молодость и подогрела амбиции жрецов, в то время обладавших благодаря своему богатству и образованности огромной властью во всем Египте, особенно в его Верхней части. В то время они тайно готовились сделать последний шаг к выполнению своего смелого и давнего замысла — передачи власти из рук фараонов в руки служителей культа. Но фараон Антеф ожидал чего-то подобного и поэтому заблаговременно заручился поддержкой армии. Он также обучил дочь искусству управлять государством и даже позаботился о том, чтобы вооружить ее всеми теми знаниями и навыками, которыми должны обладать жрецы. Он использовал разногласия между культами в своих интересах: каждый надеялся получить какую-то выгоду от сотрудничества с самим фараоном или же видел перспективы выгоды в общении с его дочерью. Таким образом, принцесса выросла в среде писцов и сама стала неплохим художником. Многое из этого было написано на стенах в виде рисунков или иероглифов неимоверной красоты, и мы пришли к выводу, что многие из них были начертаны самой принцессой. Не без причины на стеле она была названа «Покровительницей искусств».

Но фараон пошел еще дальше и обучил свою дочь искусству магии, благодаря чему она обрела власть над сном и волей. То была настоящая магия — «черная» магия, не та храмовая магия, которая, скажу я вам, была безобидного «белого» характера и имела целью скорее впечатлять, чем оказывать реальное воздействие. Она оказалась способной ученицей и превзошла в мастерстве своих учителей. Благодаря власти и богатству у нее были огромные возможности, которые она использовала полностью. Она вырывала секреты у природы самыми невероятными способами, однажды даже по своей воле была похоронена заживо, когда приказала обмотать себя бинтами, как мумию, и положить в гроб, где и пролежала целый месяц. Жрецы пытались было утверждать, что настоящая принцесса Тера в ходе этого эксперимента умерла, и ее подменили другой девушкой, но она сумела доказать, что они ошибались. Все это описано в прекрасных рисунках на стенах гробницы. Возможно, именно в ее время был дан импульс к возрождению художественного гения четвертой династии, достигшего пика в дни правления Хуфу.

В погребальной камере были рисунки и надписи, говорившие о том, что она смогла победить Сон. Знаете, там все было пропитано таким символизмом, который удивителен даже для страны и эпохи символизма. В первую очередь в глаза бросался тот факт, что она, хоть и была царицей, требовала к себе отношения как к фараону-мужчине. На одном из рисунков она была изображена в мужской одежде с красно-белой короной. На следующем рисунке она была уже в женском платье, но еще в короне Верхнего и Нижнего Египтов, причем сброшенная мужская одежда лежала у ее ног. К каждому рисунку, выражавшему надежду, намерение или возрождение, был добавлен символ, обозначавший Север, и во многих местах — везде, где было изображение важных событий прошлого, настоящего или будущего, — были нарисованы звезды из ковша Большой Медведицы. Очевидно, она считала, что это созвездие имело какую-то особенную связь с ней.

Возможно, самым примечательным как на стеле, так и на настенных надписях было сообщение о том, что царица

Тера могла подчинять своей воле богов. Это, кстати сказать, не единственный пример в истории Египта, но здесь все было убедительнее и серьезно обоснованно. На рубине, ограненном в виде скарабея и имеющем семь точек с семью звездами, она выгравировала Заклинание, дающее власть над всеми богами как Верхнего, так и Нижнего миров.

В надписях было четко указано, что жрецы питали к ней ненависть и после ее смерти могли бы попытаться стереть ее имя из памяти людей. Должен сказать, это было ужасным способом мести в египетской мифологии, поскольку тот, кто остался без имени, не имел права быть представленным богам, и никто не мог в его честь прочесть заупокойные молитвы. Именно поэтому она хотела, чтобы ее воскресение состоялось нескоро и в более северных местах, под созвездием, семь звезд которого играли главную роль в ее появлении на свет. До этого момента ее рука должна была находиться «на воздухе» (то есть не скрытой бинтами), а под ней должен был оставаться рубин с семью звездами, чтобы везде, где есть воздух, она могла бы двигаться так же свободно, как и ее Ка! После обсуждения мы с мистером Трелони сошлись на том, что это может означать одно: ее тело могло по желанию принимать астральную форму и перемещаться, частица за частицей, пока не становилось снова единым целым в то время и в том месте, когда и где это было нужно. В одном из отрывков также упоминалось о сундуке или ларце, который хранил в себе всех богов, Волю и Сон (два последних были обозначены символами). Говорилось, что коробка имеет семь сторон. Мы не удивились, когда в ногах мумии обнаружили семигранный ларец, который вы также видели в комнате мистера Трелони. На нижней стороне покрывал мумии тоже были символы: бинты на левой ноге были выкрашены в тот же ярко-красный цвет киновари, который использован и на стеле, на них изображался символ большого количества воды; под правой ногой был виден символ земли. Мы поняли эти знаки так: ее тело, бессмертное и способное перемещаться по своей воле, повелевало землей и водой, воздухом и огнем (огонь был представлен светом Рубина, а также кремнем и железом, которые лежали рядом с мумией).

Когда мы вынули ларец из саркофага, на его гранях мы заметили странные выступы, на которые вы уже обращали внимание, но в тот момент у нас не было возможности задуматься над их значением. В саркофаге находилось еще несколько амулетов, но не слишком примечательных и ценных. Мы решили, что если здесь и есть еще что-то ценное, то оно должно быть скрыто внутри бинтов или, что более вероятно, в ларце, который находился у ног мумии. Его, однако, нам открыть не удалось, хотя было видно, что у него есть крышка, отдельная от дна: чуть ниже верха проходила тонкая линия, безусловно указывающая на место, где крышка соединялась с основанием, но все было сделано так аккуратно, с такой точностью, что соединение было практически незаметно. Крышку невозможно было сдвинуть, и мы пришли к заключению, что она каким-то образом закреплена изнутри. Я все это рассказываю вам затем, чтобы вы понимали то, с чем можете столкнуться позже. Вам не нужно спешить с выводами. Случались такие странные вещи, связанные с этой мумией и всем, что ее окружает, что возникает необходимость пересмотреть свои убеждения и свою веру. Ведь совершенно невозможно вписать некоторые из происходивших событий в рамки привычной нам жизни и обычных знаний.

Мы оставались в Долине Колдуна до тех пор, пока не скопировали в общих чертах все рисунки и надписи на стенах, потолке и полу. Мы вынесли с собой стелу из ляпис-лазури, выгравированные надписи на которой были заполнены ярко-красной киноварью. Взяли мы также саркофаг и мумию; каменный сундук с алебастровыми кувшинами; столы из гелиотропа, алебастра, оникса и карнеола и подушку из слоновой кости, основание которой покоились на «ножках», вокруг каждой из которых был обвит урей*, покрытый золотом. Мы забрали с собой всё, что было в капелле и погребальной камере: деревянные лодки с экипажем и фигурами ушапти и символические амулеты.

Мы сняли лестницы и закопали их неподалеку в песок под одной из скал, которую запомнили на тот случай, если они снова понадобятся. Затем, нагруженные тяжелым багажом, мы отправились в обратный путь к Нилу. Можете мне поверить, что везти ящик с огромным саркофагом через пустыню — задача не из легких. В нашем распоряжении была нехитрая повозка и достаточное количество людей для того, чтобы ее тащить, но казалось, что мы движемся ужасно медленно, ведь нам не терпелось доставить свои сокровища в безопасное место. Самыми неспокойными были для нас ночи, поскольку мы опасались нападения какой-нибудь промышляющей разбоем банды. Но еще больше мы боялись кое-кого из тех, кто шел через пустыню вместе с нами. В конце концов, это были люди с замашками грабителей, без каких-либо моральных убеждений, а в нашем багаже находилось большое количество бесценных предметов. Им, или, по крайней мере, самым опасным из них, было неизвестно, насколько ценными

* Змея — символ мудрости на короне фараона.

являются эти вещи, но они не сомневались, что мы везем некие сокровища. Мы извлекли мумию из саркофага и на время пути переложили ее для сохранности в отдельный контейнер. В первую же ночь были предприняты две попытки украсть что-нибудь из повозки. Утром двоих мы нашли мертвыми.

На вторую ночь разразилась ужасная буря, на нас налетел один из тех пустынных самумов, которые заставляют тебя ощутить свою беспомощность. Нас с головой засыпало песком. Некоторые из наших бедуинов сбежали до начала бури, надеясь найти убежище, оставшиеся же завернулись в свои бурнусы и просто терпеливо ждали. Утром, когда буря закончилась, мы выкопали из-под гор песка все, что смогли. Мы нашли контейнер, в котором находилась мумия, но он был полностью разбит. Саму же мумию мы, как ни искали, не нашли. Мы все осмотрели вокруг, перекопали все песчаные наносы, но тщетно. Честно говоря, мы растерялись и не знали, что теперь делать, ведь для мистера Трелони привезти эту мумию домой было жизненно важно. Мы прождали целый день в надежде на то, что вернутся бежавшие бедуины: у нас еще оставалась призрачная надежда, что, возможно, они каким-то образом достали мумию из повозки и принесут ее обратно. Той ночью за несколько минут до рассвета мистер Трелони разбудил меня и зашептал на ухо:

— Мы должны вернуться в гробницу в Долине Колдуна. Утром, когда я отдам распоряжение, ведите себя уверенно и не выказывайте сомнения! Если вы хоть раз спросите, куда мы идем, это вызовет подозрения и нарушит наши планы.

— Хорошо! — ответил я. — Но зачем нам туда возвращаться?

Его ответ взволновал меня, затронув в моей душе струны, с которых и так уже готов был сорваться аккорд:

— Мумию мы найдем там! Я в этом уверен! — затем, предвосхищая сомнение или вопросы, он добавил: — Подождите и сами в этом убедитесь!

И он снова закутался одеялом.

Арабы были удивлены тем, что мы направились в обратный путь по своим следам, у некоторых из них это вызвало недовольство. Возникли разногласия, и несколько человек нас покинули. Так что мы снова двинулись на восток в уменьшенном составе. Поначалу шейх не проявил особого любопытства по поводу конечного пункта нашего похода, но когда стало очевидно, что мы снова идем в Долину Колдуна, он забеспокоился. Его беспокойство росло по мере того, как мы приближались к своей цели, пока, наконец, у входа в долину он не остановился и не отказался продолжать путь. Он заявил, что дождется здесь нашего возвращения, если мы решим пойти дальше одни. Он будет ждать три дня, но если за это время мы не вернемся, он уйдет. Никакие обещания щедрого вознаграждения не смогли убедить его изменить свое решение. Единственное, на что он согласился, — это найти лестницы и поднести их к утесу. Он сделал это, после чего вместе с остальными участниками отряда направился к входу в долину.

Мы с мистером Трелони взяли веревки и факелы и снова отправились в гробницу. Было видно, что за время нашего отсутствия кто-то здесь побывал: каменная плита, защищающая вход в пещеру, лежала на полу внутри коридора, а с вершины скалы свешивалась веревка. Внутри мы увидели еще одну веревку, которая спускалась в погребальную камеру. Мы посмотрели друг на друга, но не произнесли ни слова. Мы закрепили свою веревку и, как и было договорено, Трелони спустился в шахту первым, а я последовал за ним. Только когда мы оба стояли внизу на дне шахты, у меня мелькнула мысль, что мы, возможно, угодили в какую-то ловушку. Кто-нибудь может спуститься по веревке с вершины скалы и перерезать ту, по которой спустились в шахту мы, чтобы похоронить нас здесь заживо. От этой мысли мне стало жутко, но уже было слишком поздно что-либо делать. Я ничего не сказал. У каждого из нас в руке было по факелу, так что, когда мы шли по коридору и входили в камеру, где стоял саркофаг, света было достаточно. Первое, что бросилось в глаза, — пустота вокруг. Несмотря на богатое оформление, гробница казалась пустой без большого саркофага, ради которого она, собственно, и была вырублена в толще камня, без сундука с алебастровыми кувшинами, без стола, на который ставили утварь и еду для умершего, и без фигурок ушапти.

Ощущение пустоты усиливалось из-за завернутой в бинты мумии царицы Теры, лежавшей на полу на том самом месте, где раньше стоял большой саркофаг! Рядом с ней в неестественных скрюченных позах лежали застигнутые внезапной насильственной смертью трое арабов, сбежавших из нашего отряда. Их лица почернели, а руки и шеи все были залиты кровью, которая текла изо рта, носа, глаз.

На шее каждого были видны уже начинающие чернеть следы руки с семью пальцами.

Мы с Трелони подошли поближе и в ужасе вцепились друг в друга, не в силах отвести глаз от этой картины смерти.

Самым поразительным было то, что поперек груди мумии царицы лежала семипалая рука, белая, как слоновая кость, на ее запястье был виден неровный красный шрам, из которого проступали капельки крови.

ГЛАВА XII

Магический ларец

Оправившись от потрясения, длившегося слишком уж долго, мы не стали терять времени и, пронеся мумию по коридору, подняли ее по шахте. Первым наверх поднялся я, чтобы принять ее. Посмотрев вниз, я заметил, как мистер Трелони взял искалеченную руку и спрятал ее себе за пазуху, явно для того, чтобы она не потерялась и с ней ничего не случилось. Мертвых арабов мы оставили на том месте, где они и лежали. При помощи веревок мы опустили наш драгоценный груз на землю и отнесли его к входу в долину, где нас должны были ожидать сопровождающие. К нашему удивлению, мы увидели, что они уже собрались уходить. Когда мы призвали шейха к ответу, он заявил, что выполнил договор в точности: он ждал три дня, как и было условлено. Я подумал, что он лжет, чтобы прикрыть свое истинное намерение бросить нас. Позже, когда мы сверяли свои дневники, я узнал, что и у Трелони появилось то же подозрение. Только по прибытии в Каир мы убедились, что он говорил правду. Во второй раз мы вошли в гробницу 3 ноября 1884 года, у нас были основания запомнить эту дату.

Три дня выпали из наших подсчетов, из наших жизней за то время, пока мы, пораженные, стояли в той камере смерти. Можно ли удивляться тому, что мертвая царица Тера и все, что принадлежало ей, вызывало у нас суеверный страх? Можно ли удивляться, что это не дает покоя нам и сейчас, когда мы ощущаем некую силу, находящуюся вне нас и за пределами нашего понимания? Будет ли удивительным то, что это чувство в урочный час сойдет вместе с нами в могилу? Если нам, нарушившим покой мертвеца, суждено упокоиться в могилах!

Минуту помолчав, он продолжил:

— До Каира мы добрались без приключений. Оттуда мы направились в Александрию, где должны были сесть на корабль агентства «Мессаджери» до Марселя, где собирались пересесть на экспресс до Лондона, но

Мы счастья ждем, а на порог
Валит беда...*

В Александрии Трелони ждала телеграмма о том, что миссис Трелони скончалась при рождении дочери.

Пораженный горем, Трелони тут же отправился домой Восточным экспрессом. Я же должен был сам доставить сокровища в опустевший дом. В Лондон я прибыл без происшествий. Там наша экспедиция и должна была закончиться. Когда я добрался до вот этого дома, похороны и все связанное с ними уже закончились. Ребенка отдали на попечение няни, а мистер Трелони уже несколько оправился от горя и теперь мог вновь вернуться к жизни и заняться

---

* Строки из стихотворения Роберта Бернса «Полевой мыши, гнездо которой разорено моим плугом».

делами. То, что он испытал большое потрясение, было очевидно. В его черных волосах появилась седина, волевое лицо сделалось мрачным и суровым. С тех пор, как он получил ту телеграмму в морском представительстве в Александрии, я ни разу не видел на его лице счастливой улыбки.

При таких обстоятельствах работа — лучшее лекарство, и он полностью посвятил себя ей. Странная трагедия утраты и одновременного приобретения (ведь ребенок появился на свет со смертью матери) произошла именно в то время, когда мы находились в трансе в погребальной камере гробницы царицы Теры. Она как будто приобрела некую связь с его увлеченностью Египтом и, в особенности, с тайнами царицы. Он очень мало рассказывал мне о дочери. Нельзя было не заметить, что сердце его разрывалось от двух противоположных мыслей, связанных с ней: с одной стороны, он очень любил свою дочь, можно сказать боготворил ее, а с другой — не мог забыть, что ее появление на свет стоило жизни ее матери. И это еще не все, что терзало сердце отца, хотя он никогда со мной об этом не говорил. Лишь раз, в момент расслабленности, он намекнул на причины своего молчания. Он сказал: «Она не похожа на свою мать. Внешне она удивительно напоминает царицу Теру, какой ее изображали на портретах». Он добавил также, что отдал ее на попечение людям, которые смогут позаботиться о ней лучше, чем он, и что, пока она не повзрослеет, должна получать от жизни те нехитрые детские радости, что и каждый ребенок. Я много раз пытался завести о ней разговор, но он отмалчивался. Однажды он признался мне: «У меня есть причины не рассказывать ничего, кроме необходимого. Когда-нибудь ты все узнаешь... и поймешь!» Я уважал его немногословность и после своего возвращения из экспедиции никогда больше не расспрашивал о ней. Первый раз я увидел ее только сейчас, в вашем присутствии.

В общем, когда сокровища, которые мы... взяли из гробницы, были доставлены в дом, мистер Трелони сам решил, как их расставить. Мумию всю, кроме оторванной руки, он поместил в холле в большой прочный каменный саркофаг, изготовленный для Уни, верховного жреца времен Фиванской династии. Как вы, наверное, заметили, он весь покрыт прекрасными иероглифами, в которых содержатся обращения к древним египетским богам. Остальные предметы из гробницы он, вы видели, оставил в своей комнате. Туда же по каким-то известным только ему причинам он поместил и руку мумии. По-моему, он считает ее самой священной реликвией в своей коллекции, кроме, может быть, лишь одного — рубина в форме скарабея, который он называет «украшением семи звезд», и который держит в большом сейфе, как вам известно, надежно запертом и защищенном различными приспособлениями.

Вам, наверное, мой рассказ показался скучным, но я должен был все разъяснить, чтобы вы смогли понять происходящие здесь события. Прошло немало лет с того дня, когда я привез мумию царицы Теры, прежде чем мистер Трелони вновь коснулся этой темы в разговоре со мной. За это время он несколько раз отправлялся в Египет. Иногда его сопровождал я, иногда он путешествовал один. Я и сам совершил еще несколько поездок, либо по его поручениям, либо по своим делам. Но за все эти почти шестнадцать лет он ни разу не затронул эту тему, если, конечно, не считать тех случаев, когда его вынуждали обстоятельства.

Однажды утром он вызвал меня в срочном порядке, я тогда занимался исследованиями в Британском музее и снимал комнаты на Гарт-стрит. Когда я пришел к нему, он находился в чрезвычайно возбужденном состоянии. Я не видел его таким взволнованным ни разу с тех пор, как он получил известие о смерти жены. Он сразу же отвел меня в свою комнату. Жалюзи на окнах были закрыты, а шторы опущены, так что ни один солнечный луч не мог проникнуть внутрь. Светильники в комнате зажжены не были, но ее освещало множество электрических ламп, каждая мощностью по меньшей мере в пятьдесят свечей, причем все они находились у одной стены комнаты. Столик из гелиотропа, на котором стоит семигранный ларец, был выдвинут в центр комнаты. Ларец в ярком свете ламп выглядел изумительно. Казалось даже, что он сам источал сияние, как будто внутри был спрятан некий источник света.

— Что вы скажете? — спросил он.

— Он похож на дорогое ювелирное украшение, — ответил я. — Вы можете его называть «Магический ларец колдуна». Он напоминает живое существо.

— Знаете, почему так кажется?

— Наверное, из-за яркого света?

— Верно, только не из-за самого света, а, скорее, из-за расположения источника света, — произнося эти слова, он включил обычные светильники и выключил лампы. Это произвело удивительный эффект: каменный ларец мгновенно утратил свой необычный вид. Теперь это был просто камень, хоть и очень красивый.

— Вы обратили внимание, в каком порядке расположены лампы? — спросил он.

— Нет!

— Точно в таком, что и звезды, образующие ковш Большой Медведицы, как и звезды в рубине! — эти слова были произнесены торжественно, не знаю почему: может быть, так много таинственного было в этой истории с мумией и со всем связанным с ней, что любое новое обстоятельство, хоть и оставалось загадкой, однако воспринималось как намек на прояснение ситуации. Я слушал дальше:

— Шестнадцать лет я постоянно думал о том приключении, старался найти ключ к решению загадок, с которыми мы столкнулись, но до прошлой ночи так и не мог сдвинуться с мертвой точки. По-моему, озарение пришло ко мне во сне, потому что я проснулся уже с этой мыслью. Я вскочил с кровати, горя желанием что-то делать, но в тот момент я сам еще не понимал, что же именно. Потом ответ на вопрос, потребовавший невероятных усилий, сам по себе вдруг пришел мне в голову с предельной ясностью. На стенах гробницы располагались упоминания о семи звездах ковша Большой Медведицы, и еще постоянно упоминался Север. Те же символы повторялись и относительно «магического ларца», как мы его назвали. Мы уже обращали внимание на просветы в камне, из которого изготовлен ларец. Помните, иероглифы подсказали, что рубин появился из сердцевины аэролита, и сам ларец также изготовлен из него. Я подумал, что, возможно, свет семи звезд, правильно направленный, может оказать какое-то влияние на ларец или на то, что находится внутри него. Я поднял жалюзи и выглянул в окно. Высоко в небе сиял Большой ковш. И звезды, его составляющие, и Полярная звезда находились как раз напротив окна. Я выставил столик с ларцом на свет и начал поднимать его, пока просвечивающиеся точки не совпали со светом звезд. В ту же секунду ларец засиял, но не так ярко, как от света ламп, вы это видели. Я подождал, но небо затянуло облаками, и свечение исчезло. Поэтому я принес провода и лампы — вы знаете, как часто я использую их в экспериментах — и попытался повторить опыт, но уже с электрическим светом. Какое-то время ушло на то, чтобы правильно выставить лампы, так, чтобы они соотносились с частями камня, но когда я, наконец, выставил их в нужном порядке, эта штука тут же засветилась. Этот свет вы и видели.

Однако больше ничего не происходило. Явно чего-то не хватало. Тут меня осенило, что коль свет имеет такое значение, значит, в гробнице должны были находиться какие-то источники, так как звезд не могло быть в погребальной камере в пещере. И тут все встало на свои места. На стол из гелиотропа, который имеет выемку, по форме соответствующую дну ларца, я установил сам магический ларец, и тут же мне в глаза бросилось, что выпуклости, так аккуратно сделанные на поверхности камня, каким-то образом соответствовали звездам в созвездии. Значит, именно они и должны были улавливать свет.

— Эврика! — воскликнул я. — Осталось только поднести лампы.

Я попытался направить на выпуклости электрический свет, просто подносил близко лампы, но внутри ларца свет так и не возник, и я все больше убеждался, что здесь необходимы специальные лампы. Если бы нам удалось заполучить их, первый шаг к решению загадки был бы сделан.

— А лампы? — спросил я. — Где они? Когда мы сможем найти их? Как нам их узнать, если все-таки удастся их отыскать? Что...

— Все по порядку! — прервал он поток моих вопросов. — В вашем первом вопросе содержатся все остальные. Где лампы? Я вам отвечу: в гробнице!

— В гробнице! — с удивлением повторил я. — Мы же вместе с вами изучили там каждый уголок. Не было там никаких ламп! Там вообще ничего не оставалось, когда мы оттуда ушли в первый раз, да и во второй тоже, только тела арабов.

Пока я говорил, он развернул большие листы бумаги, которые принес из своей комнаты. Он разложил их на большом столе, придавив края книгами и другими предметами. Я с первого взгляда понял, что это были тщательно выполненные им копии наших первых переводов надписей из гробницы. Закончив раскладывать бумаги, он повернулся ко мне и сказал:

— Помните, как вы удивились, когда после тщательного осмотра гробницы не нашли там одну вещь, которая обычно всегда находится в захоронениях такого рода?

— Да! Там не было сердаба.

— Возможно, мне надо пояснить, — прервал свой рассказ мистер Корбек, обращаясь ко мне, — что сердаб — это что-то вроде ниши, вырубленной в стене гробницы. Все обнаруженные до сих пор сердабы не содержат никаких надписей, в них было только изображение того умершего, для которого и строилась гробница.

Потом он вернулся к своему повествованию:

— Трелони, увидев, что я сообразил, к чему он клонит, продолжил с прежним энтузиазмом:

— Я пришел к выводу, что там должен быть сердаб, но тайный. Досадно, что мы не подумали об этом раньше. Нам стоило бы знать, что женщина, построившая эту гробницу, проявившая такое чувство прекрасного и оформившая каждую деталь таким количеством богатых украшений, просто не могла отказаться от такого важного архитектурного элемента. Если бы он не был нужен для ритуальных целей, она бы использовала его как декоративный элемент. Ведь в других гробницах есть сердабы, а она хотела, чтобы все, что делалось ее руками, было идеальным. Будьте уверены, в гробнице был — и есть — сердаб, и, обнаружив его, мы найдем и лампы. Разумеется, если бы нам тогда было известно то, что известно сейчас, если бы мы хотя бы предполагали, что там могут быть спрятаны еще и лампы, мы были бы внимательнее и не пропустили бы тайник или знаки, указывающие на место его нахождения. Я хочу попросить вас еще раз съездить в Египет, обыскать гробницу, найти сердаб и привезти лампы!

— А если я выясню, что там нет сердаба, или найду его, но там не окажется ламп, что тогда? — С невеселой улыбкой, которая за последние годы редко освещала его лицо, он медленно промолвил:

— Тогда вам предстоит заняться их поиском!

— Я согласен! — воскликнул я. Он указал на один из листов.

— Это записи с южной и восточной стен капеллы. Когда я очередной раз просматривал надписи, я заметил, что вокруг этого угла расположены символы, обозначающие созвездие, которое мы называем Большим ковшом. Царица Тера считала, что именно оно управляло ее рождением и судьбой. Я их тщательно изучил и обнаружил, что все они действительно обозначают группу звезд и расположены в том же порядке, что и настоящие звезды, составляющие созвездие. С астрономической точки зрения все изображено правильно, и, как и в реальности все указатели наводят на Полярную звезду, так и все изображения указывают на одну определенную точку на стене, где и должен находиться сердаб!

— Браво! — вскричал я, поскольку железная логика его рассуждений заслуживала аплодисментов. Мое восхищение, кажется, доставило ему удовольствие, он продолжил:

— Когда вы окажетесь в гробнице, изучите эту точку. Там, очевидно, будет какая-нибудь пружина или другое механическое приспособление, открывающее тайник. Бесполезно гадать, что это будет. Вы поймете, что нужно делать, когда окажетесь на месте.

На следующей неделе я отправился в Египет. На пути к гробнице я не сделал ни одной остановки на отдых. Мне удалось разыскать кое-кого из тех людей, которые помогали нам в первый раз, и заручиться их поддержкой снова. Страна теперь находилась совсем в других условиях, чем шестнадцать лет назад, и уже не было необходимости в вооруженной охране.

Я взобрался на гору один. Проблем с подъемом не было, поскольку благодаря здешнему климату деревянные лестницы сохранились в целости. Легко было заметить, что за прошедшие годы в гробнице побывали и другие посетители. Сердце замерло у меня в груди при мысли о том, что кто-нибудь из них мог случайно найти тайное место. Было бы трагедией обнаружить, что меня опередили и мое путешествие было напрасным.

Меня охватило отчаяние, когда я зажег факелы и прошел между семигранными колоннами Капеллы. На том самом месте, где я рассчитывал найти сердаб, в стене виднелась открытая выемка. Тайник был пуст!

Но Капелла не была пустой: перед выемкой в стене на полу лежало высохшее тело человека в арабской одежде. Судя по всему, он был убит. Я осмотрел все стены, чтобы проверить правильность предположения Трелони, и обнаружил, что при данном расположении звезды Большого ковша указывают на точку с левой стороны, на юг от сердаба, где изображена одна золотая звезда.

Я нажал на нее, и камень, служивший дверью в тайник и сейчас находившийся внутри, прислоненный к стене, слегка подался. При дальнейшем изучении противоположной стенки тайника я обнаружил еще одну такую точку, на которую указывали другие изображения созвездия, но в этом месте было изображено целых семь звезд, каждая из которых была покрыта золотом. Я по очереди надавил на каждую из них, но ничего не произошло. И тут меня осенило: если открывающая пружина находилась по левую руку, то эти звезды располагались так, что их одновременно могли нажать семь пальцев правой руки. Задействовав обе руки, я смог нажать на все звезды одновременно.

С громким щелчком рядом с входом в сердаб появилась металлическая фигура, а каменная дверь медленно повернулась и с грохотом встала на свое место. Зрелище появившейся из темноты фигуры на миг лишило меня мужества. Она напомнила мне грозного стража, которого, по словам арабского историка Ибн Абд Аль-Хокина, царь Саурид Ибн Салук, строитель пирамид, оставил в западной пирамиде, чтобы тот охранял сокрытые там сокровища: «Высокая мраморная фигура с копьем в руке. Его голова обвита змеем. Любого, кто приблизится, змей сначала укусит, потом обовьет его шею и задушит. Затем он вернется на место».

Я понимал, что эта фигура была сделана не шутки ради. Спастись от нее будет совсем не просто. Тело мертвого араба было тому хорошим подтверждением. Поэтому я еще раз осмотрел стены и обнаружил в некоторых местах следы от ударов, будто нанесенных тяжелым молотком. Очевидно, здесь произошло следующее: опытный грабитель подозревал, что где-то должен находиться тайный сердаб, и попытался разыскать его. Он случайно попал по пружине и освободил грозного Хранителя (как его называл арабский писатель). Исход очевиден. Я нашел кусок дерева и, стоя на безопасном расстоянии, надавил им на звезду.

В ту же секунду камень отъехал в сторону. Скрытая внутри фигура выдвинулась вперед и нанесла удар копьем. Затем она подалась назад и растворилась в темноте. Я посчитал, что теперь можно не бояться нажать на семь звезд, что и сделал. И снова камень отъехал, а Хранитель скрылся в своем убежище.

Я несколько раз повторил свои действия, результат всегда оставался тем же. Было бы чрезвычайно любопытно изучить механизм такой удивительно подвижной фигуры, но без специальных инструментов, которые не так-то легко достать, это не представлялось возможным. Разве что пришлось бы пробиваться через каменную стену. Надеюсь, что когда-нибудь я вернусь туда с необходимым оборудованием и попытаюсь это сделать.

Возможно, вам неизвестно, что вход в сердаб почти всегда очень узок, иногда даже рука с трудом проходит внутрь. Об этом сердабе я узнал следующее: во первых, лампы, если внутри действительно находились именно лампы, не могли быть большого размера, и, во-вторых, что они каким-то образом связаны с Хатор, чей символ (сокол в квадрате, правый верхний угол которого образует второй, меньший квадрат) был вырезан на стене внутри и выкрашен в ярко-красный цвет, как и стела. Хатор — это богиня, которая в древнеегипетской мифологии занимает то же место, что и Венера в древнегреческой*, то есть является божеством красоты и любви. Но в египетской мифологии каждое божество имеет множество форм, и Хатор некоторым образом связана с идеей воскресения из мертвых. Существовало семь форм или вариантов образа богини — почему бы это не могло быть связано с семью лампами? В том, что такие лампы

* На самом деле — в древнеримской.

действительно существуют, я был уверен. Первый грабитель могил встретил здесь свою смерть, второй нашел содержимое сердаба. Первая попытка была совершена несколько лет назад, об этом свидетельствовало состояние тела погибшего. Но когда была совершена вторая, об этом я не имел ни малейшего представления. Может быть, это произошло довольно давно, а может, совсем недавно. Если кто-то в гробнице побывал, то скорее всего лампы были украдены. Что ж! Тем труднее будут мои поиски, ибо лампы во что бы то ни стало необходимо найти!

Эти события происходили почти три года назад, и все это время я, подобно герою «Тысячи и одной ночи», охотился за старыми лампами, но не выменивал, а покупал новые за наличные. Я никому не осмелился признаться, что это за лампы, или какую конечную цель я преследовал, так как это могло помешать осуществлению моих планов. В самом начале поисков я сам слабо представлял, что же должен найти, но со временем суть вещей стала проясняться, хотя я уже подумывал, не захожу ли я слишком далеко в поисках того, что, в конечном итоге, может оказаться, совсем не имеет отношения к делу.

Мною начинало овладевать разочарование, моя погоня за призраками слишком затянулась, но я продолжал поиски. Наконец, менее двух месяцев назад один старый торговец в Моссуле показал мне древнюю лампу, похожую на то, что я искал. Я почти год шел по ее следу, но меня постоянно преследовали неудачи. Меня поддерживала лишь надежда на то, что я иду в правильном направлении.

Сам не понимаю, как мне удалось сдержать себя, когда я осознал, что наконец близок к успеху. Однако я был хорошо знаком с тонкостями торговли по-восточному, так что торговец, в котором перемешалась кровь евреев, арабов и португальцев, встретил достойного соперника. Прежде чем что-то купить, я потребовал показать мне весь товар, и среди разного барахла он одну за другой выставил семь разных ламп. Каждая из них имела особую отметку и форму символа богини Хатор. Наверное, я лишил своего темнокожего друга его обычной невозмутимости, поскольку, скрывая, что меня интересует на самом деле, я скупил у него почти весь магазин. В конце он почти рыдал: говорил, что я пустил его по миру, потому что ему теперь нечем торговать. Он бы стал рвать на себе волосы, если бы узнал, какую цену я готов был заплатить за некоторые из его товаров, как раз те, которые он, возможно, ценил меньше всего.

Большую часть этих товаров я продал по сходной цене по пути домой. Я не решился просто отдать их или даже сделать вид, что потерял их, ибо это могло вызвать подозрения. Мой груз теперь имел слишком большую ценность, чтобы можно было рисковать. Я двигался с максимально возможной в тех краях скоростью и в Лондон вернулся, имея при себе только лампы, некоторые ценные вещицы и всякую мелочь, которую собрал за время своих путешествий.

Теперь, мистер Росс, вы знаете все, что знаю я. И я оставляю на ваше усмотрение, что из этого стоит рассказывать мисс Трелони.

Как только он это произнес, за нашими спинами раздался чистый молодой голос:

— Вы говорите мисс Трелони? Она здесь!

От неожиданности мы одновременно повернулись, потом молча переглянулись. В дверях стояла мисс Трелони. Мы не знали, сколько она здесь пробыла и что успела услышать.

ГЛАВА XIII

Пробуждение

Поначалу слова, которых не ожидаешь, повергают в смятение того, кто их услышал, но когда шок проходит, а мысли слушателя возвращаются на свои места, он вновь обретает возможность здраво судить о том, как эти слова были сказаны и что говорящий хотел сказать. Так же произошло и с нами. Придя в себя, я уже не сомневался в искренности Маргарет, когда она задала следующий вопрос:

— О чем это вы, мужчины, так долго разговаривали, мистер Росс? Наверное, мистер Корбек описывал вам свои приключения в поисках ламп. Надеюсь, когда-нибудь вы и мне расскажете о них, мистер Корбек, но не раньше, чем моему бедному отцу станет лучше. Я уверена, он и сам захочет про все это мне рассказать или же захочет присутствовать, когда будет рассказывать кто-нибудь другой. — Она внимательно посмотрела на нас, переводя взгляд с одного на другого. — Ах, вот о чем вы говорили, когда я вошла? Хорошо, я подожду. Надеюсь, мне не придется ждать слишком долго. Знаете, то, что состояние моего отца не улучшается так долго, просто убивает меня. Пару минут назад я подумала, что мои нервы больше этого не выдержат, и решила прогуляться по парку. Я уверена, это пойдет мне на пользу. Я бы хотела, чтобы вы, мистер Росс, если вы не против, побыли с отцом, пока меня не будет. Тогда я не буду волноваться.

Я с готовностью поднялся, обрадованный тем, что бедная девушка хоть на полчаса выйдет на прогулку. Она выглядела ужасно уставшей и измученной, а вид ее бледных щек причинял мне неимоверную боль. Я отправился в комнату больного и уселся на свое обычное место. Дежурила миссис Грант, и мы не считали необходимым одновременное дежурство двоих в комнате, так что она воспользовалась случаем и занялась некоторыми делами по дому. Жалюзи были подняты, но, поскольку окна выходили на север, солнечный свет не был слишком ярким.

Я долго сидел и размышлял обо всем, что мне поведал мистер Корбек, пытаясь соотнести его рассказ с теми странными событиями, которые произошли с тех пор, как я оказался в этом доме. Порой меня начинали охватывать сомнения. Я не знал, могу ли я доверять кому-либо или чему-либо, даже своим собственным пяти чувствам. Предупреждение детектива продолжало преследовать меня. Он считал мистера Корбека умным лжецом и доверенным лицом мисс Трелони. Маргарет! Вот что возвращало мне уверенность! Такое предположение само по себе избавляло меня от всех моих сомнений — они испарились за одну секунду. Каждый раз, когда ее образ, ее имя, самая незначительная мысль о ней приходили мне в голову, все теряло налет неопределенности и становилось реальностью. Я готов был отдать жизнь за то, чтобы сохранить веру в нее!

От своих размышлений, которые довольно скоро начали превращаться в сон влюбленного, я был оторван самым неожиданным образом. С кровати послышался глубокий, сильный, властный голос. Первый же звук прозвучал для меня как гром среди ясного неба. Больной был в сознании и говорил!

— Кто вы такой? Что вы здесь делаете?

Как бы мы ни представляли, каким будет пробуждение мистера Трелони, я абсолютно уверен, что никто из нас не ожидал, что он придет в себя так быстро и будет в таком прекрасном душевном состоянии. Я был так удивлен, что ответил на его вопрос почти механически:

— Моя фамилия Росс! Я дежурю у вас.

Какое-то время его лицо выражало удивление, но потом я заметил, как его привычка самостоятельно судить о людях взяла верх.

— Дежурите у меня? Что вы имеете в виду? А зачем это вам надо здесь дежурить? — тут его взгляд упал на свою забинтованную руку. После этого тон его стал менее агрессивным, а голос более доброжелательным, как у человека, которому приходится мириться с обстоятельствами. — Вы врач?

Отвечая на его вопрос, я едва сдерживал улыбку: давало о себе знать чувство облегчения после столь долгих опасений за его жизнь:

— Нет, сэр!

— Тогда что же вы здесь делаете? Если вы не врач, то кто же вы? — его голос вновь приобрел грозные нотки.

Человеческая мысль быстра. Вся схема аргументации, на которой должен был основываться мой ответ, промелькнула у меня в голове, прежде чем слова слетели с уст. Маргарет! Мне нужно подумать о Маргарет! Это ее отец, и ему пока еще ничего не известно ни обо мне, ни даже о самом моем существовании. Он наверняка захочет узнать, даже будет требовать объяснений, почему именно я выбран в качестве друга его дочери, когда с ним случилась беда. Отцы всегда несколько ревнивы к выбору своих дочерей. Наши отношения с Маргарет пока еще оставались тайной, поэтому мне нельзя было говорить ничего такого, что могло бы поставить ее в неловкое положение.

— Я адвокат. Однако здесь я в другом качестве, как друг вашей дочери. Вероятно, она, подумав, что вас убили, решила обратиться ко мне в первую очередь, поскольку я юрист. Впоследствии она была столь добра, что стала относиться ко мне как к другу и позволила мне, в соответствии с высказанными вами пожеланиями, остаться дежурить в вашей комнате.

Мистер Трелони явно был человеком острой мысли и не склонен к многословности. Пока я говорил, он внимательно рассматривал меня, как будто мог читать мои мысли. Но, к моему счастью, он не стал далее углубляться в эту тему и сделал вид, что принял мои слова на веру. Наверняка на это у него имелись свои причины, о которых я мог догадываться. Его глаза блеснули, а рот непроизвольно искривился, но это была не судорога раздражения, а знак того, что мое объяснение его удовлетворило. У него в голове складывалась своя схема аргументации. Неожиданно он произнес:

— Так она подумала, что меня убили! Это случилось прошлой ночью?

— Нет! Четыре дня назад.

Казалось, он был удивлен. Сперва, начав говорить, он сидел в кровати, но сейчас сделал движение, будто собирался встать. Однако усилием воли сдержал себя. Откидываясь на подушки, он тихо попросил:

— Расскажите мне все, что произошло! Все, что вам известно! Подробно, ничего не пропуская! Подождите, сначала закройте дверь! Прежде чем разговаривать с другими, я точно хочу знать, как обстоят дела.

От его последних слов у меня екнуло сердце. «С другими»! Значит, принимая меня в качестве рассказчика, он делал для меня исключение. Учитывая мое отношение к его дочери, я обрадовался. Ликуя в душе, я направился к двери и тихо повернул ключ. Когда я вернулся, он уже снова сидел на кровати. Он сказал:

— Начинайте!

И я изложил ему все, что произошло с момента моего приезда в этот дом, даже мельчайшие детали, которые всплыли у меня в памяти. Разумеется, я умолчал о своих чувствах к Маргарет и рассказывал только о тех событиях, которые были связаны непосредственно с ним. Что касается мистера Корбека, то я просто упомянул, что он привез лампы, поиском которых занимался, а затем рассказал об их пропаже и о том, как их снова нашли в доме.

Он слушал меня с таким самообладанием, которое в данных обстоятельствах мне казалось едва ли не чудом. Он умел оставаться невозмутимым, лишь иногда его глаза загорались огнем, а сильные пальцы поврежденной руки сжимали одеяло, отчего по нему шли длинные складки. Сильнее всего это проявилось, когда я рассказывал о возвращении Корбека и о том, как лампы были найдены в будуаре. Иногда он вступал в разговор, но произносил лишь несколько слов, как будто в эмоциональном порыве. Загадочные события, больше всего озадачившие нас, казалось, не вызвали у него особого интереса — создалось такое впечатление, что он уже знал о них заранее. Сильнее всего на него подействовал мой рассказ о том, как Доу поднял стрельбу в комнате. Его недовольное шипение «Тупой осел!» и быстрый взгляд в другой конец комнаты на поврежденный шкаф показали всю меру его раздражения. Когда я поведал ему о мучительных тревогах его дочери, о том, какую заботу, безграничную преданность и любовь проявила она, он, похоже, был тронут. Он прошептал как будто удивленно:

— Ах, Маргарет, Маргарет!

Когда я закончил свой рассказ на том, что мисс Трелони отправилась на прогулку — в присутствии ее отца она снова стала для меня мисс Трелони, а не Маргарет, — он довольно долго не произносил ни слова. Молчание длилось две-три минуты, но мне это время показалось невыносимо долгим. Совершенно неожиданно он резко повернулся ко мне:

— А теперь расскажите о себе!

Меня его просьба совершенно обескуражила, я почувствовал, что покраснел до кончиков ушей. Мистер Трелони теперь не сводил с меня глаз. Его взгляд был спокойным и вопросительным и, как и прежде, казалось, он заглядывал мне в самую душу. Лишь какая-то тень улыбки была заметна на его устах, что несколько успокоило меня, хотя и привело в еще большее замешательство. Я оказался в затруднительном положении, и на выручку мне пришел мой жизненный опыт. Глядя прямо ему в глаза, я сказал:

— Как я уже говорил, меня зовут Росс, Малькольм Росс. По профессии я адвокат. Я был произведен в королевские адвокаты в последний год правления ее величества королевы. В своей работе я добился некоторого успеха.

Я почувствовал себя намного спокойнее, когда услышал:

— Да, я знаю. И знаю только хорошее! А где и когда вы познакомились с Маргарет?

— Впервые я увидел ее на балу на Белгрейв-сквер, десять дней назад. Потом мы встретились на пикнике, который устраивала леди Стратконнелл на реке. Мы проплыли от Виндзора до Кукэма. Мар... Мисс Трелони плыла в лодке со мной. Я немного занимаюсь греблей, и у меня есть своя лодка в Виндзоре. Мы много разговаривали... естественно.

— Естественно! — в том, как он согласился, было нечто сардоническое. Больше ничего не указывало на его настроение. Мне подумалось, что, поскольку я находился в обществе такого сильного человека, не помешает показать, что и я чего-то стою. Мои друзья, а порой и оппоненты говорят, что я сильный человек. В сложившихся сейчас обстоятельствах было бы слабостью пытаться недоговаривать или юлить. Поэтому я не стал отступать перед трудностями (ни на секунду не забывая, что мои слова могут навредить Маргарет). Я продолжил:

— За время беседы, проходившей в таком месте, в такое время, в окружении таком приятном и в таком уединении, которое невольно располагает к доверию, мне удалось приблизиться к ее внутреннему миру. Приблизиться настолько, насколько это возможно для мужчины моего возраста и положения по отношению к молодой девушке!

Лицо отца становилось все более мрачным, но он не проронил ни слова. Теперь мне приходилось придерживаться определенной линии в своем рассказе, поэтому я продолжил со всей доступной мне осторожностью. Этот разговор мог иметь самые серьезные последствия и для меня.

— Я не мог не заметить, что ее переполняет чувство одиночества, ставшее для нее привычным. Мне казалось, я понимаю ее, ведь я тоже рос единственным ребенком в семье. Я осмелился предложить ей быть со мной откровенной, и она, к моей радости, откликнулась. Между нами установилось некое доверие... — Что-то в лице отца заставило меня поспешно добавить: — С ее стороны, сэр, можете быть уверены, не было сказано ничего лишнего. Она просто очень эмоционально рассказала мне о том, что давно и тщательно прятала в себе: о страстном желании быть ближе к отцу, которого она любит, о желании большего взаимопонимания между ними. Она нуждалась в доверии отца, мечтала жить его интересами. Поверьте мне, сэр, в этом не было ничего дурного! Каждый отец может гордиться такой дочерью! То, что она рассказала все это мне, можно, пожалуй, объяснить лишь тем, что я был для нее абсолютно посторонним человеком, и между нами не было преграды, возникающей между людьми с общим прошлым, опасающимися излишней откровенности.

Я ненадолго замолчал. Мне было трудно продолжать, я боялся, что своими излияниями окажу Маргарет медвежью услугу. Помощь пришла со стороны ее отца:

— А вы?

— Сэр, мисс Трелони очень мила и необыкновенно прекрасна! Она молода, но наделена ярким умом. Для меня счастье видеть ее расположение. Я не стар, и мои чувства еще не были отданы никому. Не были до сих пор. Надеюсь, что я могу говорить это в присутствии ее отца!

Я невольно опустил глаза. Когда я снова взглянул перед собой, то увидел, что мистер Трелони по-прежнему внимательно смотрел на меня. Вся доброта, которой он был наделен, в тот момент, кажется, отразилась в его улыбке, когда он протянул мне руку:

— Мистер Росс, о вас я всегда слышал только то, что вы мужественный и порядочный человек, настоящий джентльмен. Я рад, что у моей дочери такой друг! Продолжайте!

Сердце радостно забилось у меня в груди. Первый шаг к завоеванию доверия ее отца был сделан. Боюсь, что в своем дальнейшем рассказе и поведении я проявил некоторую несдержанность. Но по-другому я не мог:

— Взрослея, мы учимся лишь одному: рассудительно использовать опыт прожитых лет. У меня большой жизненный опыт, который накапливался в постоянной борьбе и работе, и мне казалось, что я вправе воспользоваться им. Я взял на себя смелость обратиться к мисс Трелони с просьбой считать меня своим другом и рассчитывать на мою помощь в случае необходимости. Она пообещала, что не забудет моего предложения. Я представить не мог, что шанс оказаться полезным ей выпадет так скоро и при таких обстоятельствах, но в ту же ночь с вами случилось несчастье. В безысходном отчаянии и страхе она обратилась ко мне!

Я немного помедлил. Он по-прежнему не сводил с меня глаз и молчал, и я продолжил:

— Когда было обнаружено ваше письмо с инструкциями, я предложил свои услуги. Мое предложение, как вам известно, было принято.

— А как прошли для вас эти дни?

Этот неожиданный вопрос озадачил меня. Что-то в том, как он прозвучал, было такое, что напомнило мне голос и характер самой Маргарет. Что-то неуловимое так сильно походило на Маргарет в минуты радости, что все мое мужское естество вскипело у меня внутри. Я начал ощущать себя более уверенно:

— Сэр, эти дни, несмотря на тревогу и всю ту боль, что за это время пришлось пережить несчастной девушке, которую с каждый часом я люблю все больше, были самыми счастливыми днями моей жизни!

После моих слов он надолго замолчал. Так надолго, что, пока я с замиранием сердца ждал его ответа, даже испугался: не был ли я слишком несдержан? Наконец он произнес:

— Жаль, что этих слов не слышит ее мать, они бы порадовали ее сердце! — но тут тень пробежала по его лицу, и он поспешно продолжил: — А вы действительно уверены во всем этом?

— Я понимаю, что чувствует мое сердце, сэр! По крайней мере, считаю, что понимаю!

— Нет, нет! — возразил он. — Я имею в виду не вас. Тут все понятно. Вы говорили о том, что она любит меня... а она... А ведь она жила в моем доме... А вам говорила о своем одиночестве... о том, что ей тоскливо... Я ни разу... мне трудно это признавать, но это правда... ни разу за весь этот год не заметил и намека на такую любовь ко мне!..

От нелегких воспоминаний его голос задрожал.

— В таком случае, сэр, — сказал я, — мне посчастливилось за несколько дней узнать больше, чем вам за всю ее жизнь!

Мои слова как будто вернули его из задумчивости. Мне показалось, что теперь он говорил со смешанным чувством удовольствия и удивления:

— Я понятия об этом не имел. Мне казалось, что я ей безразличен. Я думал, она пыталась таким образом как-то отомстить мне за то, что я не уделял ей достаточно внимания, когда она была еще ребенком, что она бессердечна... Я счастлив узнать, что дочь моей жены тоже меня любит!

Охваченный переживаниями, он снова откинулся на подушки; воспоминания о прошлом нахлынули на него.

Как, должно быть, он любил ее мать! Ведь его тронула любовь не своего ребенка, а дочери жены. Мое сердце наполнилось чувством сострадания и доброты. Я начал понимать. Начал понимать душевный накал этих двух прекрасных, вынужденных скрывать свои чувства натур, которым пришлось загасить в себе огонь желания взаимной любви! Меня не удивило, когда с его уст слетели тихие слова:

— Маргарет! Моя девочка! Нежная, чуткая, сильная, искренняя и мужественная! Точно как ее мать! Как ее мать...

В ту секунду я несказанно обрадовался, что был с ним совершенно откровенен.

Некоторое время спустя мистер Трелони заговорил снова:

— Четыре дня! С шестнадцатого! Значит, сегодня двадцатое июля?

Я утвердительно кивнул головой. Он продолжил:

— Значит, я был в трансе четыре дня. Со мной это не впервые. Однажды, при довольно необычных обстоятельствах, мне довелось провести в состоянии транса три дня, хотя я об этом и не подозревал, пока мне не сказали. Как-нибудь я вам об этом расскажу, если вам будет любопытно.

Эти слова привели меня в глубокое волнение. То, что отец Маргарет оказывает мне такое доверие, делало возможным... Деловой, будничный тон, последовавший за этим, вернул меня с небес на землю:

— Пожалуй, мне пора встать. Когда придет Маргарет, скажите ей, что со мной все в порядке. Это позволит ей избежать шока. Еще скажите Корбеку, что я хочу встретиться с ним как можно скорее. Мне не терпится увидеть эти лампы и услышать его!

Его отношение ко мне наполнило меня радостью. Некоторый намек на родственные отношения добавил мне энтузиазма. Я поспешил к выходу, собираясь, не теряя времени, выполнить его поручения, но, когда моя рука была уже на ключе, его голос остановил меня.

— Мистер Росс!

Мне не понравилось, что он назвал меня «мистер». Узнав о моих отношениях с его дочерью, он стал называть меня Малькольм, и это возвращение к официальному обращению не только больно кольнуло меня, но и заставило напрячься от недобрых предчувствий. Наверное, дело в Маргарет. Теперь, когда у меня возникло опасение потерять ее, я снова в мыслях называл ее Маргарет, а не мисс Трелони. Сегодня я понимаю, что тогда творилось в моей душе: я был готов бороться за нее. Я вернулся, непроизвольно расправив плечи и выпрямив спину. Мистер Трелони, прекрасный знаток человеческих душ, как будто сумел прочитать мои мысли, и его лицо, омраченное новыми заботами, заметно посветлело, когда он заговорил:

— Присядьте на минуту. Будет лучше, если мы поговорим сейчас, а не позже. Мы — мужчины. Взрослые мужчины, имеющие жизненный опыт. Все, что я сейчас узнал о своей дочери, для меня очень неожиданно, и я хочу четко понимать, в каком положении нахожусь. Заметьте, я не имею ничего против, но, как отец, я также имею обязанности, которые могут показаться неприятными. Я... я... — Кажется, он не знал, с чего начать, и это вселило в меня надежду. — Как я полагаю, судя по тому, что вы рассказали мне о своем отношении к моей дочери, вы собираетесь просить ее руки?

Мой ответ прозвучал тут же:

— Конечно! Без сомнения! В тот же вечер, который мы провели с ней на реке, я решил разыскать вас, разумеется, не сразу, а по прошествии положенного в подобных случаях времени, и просить вашего разрешения обратиться к ней с таким предложением. Однако события заставили нас с ней сблизиться быстрее, чем можно было ожидать. Но главная моя цель по-прежнему остается в моем сердце и с каждой прожитой минутой растет и крепнет.

Его лицо как будто осветилось добротой, когда он слушал меня. Воспоминания о своей молодости нахлынули на него. Помолчав некоторое время, он произнес:

— Полагаю, судя по всему, вы, Малькольм Росс, еще не обращались к моей дочери с официальным предложснием? — отказ от официальности заново наполнил мою душу ликованием.

— Словами — нет, сэр, — arriere pensee* моей фразы задело меня не тем, что она сама по себе прозвучала комично, а тем, что на лице отца она вызвала невеселую, но добродушную улыбку. В его ответе послышались нотки сарказма:

— Словами — нет! Это опасно! Слова могли бы заставить ее усомниться или даже не поверить вам.

Покраснев до корней волос, я продолжил:

— Чувство деликатности, вызванное ее беззащитным положением, уважение к ее отцу (тогда я еще не был с вами знаком лично, сэр) сдерживало меня. Но даже если бы и не это, я не осмелился бы в момент печали и волнения обращаться к ней с подобным предложением. Мистер Трелони, я даю вам честное слово, что ваша дочь и я пока остаемся только друзьями и ничем больше!

Он протянул ко мне руки, и мы обнялись. Затем он сказал:

— Я удовлетворен, Малькольм Росс. Разумеется, до тех пор, пока я ее не увижу и не дам вам разрешение, вы не будете делать моей дочери никаких предложений... словами, — со снисходительной улыбкой добавил он. Но затем его лицо снова сделалось строгим: — Время не терпит. Мне необходимо обдумать вещи, которые настолько неотлож-

---

* Arriere pensee — задняя мысль, подтекст (*фр.*).

ны и удивительны, что мне нельзя терять ни минуты. Я не был готов так скоро заняться обсуждением устройства жизни своей дочери и ее будущего счастья с человеком, который стал моим другом так недавно.

Эти слова были произнесены с достоинством и гордостью, которые произвели на меня большое впечатление.

— Я уважаю ваши желания, сэр! — сказал я и направился к выходу. Выйдя, я услышал, как он запер за мной дверь.

Когда я рассказал мистеру Корбеку, что мистер Трелони полностью пришел в себя, он пустился в безумный пляс. Но внезапно остановился и попросил меня быть осторожным и пока не строить никаких умозаключений по поводу обнаружения ламп или первого посещения гробницы. Это в том случае, если мистер Трелони заговорит со мной на эти темы, «а он обязательно это сделает» — добавил он, бросив на меня косой взгляд, который мог означать лишь одно: осведомленность в моих сердечных делах. Я согласился с ним, чувствуя, что так действительно будет лучше. Я не совсем понимал, почему, но мне ведь было известно, что мистер Трелони необычный человек и при любых обстоятельствах разумнее оставаться немногословным и сдержанным. Сильные люди всегда уважают сдержанность.

Реакция остальных обитателей дома на известие о выздоровлении мистера Трелони была неоднозначной. Миссис Грант расплакалась от счастья, потом засуетилась, спрашивая, чем будет полезной, и спеша привести дом в порядок для «хозяина», как она всегда его называла. Сестра было огорчилась: она лишилась возможности наблюдать интересного больного. Но ее досада длилась недолго — она была рада, что беда миновала. Она выразила готовность отправиться к пациенту, как только возникнет необходимость в ее услугах, но пока занялась упаковкой своего чемодана.

Сержанта Доу я отвел в кабинет для того, чтобы мы остались одни, когда я сообщу ему новость. Даже его железная невозмутимость была поколеблена, когда я рассказал ему о пробуждении Трелони. Меня же, в свою очередь, удивили его первые слова:

— А как он объяснил первое нападение? Ведь во время второго он уже был без сознания.

До этого вопроса мысли о нападениях, которые-то и послужили причиной моего пребывания в этом доме, даже не приходили мне в голову, кроме того момента, когда я пересказывал мистеру Трелони ход событий. Детектива мой ответ, кажется, не удовлетворил:

— Знаете, я как-то не додумался спросить его!

Сильно развитый профессиональный инстинкт этого человека, похоже, вытеснил все остальные:

— Вот почему большинство преступлений остается нераскрытыми, — сказал он, — если за дело не берутся люди из нашего департамента. Всякие частные детективы никогда не доводят дело до конца. А что касается остальных, то, как только все начинает идти на лад, их напряжение спадает, и дальнейшее расследование уже никого не интересует. Это как морская болезнь, — философски добавил он, немного помолчав. — Как только сходишь на берег, ты о ней забываешь и бежишь в буфет, чтобы наесться! Что ж, мистер Росс, я рад, что дело закончено, поскольку считаю, что мои услуги больше не понадобятся. Мне кажется, что мистер Трелони — человек дела, и теперь, когда он снова здоров, он сам разберется в этой ситуации. А возможно, он и не станет ничего предпринимать. Ведь он ожидал, что должно было что-то случиться, но не стал обращаться за защитой к полиции. Насколько я понимаю, он не хотел, чтобы полиция искала виноватого. Вероятно, официально нам сообщат, что произошел несчастный случай (он ходил во сне или что-то в этом роде), чтобы совесть людей из отдела регистраций была чиста, и на этом все закончится. Что касается меня, сэр, скажу вам откровенно, теперь я смогу вздохнуть свободно, потому что от всего этого я уже начинаю сходить с ума. В этом деле возникло столько загадок (которых я терпеть не могу), что мне не удается с уверенностью обозначить ни факты, ни их причины. Теперь я смогу умыть руки и снова заняться обычными уголовными делами, в которых нет мистики и загадок. Конечно же, сэр, я буду весьма рад, если вы объясните мне, что тут произошло, и буду благодарен, если услышу от вас, что его вытащило из постели, когда его ранил кот, и кто орудовал ножом во второй раз. Не мог же сам Сильвио совершить все это! Знаете, я все еще думаю об этом. Мне надо во всем разобраться, иначе этот вопрос не даст мне покоя, когда мне придется заниматься уже другими делами!

Когда Маргарет вернулась с прогулки, я встретил ее в холле. Она по-прежнему была бледна и печальна, хотя я надеялся, что прогулка ее оживит. Как только она меня увидела, ее глаза вспыхнули, и она пристально посмотрела на меня.

— У вас есть для меня хорошие новости? — спросила она. — Что, отцу стало лучше?

— Да, ему лучше. А почему вы так подумали?

— Я увидела это у вас на лице. Мне нужно сейчас же идти к нему, — она бросилась к лестнице, но я остановил ее.

— Он сказал, что пошлет за вами, как только оденется.

— Он сказал, что пошлет за мной? — удивленно повторила она. — Значит, он пришел в себя? Я не думала, что ему стало настолько лучше! О Малькольм!

Она опустилась на ближайшее кресло и расплакалась. Я и сам еле сдерживался, чтобы не показать свои чувства. Ее счастливый вид и душевное волнение, упоминание моего имени в таком контексте и в такое время, неожиданно возникшие надежды — все это, свалившись на меня разом, всколыхнуло все мои чувства и затмило разум. Заметив, как я взволнован, Маргарет как будто поняла, что творилось в моей душе. Она протянула руку, которую я крепко сжал и поцеловал. Мгновения, подобные этим, когда влюбленным выпадает возможность показать друг другу свои чувства, случаются по воле богов! До этого, хоть я и знал, что люблю ее, и что она будто бы отвечает мне взаимностью, во мне теплилась лишь надежда. Но сейчас протянутая мне рука и трепет, который я почувствовал в ответ на ее пожатие, вместе с полным любви взглядом ее восхитительных, бездонных, темных глаз, лучше любых слов свидетельствовали о том, чего может ожидать или требовать самый нетерпеливый возлюбленный.

Волшебство этой секунды не нарушили произнесенные вслух слова. Да слов и не требовалось. Если бы даже я и не был связан обещанием не говорить о своих чувствах, никакие слова в мире не смогли бы передать то, что мы ощущали в тот миг. Взявшись за руки, как дети, мы поднялись вверх по лестнице и остановились на лестничной площадке, ожидая, когда нас позовет мистер Трелони.

Я шепотом на ухо (что само по себе намного приятнее, чем говорить как обычно громко и на большем расстоянии) рассказал ей о том, как пришел в себя ее отец, что он говорил и о чем спрашивал меня. Разумеется, я не упомянул о том, что мы говорили о ней.

Наконец из комнаты послышался звонок колокольчика. Маргарет скользнула к двери, оглянулась и жестом, означающим просьбу хранить молчание, поднесла к губам палец. Оказавшись у двери, она тихо постучала. В ответ раздался громкий голос:

— Входите!

— Это я, отец! — ее нежный голос дрожал в предвкушении встречи.

В комнате послышались быстрые шаги, в следующую секунду дверь распахнулась, и Маргарет, которая подалась вперед, была заключена в крепкие объятия отца. Сказано было не много, лишь несколько коротких фраз:

— Отец! Дорогой, дорогой отец!

— Дитя мое! Маргарет! Девочка моя!

— О отец! Наконец! Наконец!

Отец и дочь вместе вошли в комнату. Дверь за ними закрылась.

ГЛАВА XIV

Родимое пятно

Пока я дожидался, когда меня позовет мистер Трелони (а я знал наверняка, что он позовет меня), время шло медленно, и мне было одиноко. После нескольких секунд счастья, вызванных радостью Маргарет, я почувствовал себя забытым. На какое-то время эгоизм, свойственный всем влюбленным, захватил и меня, но это продолжалось недолго. Главное для меня — счастье Маргарет. Понимая это, я приказал себе забыть о своих эгоистических раздумьях. Последние слова Маргарет, произнесенные ею до того, как за ними закрылась дверь, объясняли всю ситуацию. Два этих гордых и сильных человека, несмотря на то, что были отцом и дочерью, смогли по-настоящему узнать друг друга только сейчас, когда девочка стала взрослой. Маргарет была из тех людей, которые рано взрослеют.

Их обоюдная гордость и сила вместе с замкнутостью и немногословностью поначалу образовали между ними некий барьер. Каждый уважал сдержанность другого, и постепенно недопонимание переросло в привычку. Поэтому двое любящих сердец, каждое из которых страстно нуждалось в понимании со стороны другого, не могли соединиться. Но теперь все было хорошо, и я всем сердцем возрадовался, что Маргарет наконец-то обрела счастье. Когда я все еще размышлял над этим и был поглощен своими мечтами, дверь распахнулась, и передо мной предстал мистер Трелони. Он жестом руки пригласил меня:

— Входите, мистер Росс!

Слова были произнесены радушно, но некоторая формальность тона заставила екнуть мое сердце. Когда я вошел в комнату, он закрыл за мной дверь и протянул мне широко раскрытую руку, которую я пожал. Не выпуская ее, он подвел меня к дочери. Маргарет посмотрела сначала на меня, потом на него и снова на меня и опустила глаза. Когда я оказался прямо перед ней, мистер Трелони отпустил мою руку и, глядя своей дочери прямо в лицо, сказал:

— Если все на самом деле обстоит так, как я себе представляю, у нас не должно быть секретов друг от друга. Малькольму Россу уже столько известно о моих делах, что, я считаю, он должен либо сейчас же попрощаться с нами и молча удалиться, либо узнать все до конца. Маргарет! Позволишь ли ты мистеру Россу взглянуть на свое запястье?

Она бросила лишь один полный мольбы взгляд на отца, но уже было видно, что она решилась. Не произнося ни слова, она подняла правую руку, и браслет в форме распростертых крыльев, скрывающих ее запястье, съехал ниже, обнажив скрытую ранее плоть. Кровь застыла у меня в жилах.

По ее запястью проходила тонкая неровная красная линия, окруженная красными пятнышками, как будто каплями крови!

Она стояла не шевелясь, весь ее вид воплощал гордость, обреченную терпеть муки.

О да! Главным в ней сейчас была гордость. Сквозь всю ее красоту, достоинство, готовность к самопожертвованию, о которой мне было хорошо известно и которая никогда еще не была так заметна, как сейчас; сквозь огонь, как будто лившийся из глубины ее темных глаз прямо мне в душу, зримо проступало чувство гордости. Гордости, основанной на вере; гордости, рожденной чистотой души, гордости настоящей королевы из прошлых времен, когда быть королем означало быть первым, быть самым сильным и самым храбрым. Так мы простояли несколько секунд, когда низкий серьезный голос ее отца нарушил тишину:

— Что вы теперь скажете?

Мой ответ был без слов. Когда Маргарет опускала руку, я схватил ее и крепко сжал в своей, второй рукой я отвел золотой браслет и, наклонившись, припал губами к ее запястью. Оставаясь в таком положении и не отпуская ее руку, я поднял глаза. На ее лице сияла счастливая улыбка. Именно такую улыбку я вижу, когда думаю о рае. Затем я повернулся к ее отцу.

— Вы получили мой ответ, сэр!

Удовлетворение отразилось на его серьезном лице. Он произнес лишь одно слово, когда положил свою ладонь на наши сомкнутые руки, наклоняясь и целуя дочь:

— Хорошо!

Нас прервал стук в дверь. После короткого «Входите!», брошенного мистером Трелони, в комнату вошел мистер Корбек. Увидев нас, стоящих рядом друг с другом, он, отступив, хотел выйти, но не успел, поскольку мистер Трелони бросился к нему и, схватив за плечи обеими руками, вывел в центр комнаты. Тряся его за плечи, он как будто превратился в другого человека. На миг к нему вернулся тот юношеский энтузиазм, о котором нам рассказывал мистер Корбек.

— Так, значит, лампы у вас! — почти кричал он. — То есть мои предположения в конце концов оказались верными! Пройдем в библиотеку, там мы сможем остаться одни, и вы мне все расскажете! Пока мы будем разговаривать, Росс, — обратился он ко мне, — окажите услугу, принесите ключ от сейфа, чтобы я мог взглянуть на лампы!

И они втроем направились в библиотеку, дочь нежно держалась за руку своего отца, а я поспешил на Чансри-лейн.

Вернувшись с ключом, я застал их все еще беседующими, но теперь к ним присоединился доктор Винчестер, который прибыл вскоре после того, как я ушел. Мистер Трелони, узнав от Маргарет о его внимании и доброте, и о том, как он вопреки оказываемому на него давлению твердо решил придерживаться содержавшихся в письме указаний, попросил доктора остаться и послушать. «Возможно, — сказал он, — вам будет интересно узнать конец истории!»

Мы все вместе рано пообедали, после чего довольно долго сидели, пока мистер Трелони не сказал:

— Что ж, я думаю, нам лучше сейчас разойтись и лечь спать пораньше. Завтра надо будет о многом поговорить, а сегодня мне нужно подумать.

Доктор Винчестер ушел, тактично прихватив с собой мистера Корбека. Когда они вышли, мистер Трелони обратился ко мне:

— Мне кажется, вам тоже сегодня вечером лучше отправиться домой. Я хочу побыть со своей дочерью наедине. Слишком многое я хочу рассказать ей и услышать от нее. Возможно, уже завтра я и вам смогу все это сообщить, но пока нам с ней будет проще не отвлекаться, если в доме не будет посторонних.

Я прекрасно понимал его желание, но на меня все еще действовали воспоминания о пережитом за последние несколько дней, и я не совсем уверенно произнес:

— Но не опасно ли это? Если бы вы знали, как мы...

К моему удивлению, меня перебила Маргарет:

— Нет никакой опасности, Малькольм. Я останусь с отцом! — С этими словами она крепко обняла отца, как будто защищая его. Я, не сказав больше ни слова, поднялся, чтобы тотчас уйти. Мистер Трелони добродушно сказал:

— Утром можете приехать так рано, как вам захочется, Росс. Приезжайте к завтраку. После этого нам с вами нужно будет поговорить, — с этими словами он спокойно вышел из комнаты, оставив нас с Маргарет наедине. Я крепко сжал и поцеловал ее руки, которые она протянула ко мне. Потом я притянул ее к себе, и наши губы встретились в первый раз.

В ту ночь я спал недолго. Счастье, с одной стороны, и волнение — с другой, не давали мне заснуть. Волнение было сильным, но такого счастья, как тогда, я не испытывал никогда ранее и никогда уже не испытаю в будущем. Ночь пролетела так быстро, что утро не наступило незаметно, как ему полагается, а обрушилось в мгновение ока.

Еще не стукнуло девяти, а я уже был в Кенсингтоне. Когда я увидел Маргарет, все волнение исчезло, как исчезает с неба облако, влекомое силой ветра. Я заметил, что ее бледность уступила место здоровому румянцу, знакомому мне по прежним дням. Маргарет сказала, что ее отец спал хорошо и скоро должен выйти к нам.

— Мне кажется, — прошептала она мне на ухо, — что мой заботливый отец нарочно решил задержаться в спальне подольше, чтобы я могла первой встретить вас и чтобы нам никто не мешал!

После завтрака мистер Трелони провел нас в кабинет. Вставая из-за стола, он сказал:

— Я прошу и Маргарет присоединиться к нам.

Когда мы заняли свои места, он с серьезным выражением лица начал:

— Вчера вечером я говорил, что нам, возможно, есть что сказать друг другу. Полагаю, вы подумали, что я имел в виду вас и Маргарет. Верно?

— Да, я так и подумал.

— Что ж, молодой человек, это так. Мы поговорили с Маргарет, и я знаю, чего она хочет, — он протянул руку.

Когда я пожал ее и поцеловал Маргарет, которая придвинула свое кресло поближе к моему, чтобы мы могли, слушая, держаться за руки, мистер Трелони продолжил, но в его голосе чувствовалась какая-то неуверенность, которой я раньше за ним не замечал:

— Вам многое известно о моих поисках этой мумии и всего, что с ней связано. Думаю, вы уже догадались и о сути моих намерений. В любом случае, если будет необходимо, я объясню это позже, четко и кратко. Сейчас же я хочу выяснить у вас следующее: мы с Маргарет разошлись в одном вопросе. Я собираюсь провести эксперимент, который станет венцом моих исследований. Ради этого я не покладая рук трудился последние двадцать лет и много раз подвергался опасности. Этот эксперимент позволит нам узнать то, что было скрыто от человечества многие столетия. Я не хочу, чтобы при этом присутствовала моя дочь, так как отдаю себе отчет, что его проведение может быть опасно, очень опасно! К тому же точно неизвестно, что нам грозит. Мне уже приходилось раньше сталкиваться лицом к лицу с опасностью, о которой я ничего не знал. Через это прошел и отважный ученый, помогавший мне в работе. Что касается меня, я готов пойти на любой риск, ведь это принесет пользу науке, истории, философии. Мы сможем приоткрыть очередную пожелтевшую страницу мудрости, не известную в наше прозаическое время. Но я не хочу, чтобы такой опасности подвергалась моя дочь. Ее молодая, яркая жизнь имеет слишком большую ценность, чтобы ею можно было так легко пожертвовать, особенно теперь, когда она стоит на пороге своего счастья. Я не хочу видеть, как она повторит судьбу своей матери, расстанется с жизнью...

На какую-то секунду эмоции переполнили его, он закрыл глаза руками. В ту же секунду рядом с ним оказалась Маргарет. Она крепко прижалась к отцу и поцеловала его, пытаясь успокоить его теплыми словами. Потом, выпрямившись как струна, она произнесла, обнимая его:

— Отец! Моя мать никогда не хотела, чтобы ты прятался за ее спиной, даже когда ты отправлялся в то рискованное путешествие в Египет, хотя тогда эта страна была поставлена с ног на голову войной и полна неизбежных при этом опасностей. Ты рассказывал мне, что она позволила тебе поступать так, как ты хотел, понимая опасность и переживая за тебя! — Она подняла руку со шрамом, из которого будто сочилась кровь. — Дочь поступает так же, как на ее месте поступила бы мать! — После этих слов она повернулась ко мне: — Малькольм, ты знаешь, что я люблю тебя! Но любовь — это доверие, и ты должен доверять мне в опасности так же, как в радости. Ты и я должны быть рядом с отцом в минуту этой неведомой опасности. Вместе мы или преодолеем ее, или проиграем и погибнем. Таково мое желание, первое желание, высказанное тому, кто станет моим супругом! Ты считаешь, что я как дочь не права? Скажи отцу свое мнение!

Она выглядела как королева, которую вынуждают просить обстоятельства. Моя любовь с каждым ее словом разгоралась все сильнее. Я встал рядом с ней и, взяв ее за руку, сказал:

— Мистер Трелони! Я полностью согласен с Маргарет!

Он сильно сжал наши соединенные руки и взволнованно воскликнул:

— Так бы поступила и ее мать!

Мистер Корбек и доктор Винчестер прибыли точно в назначенное время. Они присоединись к нам в библиотеке. Несмотря на радость, я чувствовал, что наша встреча будет весьма ответственной. Невозможно было забыть те странные недавние события, и предчувствие того, что может случиться в скором будущем, давило на всех нас как ощущение надвигающейся грозы. По серьезным лицам остальных я понял, что и они думают о том же.

Не сговариваясь, мы сдвинули свои кресла в круг, в центре которого оказался мистер Трелони, усевшийся в большое кресло у окна. Справа от него сидела Маргарет, я — за ней. Мистер Корбек занял место по левую руку от мистера Трелони, за ним сидел доктор Винчестер. Несколько секунд прошло в безмолвии, наконец мистер Трелони обратился к мистеру Корбеку:

— Вы рассказали доктору Винчестеру обо всем, как мы договаривались?

— Да, — ответил ученый, и мистер Трелони продолжил:

— А я все выложил Маргарет, так что теперь мы все знаем одно и то же! — После этих слов он, обернувшись к доктору, спросил его: — Надо полагать, что, когда вам стало известно то, на что мы потратили годы, у вас возникло желание принять участие в нашем эксперименте?

Ответ доктора был прямым и однозначным:

— Разумеется! С самого первого дня, когда еще ничего не было понятно, я решился идти до конца! Теперь же, когда дело приняло столь необычный оборот, я ни за что на свете не откажусь от него! Не переживайте, мистер

Трелони! Я ученый и исследователь. Моя жизнь ни с кем не связана, никто от меня не зависит. Я совершенно одинок и могу делать что хочу, как хочу распоряжаться своей жизнью!

Мистер Трелони серьезно кивнул и обратился к мистеру Корбеку:

— Дружище, вас я знаю уже много лет, поэтому мне нет нужды задавать вам вопросы. Что касается Маргарет и Малькольма Росса, они уже высказали свои намерения, в их уверенности я не сомневаюсь.

Некоторое время он помолчал, как будто собираясь с мыслями, и приступил к изложению своих планов. Он внимательно следил за своими словами, стараясь не забывать, что кому-то из нас, его слушателей, может быть абсолютно ничего неизвестно о тех или иных вещах, упоминавшихся по ходу рассказа. Поэтому он время от времени давал необходимые пояснения:

— Эксперимент, который нам предстоит, нужен для того, чтобы понять, есть ли в древней магии что-то, имеющее реальную силу. Сейчас самое подходящее время для проведения эксперимента, и лично я намерен сделать все возможное, чтобы воплотить в жизнь свой первоначальный замысел. Я твердо убежден, что некая сила существует. Возможно, в наше время уже не удастся создать или вызвать, или сформировать подобную силу, но я надеюсь, что если такая сила существовала в древности, она могла сохраниться и до наших дней. В конце концов, библейские сюжеты мы не считаем выдумкой, а там есть упоминание о том, что человек мог своим приказанием останавливать солнце или осел мог разговаривать. И если Аэндорская волшебница могла вывести Саулу дух Самуила, почему не могли существовать и другие люди с подобной силой, и почему кто-нибудь из них не мог дожить до наших дней? Более того, в Первой книге Царств говорится, что Аэндорская волшебница была лишь одной из многих, и выбор Саула пал на нее случайно. Ему нужен был один из тех «гадателей и имеющих духов-хранителей», которых сам выгнал из Израиля. Египетская царица Тера, правившая почти за две тысячи лет до Саула, сама была волшебницей и имела своего духа-хранителя. Обратите внимание, как жрецы ее времени и те, кто жил после нее, старались стереть из памяти ее имя, они даже наложили заклятие на дверь в ее гробницу, чтобы больше никто не узнал проклятое имя. Да, они преуспели в своем деле, поскольку сам Манефон, жизнеописатель египетских фараонов, живший в десятом веке до Рождества Христова, не смог выяснить ее имя, несмотря на то, что ему были доступны знания жрецов, собранные за сорок веков истории, и он имел доступ ко всем существующим в его время хроникам и записям. Подумайте о событиях последних дней, никто из вас не догадался, кто является ее духом-хранителем?

Доктор Винчестер громко хлопнул в ладони и воскликнул:

— Кошка! Мумифицированная кошка! Я так и знал!

Мистер Трелони одобрительно улыбнулся:

— Вы правы! Все указывает на то, что хранителем королевы-волшебницы была кошка, которую мумифицировали вместе с ней. Более того, их не просто похоронили вместе, кошку даже поместили в саркофаг Теры. Вот кто нанес мне рану на запястье острыми когтями.

Он замолчал, и в этот момент заговорила Маргарет. Ее замечание прозвучало как-то по-детски:

— Значит, с моего бедного Сильвио сняты подозрения! Я так рада!

Мистер Трелони погладил ее по голове и продолжил свой рассказ:

— Эта женщина была удивительно умна. Она намного опередила свою эпоху и философскую мысль своего времени. Она как будто понимала несостоятельность господствовавшей тогда религии и приготовилась к тому, что, вновь воскреснув, попадет в совершенно другой мир. Все ее надежды были связаны с Севером, с той точкой горизонта, откуда дуют прохладные, дающие силу ветра, наполняющие жизнь счастьем. Поначалу ее взгляд был привлечен семью звездами Большого ковша. Из иероглифических надписей в ее гробнице нам известно, что в день ее рождения на Землю упал большой аэролит, из которого и было потом изготовлено украшение семи звезд, которое она считала своим талисманом. Это украшение, похоже, было настолько важным для нее, что все ее мысли и поступки были так или иначе связаны с ним. Из того же источника нам известно, что магический семигранный ларец, удивительный по своей красоте, был сделан из того аэролита. Число семь имело для нее особенный смысл. И неудивительно! Ведь у нее было семь пальцев на одной руке и семь пальцев на одной ноге! Талисманом ей служил редкий рубин с семью звездами, которые располагаются в соответствии со звездами, образующими созвездие, под которым она появилась на свет; каждая из семи звезд имеет семь лучей (с точки зрения геологии это уже само по себе чудо), и было бы удивительно, если бы она не обратила внимания на такое совпадение. К тому же из надписи на стеле мы знаем, что она родилась в седьмом месяце года. Этот месяц начинался с разливом Нила, и его главной богиней была Хатор. Эта же богиня была покровительницей ее рода, рода Антефов из Фиванской династии. Представая в разных обличьях, она символизировала красоту, удовольствие, воскрешение из мертвых. И еще, седьмого дня этого седьмого месяца, который согласно позднему египетскому исчислению начинался 28 октября и заканчивался 27 ноября, ручка Ковша впервые показывалась над горизонтом в Фивах.

Все это чудесным образом вплелось в жизнь этой женщины. Число семь; Полярная звезда с созвездием, состоящим из семи звезд; Хатор, божество месяца, ее личный покровитель и покровитель всего ее рода — рода Антефов из Фиванской династии, символом царской власти которых она была и семь форм которой управляли любовью, жизненными радостями и воскресением. Если когда-нибудь и стоило обратиться к магии или использовать силу символизма в мистических целях, или уверовать в множественность духов, это было именно то время, время, когда Сын Человеческий еще не ступал на Землю.

Не забывайте также, что эта женщина была обучена всем наукам, известным в ее время. Об этом позаботился ее мудрый и предусмотрительный отец, который понимал, что рано или поздно ей придется противостоять рвущимся к власти жрецам и сделать это она сможет только своим умом. Имейте в виду, что именно в Древнем Египте зародилось и достигло невероятного развития искусство астрономии, одновременно с которой развивалась и астрология. Вполне возможно, что с развитием научной мысли мы придем к выводу, что астрология основывается на тех же научных фактах, что и астрономия. Может быть, уже следующему поколению ученых придется принять этот факт. По этому поводу у меня есть кое-что, на что я хочу обратить ваше особенное внимание. Но об этом позже. Кроме того, учтите, что древние египтяне обладали знаниями в таких областях, в которых, несмотря на весь наш прогресс, мы абсолютно несведущи. Например, акустика, все тайны которой были открыты строителям великих пирамид и храмов в Карнаке и Луксоре, сегодня является загадкой для господ Белла, Кельвина, Эдиссона и Маркони. Снова повторю, что древние кудесники, очевидно, понимали, как можно практически использовать и другие силы, например силу света, о чем мы можем только мечтать. Но об этом я тоже расскажу позже. Тот магический ларец царицы Теры, возможно, скрывает не одну тайну. Может быть, в нем заключены силы, не подвластные нашему пониманию. Мы не в состоянии его открыть, наверное, он каким-то образом заперт изнутри.

Как же в таком случае он был закрыт? Ларец этот и его крышка изготовлены из цельного куска камня удивительной твердости, характерной больше для драгоценного камня, чем для обычного мрамора, но в то же время он выполнен настолько филигранно, что ни один самый мелкий инструмент из доступных сегодня не входит в щель между крышкой и корпусом. Как удалось отшлифовать его до такого совершенства? Как нашли именно такой камень, в котором просвечивающиеся места соответствуют расположению семи звезд в созвездии? Каким образом или с помощью чего камень начинает светиться изнутри, когда на него падает свет звезд, а если я направляю на него свет ламп, расположенных в том же порядке, он светится еще сильнее; хотя любой другой свет, каким бы ярким он ни был, не оказывает на ларец никакого воздействия? Я уверен, этот ларец является великой научной загадкой. Когда-нибудь выяснится, что он раскрывается силой света: либо при облучении какого-то вещества, чувствительного к такому воздействию, либо при высвобождении неких других сил. Я лишь надеюсь, что мы по незнанию не испортим механизм, открывающий ларец, и не причиним тем самым непоправимый вред современной науке, которая может получить урок из глубины почти пяти тысячелетий.

Другими словами, в этом ларце, возможно, скрыты тайны, которые смогут продвинуть вперед современную науку. Из древних записей и путем умозаключений мы узнали, что египтяне изучали свойства растений и минералов, чтобы использовать их в магии, как в белой, так и в черной. Известно, что некоторые волшебники могли заставить человека видеть сны на любую заданную тему. Этого добивались в основном путем гипноза, который во времена фараонов считался искусством или наукой, в чем я ни на секунду не сомневаюсь. Кроме того, в области применения лекарственных препаратов они обладали такими знаниями, которые намного превосходят наши. Используя современные познания в фармакопее, мы можем в определенной степени влиять на сновидения. Мы даже можем выбирать, какой сон будет видеть человек: хороший, приносящий удовольствие, или же плохой, тревожный и мучительный. Но древние знатоки, похоже, умели заставить человека видеть сон любого содержания или цвета, могли вызвать во сне образ любого предмета или мысли. В ларце, который вы видели, может быть спрятано то, что дает силу над снами. Более того, некоторые силы, скрытые в нем, возможно, уже были использованы в стенах этого дома.

Мистера Трелони в очередной раз прервала реплика доктора Винчестера:

— Если вы говорите о себе, то что могло в нужное время выпустить эти таящиеся внутри силы и как? Кроме того, ведь вы с мистером Корбеком уже попадали в подобное состояние транса, когда во второй раз оказались в гробнице царицы. А тогда, если я правильно понял из рассказа мистера Корбека, ларца в гробнице не было, там находилась только мумия. Без сомнения, тогда вступил в силу некий разум, который обладал определенной силой.

Ответ мистера Трелони был достаточно обстоятельным:

— Да, тогда пробудился некий разум, я в этом уверен. И он, несомненно, обладал какой-то силой, подвластной только ему. Я подозреваю, что в обоих случаях в качестве силы использовался гипнотизм.

— А в чем заключена эта сила? Как вы считаете?

Голос доктора Винчестера дрожал от возбуждения, когда он наклонился вперед, тяжело дыша и не сводя глаз с лица мистера Трелони. В ответ мистер Трелони торжественно произнес:

— В мумии царицы Теры! Я это понял недавно. Наверное, придется немного подождать, пока я все выясню окончательно. Я полагаю, что этот ларец, как и все остальное в той гробнице, был изготовлен для определенного случая. Царица Тера свою каменную гробницу в скале построила в ста футах над уровнем долины и в пятидесяти от вершины не для того, чтобы защитить себя от змей и скорпионов. Все эти предосторожности нужны были, чтобы защититься от человеческих рук, от зависти и ненависти жрецов, которые, узнав о ее настоящих намерениях, сделали бы все, чтобы не дать им осуществиться. С ее точки зрения, она полностью подготовилась к воскресению, когда бы оно ни произошло. По символическим картинам в гробнице я понял, что, вопреки существовавшей тогда традиции, она собиралась воскреснуть не в телесной оболочке. Несомненно, это только усилило гнев жрецов и дало им повод постараться вычеркнуть из списка тех, кто жил или когда-либо будет жить на земле, имя той, которая отвергла их идеи и оскорбила их богов. Все, что могло бы понадобиться царице для воскресения или для существования после него, было собрано в этих камерах, вырубленных в скале и запечатанных почти герметично. В большом саркофаге (размер которого, как вам известно, необычен даже для царских захоронений) помещалась мумия ее духа-хранителя, кошки. Судя по размерам, мне кажется, это был сервал. В погребении в отдельном месте находились и кувшины, где обычно хранятся внутренние органы, которые бальзамировались отдельно. Но в нашем случае ничего подобного в этих сосудах не было. Это наводит на мысль, что мы имеем дело с отклонением от обычных правил в ритуале бальзамирования. Надо полагать, что внутренние органы были возвращены на свое место, если их вообще изымали.

Если мое предположение верно, окажется, что мозг царицы либо вообще не был извлечен из черепа, как это обычно делалось, либо был должным образом возвращен на свое место, а не замотан в покрывала мумии. Наконец, в саркофаге также хранился и магический ларец, на котором покоились ноги царицы. Хочу также отметить то, как строители гробницы постарались, чтобы все эти элементы оставались доступными ей. Она считала, что рука, не закрытая покрывалами, управляла Воздухом, а удивительный рубин с семью звездами — Огнем. Символы, начертанные на подошвах ее ног, давали ей власть над Землей и Водой. О рубине я подробнее расскажу вам позже, но коль уж речь зашла о саркофаге, обратите внимание, как она защитила свои секреты от грабителей и других непрошеных гостей. Ее волшебный ларец невозможно открыть без ламп (нам уже известно, что обычный свет для этого не годится). Большая крышка саркофага не была запечатана, как обычно, потому что она хотела сохранять власть над воздухом. Но эти лампы она спрятала в такое место, где их никто не смог бы найти, не разгадав тайных указаний, а это под силу лишь человеку мудрому. Но и там было сделано все, чтобы лампы не попали в случайные руки: неосторожного искателя сокровищ ждал смертельный удар копьем. Для этого она воспользовалась опытом своих великих предков из четвертой династии царей Египта: у тайника с лампами она поставила механического стража.

Думаю, вы заметили, что эта гробница отличается от других, построенных в то время. Например, шахта, ведущая к погребальной камере с мумией, не была как обычно засыпана камнями и строительным мусором, а осталась открытой. Как вы думаете, почему? Я полагаю, причина в том, что она после воскресения собиралась покинуть гробницу совершенно другой женщиной, новой личностью, которой будет не так просто бороться с ожидающими ее трудностями, как во время своего первого существования. Если мы правильно понимаем ее намерения, она предусмотрела все, что ей могло бы понадобиться для встречи с новым миром: даже повесила у входа железную цепь, о которой писал Ван Гайн, чтобы спуститься вниз с ее помощью. Материал, из которого сделана цепь, показывает, что Тера рассчитывала провести в своей гробнице очень долгое время. Обычная веревка со временем потеряла бы прочность и надежность, так что она посчитала (и была в этом права), что железо сохранится дольше.

Чем она намеревалась заняться, ступив на землю в новом обличье, нам неизвестно. Мы этого никогда не узнаем, если ее мертвые губы вновь не станут мягкими и она не поведает нам обо всем сама.

ГЛАВА XV

Желание царицы Теры

Теперь поговорим о рубине! Его она считала самым ценным из своих сокровищ. На нем она вырезала слова, которые никто в ее время не смел произносить вслух.

Древние египтяне полагали, что существовали такие слова, которые, если их произносить должным образом (а манера произношения была так же важна, как и сами слова), могли дать власть над богами Верхнего и Нижнего миров. «Хекау», или слово, означающее власть, было очень важным для определенных ритуалов. На рубине с семью звездами, которому, как вы знаете, была придана форма скарабея, вырезаны сразу два иероглифа «Хекау», один сверху, второй снизу. Впрочем, вы лучше поймете, когда увидите все своими глазами! Подождите здесь!

После этих слов он встал и вышел из комнаты. Я вдруг испугался, что с ним может что-нибудь случиться, но при взгляде на Маргарет страх отступил. Если ее отцу угрожала хоть какая-то опасность, Маргарет начинала беспокоиться, и по ее виду это всегда было заметно. Сейчас же она была спокойна и безмятежна. Я молча ждал.

Мистер Трелони вернулся через две-три минуты. В руке он держал маленькую золотую коробочку. Усевшись в свое кресло, он поставил ее на столик перед собой. Все мы инстинктивно подались вперед, когда он открыл ее.

На белой атласной материи лежал изумительный рубин необычайной величины. По размеру он был почти такой же, как последняя фаланга мизинца Маргарет. Рубин имел форму жука-скарабея, хотя никаких следов обработки инструментами заметно не было. Крылья жука были сложены, а лапки прижаты к туловищу. Из кроваво-красной глубины камня сияли семь звезд, каждая из которых имела семь лучей. Они располагались точно в таком же порядке, как и звезды Большого ковша. Для того, кто хоть раз наблюдал на ночном небе это созвездие, это было очевидно. Мистер Трелони достал из кармана увеличительное стекло и передал его нам. Когда очередь дошла до меня, на рубине я смог различить иероглифические символы, вырезанные с удивительной точностью и аккуратностью.

Когда все внимательно рассмотрели рубинового жука, мистер Трелони перевернул его на спину и положил в специально сделанное для этого углубление на верхней крышке коробки. Нижняя сторона была не менее удивительна, чем верхняя. Она была обработана в виде брюшка жука и покрыта вырезанными иероглифическими надписями. Когда мы все расселись вокруг этого удивительного камня, не в силах оторвать от него глаз, мистер Трелони вернулся к своей лекции:

— Как видите, на камне начертаны два слова. Одно сверху, одно снизу. Символы на верхней стороне составляют одно слово, состоящее из одного слога с определяющими словами. Я надеюсь, всем вам известно, что древнеегипетский язык был фонетическим, и иероглифическими знаками записывались звуки. Здесь первый иероглиф, мотыга, означает «мер», а два заостренных эллипса означают удлинение конечного звука «р»: «мер-р-р». Сидящую фигуру с руками, поднесенными к лицу, мы называем «определением мысли», а свиток папируса — «абстракцией». Таким образом, мы получаем слово «мер» — любовь в его абстрактном, общем и полном значении. Это хекау, которое дает власть над Верхним миром.

Маргарет больше всего походила на ангела, когда низким чувственным голосом произнесла:

— О, это правда! И как об этой истине догадались чудотворцы, жившие так давно?

Тут же ее лицо залилось краской, и она опустила глаза. Ее отец улыбнувшись, продолжил:

— Символизм слова на нижней стороне проще, хотя его значение труднее для понимания. Первый иероглиф означает «мен» — постоянство, неизменность, а второй — «аб» — сердце. Так что получается «постоянство сердца», в нашем языке это называется «терпеливостью». А это хекау позволяет контролировать Нижний мир!

С этими словами он закрыл коробочку и, знаком попросив нас оставаться на своих местах, ушел в свою комнату, чтобы положить камень в сейф. Вернувшись и заняв свое место в центре, он продолжил:

— Этот камень, снабженный мистическими словами, в саркофаге лежал под рукой царицы Теры. Он являлся одним из главных, если не самым главным компонентом для успешного воскресения. Поначалу я это понял, так сказать, инстинктивно. Я спрятал его в свой большой сейф, откуда никто не смог бы достать его, включая и саму царицу Теру в ее астральном теле.

— В астральном теле? Что это значит? Как это понимать, отец? — в голосе Маргарет был слышен неподдельный интерес, когда она задала этот вопрос, который, признаться, меня слегка удивил. Но Трелони снисходительно, по-отечески улыбнулся. Эта улыбка на фоне мрачной серьезности была подобна солнечному лучу, пробивающемуся сквозь грозовые тучи. Он сказал:

— «Астральное тело» — это термин, который употребляют буддисты, хотя их учение зародилось намного позже того времени, о котором рассказываю я. Современные мистики также признают существование астрального тела, но само это понятие возникло в Древнем Египте, по крайней мере, насколько нам известно. Его смысл в том, что человек, наделенный способностями, может по собственной воле со скоростью мысли трансформировать свое тело в любые формы, которые пожелает, путем разложения его на отдельные частицы и составления их в новом порядке. По верованиям древних, человеческое тело состояло из нескольких составных частей. Вам это тоже будет нелишним узнать, чтобы вы могли лучше ориентироваться в соответствующих вопросах.

Во-первых, существует «Ка», или «Двойник», который, как говорит доктор Бадж, можно определить как «абстрактную индивидуальность личности». «Ка» обладает всеми свойствами и чертами того, кого представляет, но в то же время существует совершенно отдельно. «Ка» мог свободно перемещаться по земле на любые расстояния по своей воле, мог возноситься на небо и разговаривать там с богами. Во-вторых, существует «Ба», или «Душа», которая заключена в «Ка» и может принимать физический облик или выходить из него в любой момент. «Она обладала и материей, и формой... Она могла покинуть гробницу... могла вернуться в тело, покоящееся в гробнице... могла перевоплотить его и разговаривать с ним». Кроме того, существует «Ку» — «Духовный разум», или «Дух». Она принимает форму «ослепительно сияющего, неосязаемого образа в форме тела»... Был еще «Сехем», или «Сила человека», воплощение его могущества, жизненного начала. К тому же были «Хаибит», или «тень»; «Рен», или «имя»; «Хат» — физическое тело, и «Аб» — «сердце», в котором находилась жизнь. Все вместе они составляли человека.

Таким образом, как видим, если согласиться, что такое разделение функций на духовные и телесные, небесные и земные, идеальные и реальные действительно существует, нет ничего невозможного в телесном перерождении, которое к тому же всегда совершается по воле свободного разума.

Когда он ненадолго замолчал, с моих уст сорвались строки из «Освобожденного Прометея» Шелли: «...Кудесник Зороастр, В саду блуждая, встретил образ свой».

Мистер Трелони не выказал недовольства. Напротив: «Именно так! — сказал он своим обычным спокойным голосом. — Шелли лучше, чем все наши современные поэты, понимал суть верований людей в древности». И вновь изменившимся голосом он продолжил лекцию:

— Древние египтяне верили еще в кое-что, о чем вам нельзя забывать. Речь идет об «ушапти», это фигурки Осириса, которые помещались рядом с мертвыми для их использования в Нижнем мире. Развитие этой идеи привело к тому, что египтяне начали считать, что при помощи магических формул можно переместить душу и присущие любому живому существу качества в фигуру, воплощающую его внешний образ. Это во много раз увеличило бы силу того, кто наделен магическим даром.

Объединив все эти различные верования и все, что из них вытекает, воедино, я пришел к заключению, что царица Тера надеялась получить возможность управлять процессом собственного воскресения, то есть самой решить, когда, где и как она восстанет из царства мертвых. То, что для этого она выбрала определенное время, не только возможно, но и вероятно. Сейчас я не буду заострять на этом внимание, вернусь к этому позже. Если ее душа находилась рядом с богами, а дух мог по своей воле отправиться в любой уголок Земли, если она была способна свободно перемещаться в любое физическое тело, обладала астральным телом, то воистину ее амбиции не были ограничены ничем. Нам остается лишь предполагать, что последние сорок или пятьдесят веков она покоилась в своей гробнице, поджидая подходящего момента. Она ждала с той «терпеливостью», которая повелевает Нижним миром, а предметом ее ожидания была та «любовь», которая правит Верхним миром. Какие сны она видела за это время, нам неизвестно, но ее покой, очевидно, был нарушен, когда голландский исследователь проник внутрь пещеры, а те, кто пришел за ним, грубо разрушили священный покой ее гробницы, оторвав и похитив ее руку.

Однако эта кража, и все, что случилось после нее, доказало нам одно: любая часть ее тела, даже отделенная от остального тела, может стать центральной точкой и местом соединения частиц ее астрального тела. Рука в моей комнате — залог того, что она в любой момент может явиться во плоти и так же стремительно исчезнуть.

А теперь я приступаю к самому главному. Целью нападения на меня было захватить сейф, чтобы иметь возможность заполучить священное Украшение семи звезд. Массивная дверь сейфа, конечно, не могла помешать ее астральному телу, которое может материализоваться в любом месте, хоть внутри сейфа, хоть снаружи. И я не сомневаюсь, что под покровом ночи рука мумии не раз осязала драгоценный талисман, пополняясь новой энергией от каждого прикосновения. Но, несмотря на всю свою силу, астральное тело не могло извлечь Украшение из сейфа. Рубин имеет не астральную природу, и достать его можно было лишь обычным способом — открыв дверь сейфа. Для этого царица и использовала свое астральное тело и свирепую силу своего духа-хранителя, чтобы в замочную скважину двери, которая мешала осуществлению ее желания, был вставлен главный ключ. Многие годы я тоже подозревал, более того, был уверен, что это рано или поздно произойдет, поэтому и защитил себя от темных сил. Я тоже терпеливо ждал, когда у меня соберутся все элементы, необходимые для вскрытия волшебного ларца и воскресения мумии царицы!

Он замолчал, и в этот момент раздался чистый, звонкий голос его дочери, полный глубоких чувств:

— Отец, а как считали древние египтяне, обладает ли мумифицированное тело способностью на протяжении столетий воскресать много раз, или же воскреснуть можно только один раз и окончательно?

— Воскресение может быть только одно, — ответил он. — Кое-кто верил, что воскресает само физическое тело, попадая в материальный мир, но, согласно общему представлению, дух обретает счастье на лугах элизианских, где всегда достаточно еды и не страшен голод, где много воды, глубоко укоренившегося тростника и других вещей, которые людям сухих земель и жаркого климата кажутся символами счастья.

Следующие слова Маргарет были произнесены с серьезностью, свидетельствовавшей о глубокой убежденности в своей правоте:

— В таком случает мне понятно, о чем во сне мечтала эта великая, проницательная и благородная женщина из далекого прошлого. Тот сон заставил ее душу терпеливо ждать многие столетия, прежде чем стал реальностью. Это был сон о любви, которая могла быть; о любви, которую, как ей казалось, она сама могла пробудить, невзирая на обстоятельства. Такую любовь носит в сердце каждая женщина: и в прошлом, и в настоящем; и язычница, и христианка, под каким солнцем она бы ни ходила, какой бы титул ни носила и чем бы ни занималась, какими бы горестями или радостями ни была наполнена ее жизнь! О! Я знаю! Я знаю! Ведь я сама женщина, и я знаю, что такое женское сердце! Что значили нехватка пищи или ее обилие, что значили пир или голод для этой женщины, которая была рождена во дворце под тенью короны двух Египтов? Что значили заросшие тростником болота или звон бегущего ручья для той, чьи баржи бороздили воды великого Нила от гор до самого моря? Что значили мелочные радости и отсутствие всяких страхов для той, взмах чьей руки бросал в бой армии? По ее приказанию возводились храмы, заполнявшиеся древними произведениями искусства, которые она восстанавливала, и прекрасные дворцы, в которых решались судьбы всего цивилизованного мира ее времени! Под ее руководством монолитная скала превратилась в усыпальницу, которую она сама же и спроектировала!

Конечно, конечно, у такой женщины и сны должны быть возвышенные! Я это чувствую сердцем! Я сама по ночам вижу такие сны!

Все это было произнесено с великим воодушевлением. Ее глаза, казалось, были обращены на нечто, не доступное взору простого смертного. А какие у нее были глаза! Бездонные, как будто наполненные непролитыми слезами, рожденными великим душевным волнением! Казалось, в эту минуту ее устами говорит сама душа. Все мы как зачарованные сидели и слушали ее.

— Я могу представить ее одиночество и гордое безмолвие; могу представить, как она мечтает о вещах, совсем не похожих на те, что окружают ее, о далекой-далекой земле, под покровом безмолвной ночи, освещенной холодным и прекрасным светом звезд. Эта далекая земля находится под Северной звездой, откуда дуют ласковые ветры, приносящие прохладу на иссушенную зноем сухую землю пустыни; она полна зеленых растений. Там нет места хитрым и злым жрецам, мечтающим, чтобы власть, пройдя через мрачные дворцы и еще более мрачные гробницы, через бесконечный ритуал смерти, попала к ним в руки! Там любовь не повседневность, а божественный дар души! Там ее может ждать кто-то, такой же, как она, кто сможет разговаривать с ней обычным человеческим языком, с кем она могла бы слиться душой в сладостное единство, и их дыхание стало бы одним на двоих! Я знаю эти чувства, ведь я сама испытывала их. Теперь я могу не скрывать этого, потому что благословение вошло и в мою жизнь. Я смело говорю о них, ибо могу описать, что чувствовала жаждущая понимания душа царицы, которая так отличалась от всех вокруг и которая не вписывалась в рамки своего времени! Ее душа, облеченная в форму слова, могла повелевать силами Нижнего мира, а имя, даже если оно всего лишь выгравировано на поверхности драгоценного камня, могло подчинить себе весь Пантеон верховных богов.

Для достижения своей цели ей и нужен этот тысячелетний покой!

Пока девушка столь эмоционально интерпретировала жизнь и помыслы древней царицы, мы, мужчины, замерли. Каждое произнесенное ею слово, сама манера ее речи доказывали, что она свято верила в свою правоту. Возвышенность ее суждений, кажется, передалась и всем нам. Ее благородные слова, льющиеся музыкальной каденцией и резонирующие духовной силой, как будто проистекали из какого-то прекрасного инструмента, наделенного силой самого мироздания. Даже ее тон был нам незнаком, так что мы слушали, как если бы перед нами было какое-то неизвестное и странное существо из какого-то неизведанного и странного мира. Лицо ее отца сияло от удовольствия. Теперь мне была известна причина его радости. Я понимал, какое он испытывает счастье, вернувшись в обычный мир из долгого путешествия в царство снов. Какую огромную любовь, какое мощное духовное начало и ученый разум он нашел в своей дочери, которую совершенно не знал раньше! Остальные охватившие его в ту минуту чувства можно описать одним словом: надежда.

Двое других мужчин тоже сохраняли молчание. Один из них погрузился в мечты, что же касается второго, его мечтам уготовано было исполниться очень скоро.

Я же как будто пребывал в трансе. Кто это новое, излучающее свет существо, родившееся из глубин нашего страха? Любовь может творить чудесные вещи с сердцем того, кто влюблен! Душа влюбленного в любую секунду может обрести крылья, и тогда человек превращается в ангела.

Я знал, что моя Маргарет обладала многими качествами, присущими неземным созданиям. Когда там, на реке, под сенью нависающей ивы я впервые заглянул в ее бездонные и прекрасные глаза, я сразу же и навсегда поверил в красоту и добродетель ее натуры, но нынешнее возвышенное и чуткое состояние ее души было настоящим откровением. Как и ее отец, я не мог скрыть свою гордость, мой восторг и восхищение не знали границ!

Когда мы — каждый по-своему — наконец вернулись с небес на землю, мистер Трелони, взяв дочь за руку, продолжил свой рассказ:

— Теперь о том, в какое время царица Тера наметила вернуться в царство живых. Для понимания этого нам необходимо прибегнуть к самым сложным астрономическим вычислениям. Как вы знаете, звезды меняют свое месторасположение на небе относительно друг друга. Хотя реальные расстояния, на которые они перемещаются, для нас невообразимы, нам они кажутся лишь незначительными смещениями. Все же они поддаются подсчету, не в годах, естественно, а в столетиях. Именно благодаря таким вычислениям сэр Джон Гершель установил дату постройки Великой пирамиды. Для этого он подсчитал время, необходимое, чтобы северная звезда вышла из созвездия Дракона и стала Полярной звездой. Позже свои подсчеты он закрепил и другими открытиями. Все это доказывает, что в Древнем Египте астрономия была точной наукой по меньшей мере за тысячу лет до рождения царицы Теры. Итак, звезды, из которых состоят созвездия, со временем меняют расположение относительно друг друга, и Ковш Большой Медведицы — яркий тому пример. Изменения, произошедшие даже за сорок веков, так малы, что почти незаметны для глаз, не приученных к наблюдению за малыми величинами, но их можно измерить и перепроверить. Кто-нибудь из вас заметил, насколько точно звезды в рубине повторяют расположение звезд в Ковше, и как все это соотносится с просвечивающимися местами на волшебном ларце?

Все мы закивали головами в знак согласия. Он продолжил:

— И вы совершенно правы. Они сочетаются идеально Но во времена, когда царица Тера находилась в своей гробнице, расположение звезд в этом созвездии не соответствовало ни звездам на украшении, ни просвечивающимся местам на ларце.

Он сделал многозначительную паузу, и мы удивленно переглянулись: все теперь представало в новом свете. С учительскими нотками в голосе он воскликнул:

— Разве вы не понимаете, что это значит? Разве намерения царицы теперь не очевидны? С помощью гаданий, магии и суеверий она, естественно, решила, что самым подходящим временем для воскресения будет то, на которое укажут боги, приславшие ей свой знак на камне, посланном на Землю из других миров. Когда время выбрано божественной волей, разве не самым мудрым решением человека будет воспользоваться этой подсказкой? Итак, — его голос сделался глубже и задрожал от охвативших его чувств, — именно нам и нашему времени предоставилась возможность своими глазами заглянуть в мир прошлого, еще никому не выпадал такой шанс, и, возможно, этого никогда больше не случится.

Каждый символ в удивительной гробнице этой необыкновенной женщины наполнен путеводными указаниями, а ключ к разгадке многих тайн находится в чудесном украшении, которое она сжимала своей мертвой рукой над своим мертвым сердцем, а оно, верила царица, должно было снова забиться в новом и более достойном мире!

Нам осталось только рассмотреть слабые места. Маргарет объяснила нам истинную природу чувств царицы! — он ласково взглянул на дочь и похлопал ее по руке. — Лично я могу лишь надеяться, что она права, потому что в этом случае, я полагаю, каждый из нас был бы счастлив оказать помощь в осуществлении такой благородной надежды. Но не стоит торопиться или спешить с выводами при том объеме знаний, которыми мы обладаем сейчас. Голос, который мы слышали, доносится из далеких времен, столь отличных от наших, когда человеческая жизнь мало чего стоила, а законы морали позволяли не задумываться над тем, как преодолеть препятствия, мешающие удовлетворению желаний. Мы в первую очередь должны обратить внимание на научную сторону дела, не забывая и о духовной.

Теперь что касается каменного ящичка, который мы называем магическим ларцом. Я по-прежнему уверен, что он открывается только некой световой комбинацией или же под воздействием какой-то из сил, о которых нам в настоящий момент ничего неизвестно. Здесь перед нами открывается большое поле для гипотез, предположений и экспериментов, поскольку ученые пока еще досконально не изучили виды света, его силу и степени активности. Я считаю, что даже без изучения различных лучевых энергий можно утверждать, что существуют разные виды света, неодинаковые по силе и своим качествам. Эта огромная область научных знаний практически не изведана. До сих пор нам так мало известно о силах природы, что относительно открытий будущих времен наша фантазия практически не ограничена. Всего за несколько лет были совершены такие открытия, за которые в прошлом исследователей отправили бы на костер: сжижение кислорода, существование радия, гелия, полония, аргона; силы рентгеновских, катодных и беккереловских лучей.

Теперь, когда мы, наконец, в состоянии доказать существование различных видов и качеств света, может оказаться, что процесс горения тоже имеет различные виды, некоторые типы пламени обладают такими свойствами, которых нет в других. Возможно, что какие-то важнейшие качества веществ неизменяемы и вечны, они остаются даже при разрушении их носителя. Прошлой ночью я об этом думал и пришел к заключению, что, если некоторые масла наделены свойствами, характерными только для них, то такие свойства или силы должны сохраняться и в смесях. Думаю, каждый из нас хоть раз замечал, что пламя, которым горит рапсовое масло, не похоже на пламя, которым горит парафин, или что каменноугольный газ горит совсем не так, как, скажем, китовое масло. Это различие было замечено работниками маяков. Мне сразу пришло в голову, что масло, обнаруженное в кувшинах в гробнице Теры, возможно, обладало какими-то определенными свойствами. В нем не хранились внутренности, как обычно, поэтому, очевидно, их поместили там для какой-то другой цели. Я вспомнил, что в книге Ван Гайна упоминалось, что кувшины были запечатаны каким-то особенным образом, не сильно, но эффективно, специально, чтобы их легко было вскрыть. Сами кувшины хранились в саркофаге, который легко открывался, несмотря на то, что изготовлен из необычайно прочного материала и герметически запечатан. Соответственно я тут же занялся изучением кувшинов. В кувшинах осталось немного масла, совсем чуть-чуть, и к тому же оно сгустилось за те два с половиной века, которые минули с тех пор, когда кувшины были распечатаны. К счастью, оно не испортилось. Проведя анализ, я пришел к выводу, что это кедровое масло, до сих пор даже улавливался его запах. Это подтолкнуло меня к мысли, что этим маслом наполняли лампы. Тот, кто наполнил кувшины маслом и положил эти кувшины в саркофаг, знал, что со временем объем масла может уменьшиться, даже если оно хранится в сосудах из алебастра, и предусмотрел это. В каждом из кувшинов было столько масла, что его хватило бы, чтобы наполнить все лампы раз шесть. С частью оставшегося масла я провел некоторые эксперименты, которые дали интересные результаты. Доктор, вам, конечно, известно, что кедровое масло, широко использовавшееся древними египтянами в погребальных обрядах, способно слегка преломлять свет, а другие масла таким свойством не обладают. Например, мы используем его на линзах наших микроскопов для усиления четкости изображения. Прошлой ночью одну из ламп я наполнил кедровым маслом и поместил ее рядом с полупрозрачной частью волшебного ларца. Эффект оказался удивительным: сила свечения внутри резко усилилась. Когда я проделывал тот же эксперимент с электрическим источником света, подобный эффект если и проявлялся, то практически незаметно. Мне стоило бы повторить опыт с остальными шестью лампами, но у меня закончилось масло! Как бы там ни было, наш эксперимент в любом случае не должен из-за этого прерваться. Посмотрим!

Доктор Винчестер, очевидно, внимательно следил за ходом мысли мистера Трелони, потому что заметил:

— Я очень надеюсь, что когда нам удастся открыть ларец при помощи света, его механизм не пострадает, не будет уничтожен.

Его сомнение в этом вопросе кое-кого из нас заставило забеспокоиться.

ГЛАВА XVI

Пещера

Вечером того же дня мистер Трелони снова собрал всех нас в кабинете. Когда все приготовились слушать, он начал излагать свой план:

— Я пришел к выводу, что для эффективного проведения того, что мы называем Великим экспериментом, нам потребуется полная, абсолютная изоляция от всего мира. Изоляция не на один или два дня, а на все то время, которое понадобится. Здесь это сделать невозможно: потребности и привычки большого города могут помешать нам. Здесь слишком много отвлекающих моментов. Одних телеграмм, заказных писем и курьеров будет уже достаточно, не говоря уже о тех, кто хочет получить что-то от вас, уж они точно превратят наш эксперимент в катастрофу. Кроме того, события прошлой недели привлекли к этому дому внимание полиции. Даже если из Скотленд-Ярда или из районного участка и не поступило указание наблюдать за этим местом, можете не сомневаться, что любой полицейский во время своего дежурного обхода будет присматривать за ним. К тому же покинувшие нас слуги в скором времени заговорят. Они вынуждены будут это сделать, чтобы сохранить свою репутацию: им же как-то потребуется объяснить причину прекращения здесь своей службы, которая в нашем районе считалась престижной. Начнут сплетничать слуги соседей, может быть, даже и сами соседи. Затем за дело возьмутся сообразительные и активные журналисты, которые в угоду публике и ради увеличения тиражей готовы на все. Если нами заинтересуется хоть один репортер, шансов на уединение уже не будет. Даже если мы забаррикадируемся внутри, мы не сможем полностью обезопасить себя от помех или от вторжения в наш дом. И то, и другое нарушит наши планы, поэтому нам необходимо принять меры, чтобы уединиться в другом месте, захватив с собой все необходимое. Я предвидел эту ситуацию и уже давно начал готовиться к ней. Разумеется, то, что здесь произошло, мне не было заранее известно, но я знал, что нечто подобное может случиться. В течение последних двух лет мой дом на Корнуолле специально оборудовался для того, чтобы туда можно было перевезти собранные здесь вещи. Когда Корбек отправился на поиски ламп, я подготовил дом в Киллионе. Там везде было проведено электричество и все готово для получения света. Поскольку ни вы, ни даже Маргарет ничего не знаете об этом, я, пожалуй, лучше расскажу, каким образом этот дом изолирован и, более того, скрыт от посторонних глаз. Он находится на небольшом каменистом мысе, доступ к которому прегражден отвесной скалой — увидеть его можно только с моря. Когда-то его окружала большая каменная стена, так как здание построено одним из моих предков в те времена, когда большой дом, находящийся вдали от центра, должен был быть готов к защите. Так что он как нельзя лучше подходит для наших целей. Я вам все объясню, когда мы будем на месте. Это случится уже довольно скоро, нам осталось только сесть в поезд. Я отослал Марвину записку с просьбой приготовить все для нашей поездки. Он должен заказать специальный состав, который во избежание огласки будет следовать ночью. Готовы экипажи и подводы с достаточным количеством людей, чтобы отвезти наши вещи в Паддингтон. Когда Аргус журналистики откроет свои глаза, мы уже будем далеко. Сегодня нам необходимо начать собираться. Надеюсь, к завтрашнему вечеру мы будем готовы. В хозяйственных пристройках у меня до сих пор хранятся ящики, в которых привезены вещи из Египта. Раз уж они выдержали путешествие через пустыню, затем вниз по Нилу в Александрию и оттуда в Лондон, то они, уверен, не подведут нас и по дороге до Киллиона. Мы вчетвером, с помощью Маргарет, которая может подавать нам нужные инструменты, будем в состоянии надежно запаковать вещи, а носильщики перенесут их на телеги.

Сегодня в Киллион отправляются слуги, и миссис Грант позаботится обо всем, что нужно. Она привезет туда все необходимое для повседневной жизни, чтобы мы могли не выходить из дома и не привлекать внимания местных жителей. Кроме того, она будет привозить нам из Лондона еду. Благодаря мудрому и благородному обращению Маргарет со слугами, решившими остаться, у нас есть люди, на которых можно положиться. Их уже предупредили о необходимости сохранять тайну, так что нам не стоит опасаться сплетен. Да и пока слуги, закончив приготовления для поездки в Киллион, будут оставаться в Лондоне, у них просто не возникнет повода распускать слухи.

Поскольку нам необходимо заняться упаковкой вещей немедленно, остальные дела придется отложить на потом, когда у нас появится свободное время.

Итак, мы принялись за работу. Под руководством мистера Трелони и с помощью слуг мы достали из пристроек огромные ящики. Некоторые из них больше походили на сейфы:

их стенки были сделаны из нескольких слоев древесины и обшиты стальными пластинами на болтах и гайках. Мы расставили их по всему дому рядом с теми предметами, которые нужно было в них запаковать. Когда подготовительная работа была закончена, во все комнаты и в холл принесли огромные охапки свежего сена, ваты и бумаги, а слуг отпустили, мы приступили к упаковке.

Никто из нас, не имея опыта подобной работы, не представлял, сколько сил и энергии отнимает это занятие. Лично я знал, что в доме мистера Трелони очень много вещей, привезенных из Египта, но только когда дело дошло до их сортировки, я осознал, сколько же их было на самом деле, каковы их реальные размеры и насколько они важны. Мы работали до глубокой ночи. Иногда, чтобы управиться с каким-то предметом, нам приходилось браться за него всем вместе, потом мы снова трудились поодиночке, но так или иначе все делалось под непосредственным руководством мистера Трелони. Сам он при содействии Маргарет составлял подробный список с описанием каждого предмета.

Только когда мы, совершенно обессилевшие, наконец уселись ужинать, мы поняли, что большая часть работы уже выполнена. Однако закрыто было лишь несколько ящиков, лишь тех, которые предназначались для больших саркофагов, так что нам еще предстояло потрудиться. Те же ящики, в которые планировалось уложить по несколько предметов, нельзя было закрывать, пока каждый из них не будет внесен в список и запакован.

В ту ночь я спал как убитый, не шелохнувшись, без сновидений. Наутро, когда мы делились своими впечатлениями, я узнал, что и у остальных ночь прошла так же.

Ближе к вечеру следующего дня работа была закончена и все подготовлено к приходу носильщиков, которые должны были явиться в полночь. За несколько минут до назначенного времени мы услышали шум подъезжающих подвод, и вскоре дом наполнился рабочими. Их было много, и работали они слаженно, так что для них не составило труда перенести бесконечные ряды приготовленных нами ящиков из дома в подводы. На все им понадобилось чуть более часа, и когда повозки загрохотали по направлению к Паддингтону, мы приготовились следовать за ними. Сильвио, разумеется, ехал с нами как член нашей команды.

До отъезда мы все вместе обошли дом, выглядевший теперь заброшенным. Поскольку все слуги уехали в Корнуолл, в доме некому было убирать: каждая комната и коридор, где мы работали, все лестницы были усыпаны обрывками бумаги, клочками ваты, всюду остались следы грязной обуви.

Последнее, что мистер Трелони сделал перед тем, как покинуть дом, — это извлек из большого сейфа рубин с семью звездами. Когда он бережно укладывал его в свой кошелек, Маргарет, очень усталая, стоявшая рядом с отцом с бледным лицом и, казалось, совсем без сил, вся словно засияла, как будто рубин наполнил ее новой энергией. Одобрительно улыбаясь, она сказала отцу:

— Да, отец, вы правы. Сегодня ничего не случится. Она ни за что не разрушит ваши планы. Я готова за это поручиться.

— Она — или что-то с ней связанное — чуть не погубила нас в пустыне, когда мы покидали Долину Колдуна! — мрачно заметил Корбек, который стоял рядом с ними. Ответ Маргарет не заставил себя долго ждать:

— О, тогда она была рядом со своей гробницей, которую ее тело не покидало тысячи лет. Она наверняка знает, что сейчас другие обстоятельства.

— Каким же образом она может это знать? — несколько язвительно спросил Корбек.

— Если она на самом деле обладает тем астральным телом, о котором говорил отец, она должна знать! Как же ей не знать, если она имеет возможность незримо находиться в любом месте, где пожелает, а ее разум в состоянии достичь звезд и иных миров!

Тут в разговор вступил отец Маргарет. Он хмуро произнес:

— Мы основываем наши действия на этом предположении. Мы должны иметь смелость придерживаться своих убеждений... до конца!

Маргарет взяла его за руку и не отпускала ее, пока мы выходили из дома. Она продолжала сжимать ее и когда мы запирали дверь в холл, шли по дорожке к воротам и садились в кеб до Паддингтона.

Когда вещи на вокзале были погружены, все рабочие разместились в вагонах, где находились ящики с большими саркофагами. Подводы и лошадей мы планировали найти в Вестертоне, где предполагали высадиться, чтобы добраться до Киллиона. Для нашей компании мистер Трелони заказал спальный вагон. Как только поезд тронулся, мы разошлись по своим купе.

Той ночью я прекрасно выспался. «Сегодня ничего не случится!» — эти слова Маргарет наполнили меня ощущением полной и абсолютной безопасности. Ни я, ни кто-либо другой не сомневался в том, что так и будет. Только потом, когда все уже осталось позади, я начал задумываться, почему она так была в этом уверена. Наша поездка несколько затянулась, поезд ехал медленно, много раз останавливался и подолгу стоял. Но поскольку мистер Трелони не хотел оказаться в Вестертоне до наступления ночи, у нас не было причин спешить. Заранее было договорено, что рабочих будут кормить на определенных остановках, а для нас в нашем вагоне была припасена корзина с продуктами.

Тем утром все наши разговоры вращались вокруг Великого эксперимента, который полностью занял наши мысли. Чем ближе мы подъезжали к цели нашего путешествия, тем все больший энтузиазм охватывал мистера Трелони. Надежда в нем постепенно переросла в уверенность. Доктор Винчестер, казалось, полностью ушел в себя, но время от времени он неожиданно вступал в разговор, приводя тот или иной научный факт, который либо полностью опровергал логические построения говорящего в тот момент, либо приводил всех в изумление. Мистер Корбек, с другой стороны, проявлял некий скептицизм. Возможно, пока взгляды и убеждения остальных развивались и приобретали новые формы по мере развития разговора, его мнение оставалось прежним. Его отношение ко всей затее было неодобрительным, если не сказать крайне отрицательным.

Что касается Маргарет, то она выглядела подавленной. То ли оттого, что ее чувства вступили в некую новую фазу, то ли по какой-то иной причине она была намного серьезнее, чем раньше. Она была слегка *distraite**, как будто пребывала в задумчивости. Из этого состояния она ненадолго выходила, только когда что-либо нарушало однообразие поездки, например, во время остановок на станциях, или когда поезд с оглушительным грохотом переезжал виадук, пробуждая в окрестных горах и ущельях эхо. В такие моменты она поспешно вступала в разговор, стараясь показать, что, какими бы мыслями ни была занята, она продолжает следить за тем, что происходит вокруг. Мне ее поведение по-

---

* Рассеянной (*фр.*).

казалось странным. Иногда ее взгляд становился несколько застенчивым, а иногда — надменным, что смущало меня, поскольку раньше я за ней такого не замечал. А иногда в ее взгляде и движениях читалась такая сила чувств, что у меня от радости начинала кружиться голова. Однако за время поездки мало что прояснилось. Лишь однажды случилось что-то необычное, но поскольку мы все в тот момент спали, нас это не побеспокоило. О том, что произошло, мы узнали только утром от проводника. На переезде от Доулиша до Теинмута поезд остановился: кто-то, стоя прямо на путях, подавал знаки, размахивая факелом. Машинист выяснил, что впереди произошел небольшой обвал — с высокой горы обрушился слой краснозема, но, поскольку на рельсы он не попал, машинист, недовольный задержкой, продолжил движение. Проводник, как он сам сказал, подумал, что «на этой вшивой линии уж слишком переживают за безопасность!»

Мы прибыли в Вестертон около девяти часов вечера. Подводы и лошади уже дожидались нас в полной готовности, и рабочие приступили к разгрузке. Наша команда не стала дожидаться окончания работы, поскольку велась она под наблюдением опытных людей. Мы сели в ожидающий нас экипаж и сквозь сумрак надвигающейся ночи помчались в Киллион.

Нас всех поразил величественный вид дома, ярко освещенного лунным светом. Это было великолепное каменное здание в стиле эпохи короля Якова I, массивное и просторное, построенное на самом краю высокой скалы, нависающей над морем. Когда мы прошли по извилистой вырубленной в скале дороге и оказались на высоком плато, на котором стоял дом, в лицо нам ударил освежающий, пропитанный запахом моря влажный ветер, который принес с собой грохот и шипение волн, разбивающихся о камни внизу. Только тогда мы осознали, как хорошо укрыт от посторонних глаз этот дом, возведенный на каменной площадке высоко над водой.

Внутри дома все уже было готово к нашему приезду. Миссис Грант и ее подопечные хорошо потрудились: все кругом было убрано, начищено и сверкало свежестью. Бегло осмотрев главные залы, мы разошлись, чтобы умыться и переодеться после длительной поездки, занявшей больше суток. Мы поужинали в большой столовой в южном крыле, которое, собственно, и выходило на море. До нас доносился приглушенный шум волн, не смолкавший ни на секунду. Поскольку небольшой мыс, на котором располагался дом, выступал далеко в море, северная сторона дома была открыта, и вид на горизонт не преграждали огромные скалы, которые высились со всех сторон, скрывая от наших взглядов остальной мир. Вдалеке, на противоположной стороне залива, виднелись мерцающие огни замка, а кое-где на берегу тускло светились окна рыбацких лачуг. В целом же поверхность моря казалась темно-синей равниной, на которой изредка вспыхивал отсвет звезд, отраженный накатом волны. Покончив с ужином, мы переместились в комнату рядом с кабинетом мистера Трелони. Недалеко находилась и его спальня. Когда мы вошли, первое, что мне бросилось в глаза, — это большой сейф, очень похожий на тот, который стоял в его комнате в Лондоне. Когда собрались все, мистер Трелони подошел к столу, достал свой кошелек, положил его на стол и накрыл ладонью, нажав на него пальцами. Странная бледность разлилась по его лицу. Торопливо раскрывая дрожащими пальцами кошелек, он сказал:

— Его размер изменился; надеюсь, ничего не случилось!

Все трое мужчин, включая меня, тесно сгрудились вокруг стола. Лишь Маргарет не выказала волнения, она стояла прямая, безмолвная и неподвижная, как изваяние. Ее взгляд, казалось, был устремлен куда-то далеко, так, если бы она не понимала или не хотела понимать, что происходит вокруг.

Отчаянным жестом мистер Трелони раскрыл карман кошелька, куда до того положил талисман мумии. Тяжело опустившись на стоящее за ним кресло, он хриплым голосом произнес:

— Боже правый! Он исчез. Без него наш Великий эксперимент может провалиться!

Его слова как будто пробудили Маргарет от задумчивости. На секунду ее лицо исказила жестокая боль, но почти в ту же секунду к ней вернулось спокойствие. Едва подавляя улыбку, она сказала:

— Возможно, вы забыли его в своей комнате, отец. Он мог выпасть из кошелька, когда вы переодевались.

Не произнося ни слова, мы ринулись в спальню через незапертые в кабинете двери. И там внезапное спокойствие охватило нас вместе с ощущением ужаса.

На столе, сверкая и сияя зловещим кровавым светом, лежало украшение семи звезд!

Мы испуганно посмотрели сначала вокруг, потом друг на друга. Маргарет теперь вела себя так же, как остальные. Она утратила свое спокойствие, холодная невозмутимость исчезла, и она сжимала руки так, что побелели пальцы.

Мистер Трелони молча взял украшение со стола и кинулся вместе с ним в соседнюю комнату. Изо всех сил стараясь не волноваться, он ключом, висящим на запястье, открыл дверь сейфа и поместил украшение внутрь. Только закрыв сейф, он смог вздохнуть более или менее спокойно. Очередной этап нашего странного предприятия был пройден.

Перемена настроения заметнее всего отразилась на Маргарет. Может быть, потому, что она женщина, или оттого, что она моложе каждого из нас, а возможно, обе причины одновременно сыграли свою роль. В любом случае перемена была явной, и от этого мое настроение стало лучше, чем за все время нашего путешествия. К ней вернулись ее жизнерадостность, нежность и чувственность. Отец часто бросал взгляды в ее сторону, и его лицо светлело.

Пока мы ждали прибытия подвод, мистер Трелони провел нас по комнатам дома, показывая, куда определить привезенные вещи. Только об одном он не стал говорить: куда будут поставлены все предметы, связанные с Великим экспериментом. Ящики с ними пока оставались в холле.

Когда мы закончили осмотр, начали прибывать подводы, дом наполнился движением и суетой, что напоминало предыдущую ночь. Мистер Трелони стоял в вестибюле у массивной обшитой железом входной двери и давал указания грузчикам, куда ставить большие ящики. Ящики, в которых было запечатано несколько предметов, оставили в холле, где их нужно было распаковать.

За удивительно короткое время весь груз был доставлен в дом, а старшему выданы щедрые чаевые, которые он распределил между всеми грузчиками. Они удалились, бурно проявляя свою благодарность. После этого мы разошлись по своим комнатам. Между нами установилось удивительное доверие. Думаю, все мы были уверены, что остаток ночи пройдет спокойно.

Наши ожидания оправдались, поскольку утром, снова собравшись все вместе, мы выяснили, что все спали спокойно.

Днем все вещи, кроме тех, которые понадобятся для Большого эксперимента, были расставлены по намеченным местам. Потом, как и было решено, все слуги вместе с миссис Грант следующим утром отправятся в Лондон.

Когда все ушли, мистер Трелони, проверив, заперта ли дверь, пригласил нас в кабинет.

— Итак, — сказал он, когда мы сели на свои места, — у меня есть тайна, которой я намерен поделиться, но я связан старой клятвой, которую не могу нарушить, поэтому вынужден просить и вас обещать мне хранить ее. Как минимум уже триста лет каждый, кому раскрывалась эта тайна, давал подобное обещание. Много жизней было спасено благодаря этому. Даже сейчас я нарушаю дух древней традиции, поскольку имею право раскрыть тайну только непосредственным членам своей семьи.

После того как все мы поклялись хранить молчание, он продолжил:

— В этом доме есть тайное место, пещера, образовавшаяся естественным путем, но обработанная руками человека. Она находится под домом. Я не возьму на себя смелость утверждать, что она всегда служила во благо. Во время «Кровавого суда»* не один корнуоллец нашел там прибежище, а до того и после это место, в чем я не сомневался, не раз использовалось для хранения контрабандных товаров. Я думаю, вы знаете, что корнуоллцы всегда промышляли контрабандой, и их родственники, друзья и соседи также не чурались этого дела. По этой причине тайное безопасное место всегда считалось ценным владением. Поскольку все мои

* «Кровавый суд» — расправа, произведенная в 1685 году судьей Джорджем Джеффризом над участниками восстания во главе с герцогом Монмудским против короля Якова II.

предки постоянно настаивали на строгом сохранении тайны, я, уважая их, поддерживаю эту традицию. Позже, если все пройдет гладко, я изложу подробности тебе, Маргарет, и вам, Росс, но при определенных условиях, которые мне придется выдвинуть.

Он поднялся, и все мы последовали за ним. Оставив нас, он на пару минут удалился. Вернувшись, он знаком пригласил нас следовать за ним.

В холле мы увидели, что большая часть стены отодвинута в сторону наподобие двери, а на ее месте зиял широкий тускло освещенный ход, откуда грубо вырубленные в скале ступени вели вниз. Наверняка здесь предусматривалось какое-то освещение, поскольку проникавший свет позволил нам без промедления последовать за нашим проводником, который начал спускаться. Пройдя каких-нибудь сорок или пятьдесят ступеней, вырубленных в извилистой галерее, мы оказались в большой пещере, дальняя часть которой терялась в темноте. Это было воистину огромное пространство, едва освещенное светом, пробивавшимся через несколько необычной формы щелей на стенах и потолке. Эти щели были не видны снаружи, поскольку скрывались в неровностях поверхности скалы. Рядом с каждой щелью висели ставни, снабженные веревкой, с помощью которой их легко можно было сдвинуть. Откуда-то из глубины пробивался приглушенный звук волн, без устали обрушивающихся на скалы. Мистер Трелони сразу приступил к рассказу:

— Вот то место, которое я посчитал самым подходящим для проведения нашего Великого эксперимента. Оно полностью удовлетворяет требованиям, которые я считаю необходимым соблюдать для успешного завершения дела.

Мы здесь так же изолированы от внешнего мира, как и царица Тера в своей гробнице в Долине Колдуна. Да и это такая же каменная пещера. Как бы то ни было, мы должны сделать все, что в наших силах, и смириться с результатами, какими бы они ни оказались. Если наш эксперимент закончится удачно, мы с помощью древних знаний дадим современной науке тот толчок, который заставит ученых полностью изменить свои взгляды как на материальный мир, так и на мир духовный. Если нам не повезет, что ж, тогда никто никогда не узнает о нашем эксперименте, наши помыслы умрут вместе с нами. Я полагаю, что и к этому мы также готовы!

Он замолчал. Никто из нас не произнес ни слова, мы лишь склонили головы в знак согласия. Мистер Трелони продолжил, но уже не так уверенно:

— Еще не поздно! Если у кого-то из вас есть сомнения или дурные предчувствия, ради всего святого, скажите об этом сейчас! Любой из вас может беспрепятственно уйти, мы не станем никого задерживать! Оставшиеся продолжат начатое дело!

Он снова замолчал и внимательно посмотрел на каждого из нас. Мы переглянулись: среди нас трусов не оказалось. Про себя могу сказать: если какие-то сомнения и тревожили мою душу, взгляда на лицо Маргарет хватило, чтобы успокоиться. Оно выражало бесстрашие, оно выражало уверенность, оно было божественно спокойно.

Мистер Трелони глубоко вздохнул и повеселевшим и более уверенным голосом сказал:

— Поскольку все мы настроены одинаково, то чем раньше приступим к делу, тем лучше. Хочу обратить ваше внимание на то, что это помещение, как и весь дом, освещается электричеством. Мы не могли подключить провода к общей электрической сети, потому что для этого пришлось бы выдать себя, но здесь у меня проведен кабель, который можно подключить в холле и таким образом замкнуть цепь!

Эти слова он произнес, поднимаясь по лестнице. Рядом с входом он поднял с пола конец кабеля, немного протянул его и подсоединил к рубильнику на стене. Подняв ручку, он наполнил все помещение и ведущую вниз лестницу светом. Теперь стало видно, что ход рядом с лестницей вел прямиком в пещеру. Над ним крепилась подъемная конструкция из нескольких блоков с большими мотками прочной веревки. Мистер Трелони, перехватив мой взгляд, понял ход моих мыслей. Он сообщил:

— Совершенно верно, это появилось здесь недавно. Я сам соорудил эту конструкцию, так как знал, что нам придется опускать большие тяжести, и поскольку мне не хотелось посвящать в свои дела слишком многих, я заказал такой подъемник, с которым при необходимости могу управиться сам.

Не теряя времени, мы тут же принялись за работу и до наступления ночи успели расставить все большие саркофаги и остальные привезенные с собой вещи в места, определенные мистером Трелони.

Странно было наблюдать за тем, как все эти памятники давно минувшей эпохи занимали свои места в пещере, оборудованной самыми современными механизмами и электрическим освещением. Воистину мы стали свидетелями единения старого и нового миров. Со временем я все больше и больше убеждался в том, каким мудрым и точным был выбор мистера Трелони. Я очень забеспокоился, когда Сильвио, принесенный в пещеру своей хозяйкой и спокойно спавший на моем пальто, которое я сбросил, вскочил, когда из ящика достали мумию кошки, и набросился на нее с таким же неистовством, какое демонстрировал прежде. Этот инцидент высветил еще одну новую сторону характера Маргарет, да такую, что у меня заныло сердце. Она совершенно спокойно стояла, прислонившись к саркофагу, в состоянии отрешенности, ставшем для нее в последнее время характерным; но, услышав шум и увидев бешеную атаку Сильвио, она явно пришла в ярость. Ее глаза сверкнули, а очертания рта приняли грубую, свирепую форму, чего раньше я за ней не замечал. Инстинктивно она шагнула в сторону Сильвио, будто собираясь вмешаться в атаку. Но я тоже сделал шаг вперед, и когда наши взгляды встретились, странная конвульсия исказила ее лицо, и она остановилась. От увиденного я пришел в замешательство и поднял руку, чтобы протереть глаза. Когда я опустил руку, к Маргарет уже вернулось ее обычное спокойствие, а на лице читалось некоторое удивление. Со свойственной ей грацией и изяществом она скользнула к Сильвио и подхватила его на руки точно так же, как делала это в подобных случаях раньше. Держа кота на руках, она гладила и ласкала его, как маленького провинившегося ребенка.

Пока я смотрел на нее, мое сердце наполнилось страхом. Та Маргарет, которую я знал, менялась. В глубине души я неистово молился, чтобы причина этих перемен исчезла как можно скорее. Сильнее, чем когда-либо, мне хотелось, чтобы наш ужасный Эксперимент закончился удачно.

Когда в комнатах все было расставлено согласно требованиям мистера Трелони, он повернулся к нам и молчал до тех пор, пока все не переключили свое внимание на него. Потом он сказал:

— Теперь здесь все готово. Нам осталось лишь дождаться нужного момента, чтобы начать.

Какое-то время все молчали. Первым подал голос доктор Винчестер:

— Когда же настанет нужный момент? Если у вас нет четкой даты, может быть, вы хотя бы приблизительно представляете, когда это случится?

Ответ прозвучал сразу:

— После очень глубоких раздумий я остановился на дате 31 июля!

— Могу ли я узнать, почему вы выбрали именно этот день?

— Царица Тера в большой степени была подвержена мистицизму, — медленно заговорил мистер Трелони, — и существует множество доказательств тому, что, страстно желая восстать из царства мертвых, она, естественно, запланировала свое воскрешение на тот период, когда в силу вступает бог, покровительствующий подобным процессам. Четвертый месяц периода разлива находился под властью Гармохиса, это имя давали Ра, богу Солнца, когда он восходил по утрам, тем самым символизируя пробуждение или воскрешение. Воскрешение физическое. Итак, поскольку этот месяц начинается по нашему календарю 25 июля, его седьмой день приходится на 31 июля. Мы можем не сомневаться в том, что мистически настроенная царица из всех дней выбрала бы именно седьмой или кратный семи. Осмелюсь предположить, что кое-кто из вас удивляется, почему подготовка началась только сейчас. Я отвечу. Мы должны быть полностью готовы, когда настанет нужный час, но и не имело смысла проводить время в бездеятельном ожидании.

Итак, чтобы начать Великий эксперимент, нам оставалось дождаться 31 июля, которое наступало послезавтра.

ГЛАВА XVII

Сомнения и страхи

Из простых вещей мы узнаем о великих. История веков — всего лишь повторение часов. Развитие души — не что иное, как многократное повторение одного мгновения. Ангел-хранитель записывает деяния и поступки своего подопечного в Великую Книгу не яркими красками, его писчее перо не знает других цветов, кроме света и тьмы. Вечному разуму не нужны оттенки. Все мысли, все чувства, все воспоминания, все сомнения, надежды и страхи, все чаяния и все желания будут разложены на составляющие элементы первоосновы и, в конце концов, отнесены к одной из противоположных категорий.

Если бы кому-то захотелось получить миниатюру всей человеческой жизни, куда бы полностью уместились все события, которые только могут выпасть на долю потомка Адама, то история моих переживаний за следующие сорок восемь часов, записанная полностью и откровенно, целиком удовлетворила бы такое желание. Хранитель мог бы как всегда видеть только свет и тень, которыми в конечном итоге можно представить Рай и Ад, поскольку Вера устремлена к самым высоким вершинам

Небес, а Сомнение стоит на краю зияющей пропасти Преисподней.

Конечно, в те два дня были светлые моменты: когда от мысли, что Маргарет любит меня, и от ее красоты все сомнения рассеивались, как утренний туман перед рассветом. Но неумолимое течение времени не давало мне покоя. Час, с неотвратимым наступлением которого я смирился, приближался с такой скоростью и уже был так близок, что ощущение неизбежной развязки захватило меня! На кону, возможно, стояла жизнь и смерть всех нас, но мы были к этому готовы. Опасаться стоило лишь нам с Маргарет. Моральный аспект дела, который касался религиозных убеждений, меня не беспокоил, поскольку даже сами эти вопросы и причины, лежащие в их основе, оставались недоступными моему пониманию. Сомнение в успехе Великого эксперимента было обычным для подобного рода предприятий, сулящих огромные возможности. Меня, как человека, чья жизнь проходила в интеллектуальной борьбе, подобного рода сомнения скорее подзадоривали, чем страшили. Что же тогда заставляло меня волноваться, что превращалось в боль, когда мои мысли устремлялись в том направлении?

Я начинал сомневаться в Маргарет!

Что именно в ней вызывало сомнение, я не могу сказать. Это была не ее любовь, не ее честь, не ее правдивость, не доброжелательность или отношение к Эксперименту. Тогда что же?

Она сама!

Маргарет менялась! Последние несколько дней порой я не узнавал ту девушку, с которой познакомился на пикнике и с которой проводил ночи у кровати ее больного отца. Тогда, даже в минуты величайшей печали, беспокойства или страха, она всегда была полна жизненной энергии, четко и ясно отдавала отчет в своих действиях. Теперь же она почти все время была *distraite*, а иногда впадала в какое-то непонятное состояние, как будто ее разум — само ее естество — покидал ее. Однако в такие моменты ее не оставляла способность созерцать и запоминать. Она понимала и запоминала все, что происходило вокруг нее в тот момент и до того, но ее возвращение в прежнее состояние воспринималось мною так, будто в комнате рядом со мной оказывался совсем другой человек. До отъезда из Лондона ее присутствие всегда доставляло мне величайшее удовольствие. Меня охватывало удивительное ощущение уверенности, которое приходит вместе с пониманием того, что любовь взаимна. Но теперь его место заняло сомнение. Я не мог с уверенностью сказать, что за женщина сейчас рядом со мной: та ли это Маргарет, которую я полюбил с первого взгляда, или же это другая, новая Маргарет, которую я не понимал и чья отчужденность воздвигла незримый барьер между нами. Случались моменты, когда она как будто сбрасывала с себя оковы сна. Тогда, несмотря на то, что она обращалась ко мне с милыми и приятными словами, которые я так часто слышал от нее раньше, она была не похожа сама на себя. Казалось, будто она, как попугай, повторяет заученные слова или говорит под диктовку кого-то, кто умеет понимать слова и действия, но не мысли. После нескольких таких моментов мои сомнения уже начали выстраиваться в стену между нами, потому что я больше не мог разговаривать с ней по-прежнему — легко и свободно. С каждым часом мы расходились все дальше и дальше. Если бы не те несколько счастливых минут, когда прежняя милая Маргарет возвращалась ко мне, я не знаю, чем бы это закончилось. Каждый такой момент давал мне возможность начать все с нуля и не позволял окончательно исчезнуть моей любви.

Я бы все отдал, чтобы с кем-нибудь поделиться тем, что творилось в моей душе. Но это было невозможно. Как я мог признаться кому-нибудь, что сомневаюсь в Маргарет, как я мог сказать об этом ее отцу! Как я мог выразить сомнение Маргарет, когда она сама была причиной моих страданий! Я мог только смириться и надеяться. И смирение причиняло меньшую боль, чем надежда.

Я думаю, что время от времени и Маргарет замечала, что между нами растет стена, потому что на исходе первого дня она начала избегать меня; или, может быть, просто стала испытывать неуверенность в моем присутствии? До того она использовала малейшую возможность, чтобы побыть со мной, так же как и я искал ее общества, и теперь любой не использованный шанс причинял боль нам обоим.

В тот день все в доме, казалось, замерло в ожидании. Каждый занимался своей работой или был поглощен своими мыслями. Мы встречались только в столовой, когда собирались, чтобы поесть. Хоть мы и разговаривали, каждый явно думал о своем. Обычной суеты, которую вызывает работа слуг, в доме не было: мистер Трелони предусмотрительно отвел нам три комнаты, так что необходимость в слугах отпала. Столовая была забита разнообразной, заранее приготовленной едой, которой должно было хватить на несколько дней.

Ближе к вечеру я отправился на прогулку. Я хотел пригласить с собой Маргарет, но когда нашел ее, она как раз находилась в том состоянии, когда окружающее было ей безразлично, и поэтому желание быть в ее обществе испарилось, и в горы я отправился один. Злясь на себя, но не в состоянии заглушить чувство недовольства, я в одиночку пробирался по каменистому мысу.

Когда я достиг края обрыва, передо мной открылся широкий неописуемо красивый вид на море. Были слышны лишь рокот волн внизу и крики чаек над головой, от этого в голове у меня прояснилось. Но что бы я ни делал, мои мысли неизбежно сводились к одному: разрешение тяготившего меня сомнения. Здесь, в одиночестве, перед лицом бушующей стихии, мой мозг заработал свободно. Неожиданно мои размышления оформились в один вопрос, ответить на который я не решался. Наконец работа разума взяла верх, и я оказался лицом к лицу со своим сомнением. Привычки, выработанные за годы службы в суде, заставили меня взяться за анализ фактов, которыми я на тот момент располагал.

Все было настолько необычно, что я с трудом заставлял себя рассуждать логично. Начал я со следующего: Маргарет изменилась... но в какую сторону и каким образом? Что изменилось: ее характер, ее разум или ее сущность? Внешне она осталась та же. Я начал вспоминать все, что мне было известно о ней, начиная с ее рождения.

Все было странным с самого начала. Ее, если верить словам Корбека, родила, умирая, мать, в то время, когда ее отец и его друг пребывали в состоянии транса в пещере в Асуане. Этот транс, вероятно, явился результатом воздействия, мумифицированной женщины, но, в чем мы могли убедиться на своем опыте, сохранившей свое астральное тело, подчинявшееся свободной воле и активному разуму. Для того, кто обладал таким астральным телом, пространство переставало иметь значение. Громадное расстояние между Лондоном и Асуаном превратилось в ничто. Какой бы силой ни обладала колдунья, какая бы некромантия ей ни была подвластна, она легко могла направить их на умершую мать и на возможно умершего ребенка. Мертвый ребенок! Возможно ли, что ребенок умер и был воскрешен? Что в таком случае вдохнуло в него живой дух, душу? Логика давала безжалостный ответ. Если то, во что верили египтяне, было реальностью для их мира, то «Ка» и «Ку» мертвой царицы могли вдохнуть жизнь в то, на что пал ее выбор. Если это так, то Маргарет не обычный человек, она всего лишь один из этапов перерождения царицы Теры, астральное тело, послушное ее воле!

Тут я взбунтовался против логики. Каждый фибр моей души протестовал против такого вывода. Как я мог допустить мысль, что Маргарет не существовало, что она была лишь зримым образом, в который обернулся двойник женщины, жившей сорок столетий назад!.. Несмотря на новые сомнения, мне стало легче.

По крайней мере, у меня все еще была моя Маргарет!

Маятник логических рассуждений вновь качнулся в обратную сторону. Выходит, что ребенок не умер. Если так, то имела ли колдунья вообще какое-то отношение к его рождению? Было очевидно (опять же, по словам Корбека), что между Маргарет и портретом царицы Теры имелось странное сходство. Как это могло случиться? Невозможно, чтобы, как это бывает, во внешности ребенка отразилось то, о чем думала его мать, ведь миссис Трелони никогда не видела портрета царицы. Более того, даже ее отец впервые увидел его, только первый раз попав в гробницу, что произошло всего за несколько дней до рождения дочери. Этот вопрос я не мог решить для себя так же легко, как остальные. Ничто не подсказывало ответа, отчего душа наполнялась ужасом сомнения. Как странен разум человеческий! Даже в тот момент охватившее меня сомнение воплотилось в конкретный образ: безбрежный и непроницаемый мрак, в котором время от времени кое-где вспыхивали крошечные точки света, как будто наполнявшие темноту жизнью.

Последнее возможное объяснение связи между Маргарет и мумией царицы заключалось в том, что неким мистическим способом колдунья смогла поменяться местами с другим человеком. От этого предположения не стоило так просто отказываться. Слишком много подозрительных обстоятельств подтверждали это, и я рассматривал эту версию очень серьезно. В памяти у меня сразу же всплыли все странные и необъяснимые явления, свидетелями которых мы стали за последние несколько дней. Поначалу они роились у меня в голове беспорядочной массой, но снова возобладали профессиональные навыки, и все встало на свои места. Сейчас мне стало легче совладать с собой, потому что теперь было за что ухватиться, что-то предпринять, хотя от этого мне становилось только тоскливее, потому что подобные действия были или могли быть направлены против Маргарет. На кону была сама Маргарет! Я о ней думал и боролся за нее, но если мне придется работать, не имея твердой опоры, мои усилия могли бы даже причинить ей вред. Моим первым оружием в ее защиту была истина. Я должен был узнать и понять все, только тогда я смог бы действовать. Разумеется, мои действия могут оказаться благотворными, но только при условии полного понимания фактов. Вот эти факты, изложенные по порядку.

Первое: странное сходство царицы Теры с Маргарет, которая родилась в другой стране за много тысяч миль от Египта и мать которой никоим образом не могла знать, как выглядела царица.

Второе: исчезновение книги Ван Гайна, которую я дочитал до описания рубина со звездами.

Третье: обнаружение ламп в будуаре. Тера в своем астральном теле могла открыть замок на двери в номер Корбека в отеле, чтобы попасть внутрь, и закрыть его за собой, выходя оттуда с лампами. Тем же способом она могла открыть окно и положить лампы в комод в будуаре. Вполне возможно, что сама Маргарет не имела к этому никакого отношения, но... но все это, по меньшей мере, очень странно.

Четвертое: подозрения, высказанные в свое время детективом и доктором, с новой силой охватили меня, но теперь я лучше понимал их суть.

Пятое: были случаи, когда Маргарет точно предсказывала временное затишье в проявлениях активности Теры, так, будто была уверена или даже знала о намерениях царицы, пребывающей в астральном теле.

Шестое: именно Маргарет подсказала отцу, где искать исчезнувший рубин. Я никогда не сомневался, что царица действительно обладала астральной силой, и теперь, заново обдумывая этот эпизод, я приходил к единственному заключению: царице Тере было нужно, чтобы мы благополучно и вовремя добрались из Лондона в Киллион. Она каким-то образом взяла камень из кошелька мистера Трелони, чтобы с его помощью помочь нам в нашем предприятии. Потом каким-то мистическим способом она устами Маргарет высказала предположение о том, каким образом украшение пропало и где его следует искать.

Седьмое и последнее — это странное двойственное состояние, в котором пребывала в последнее время Маргарет. Оно, похоже, являлось результатом всего, что случилось ранее.

Двойственное состояние! Это действительно могло объяснить все странности и свести воедино расходящиеся в разные стороны нити. Если Маргарет на самом деле поступала не по своей воле, а находясь под воздействием, разговаривала и вела себя так, как ей указывали, или если ее тело заняла какая-то другая сущность и это осталось не замеченным никем, тогда все может быть. Все в таком случае зависит от характера личности, которая подчинила ее своей воле. Если этот человек чист, добр и праведен, все будет хорошо. А если нет!.. Эта мысль была слишком страшной, чтобы выразить ее словами. От раздумий о том, к каким ужасным последствиям это может привести, мне оставалось только бессильно скрежетать зубами.

До этого утра «странности» Маргарет были редкими и практически незаметными, кроме тех случаев, когда раз или два она непонятно вела себя по отношению ко мне. Но сегодня все было наоборот, и изменения, произошедшие с ней, предвещали беду. Я начал подозревать, что захватившая ее личность относилась к разряду злых! Когда я подумал об этом, мне стало страшно. С того дня, когда Ван Гайн вскрыл гробницу, погибло немало людей. Их смерти, возможно, произошли либо по воле мумии, либо так или иначе были связаны с ней. Араб, похитивший руку мумии из гробницы, и тот, кто завладел рукой после смерти первого. Предводитель арабов, который хотел украсть рубин у Ван Гайна и на горле которого остались следы от семи пальцев. Двое мужчин, расставшихся с жизнью в первую же ночь после того, как Трелони вывез саркофаг из гробницы, и еще трое, тела которых были найдены по возвращении в гробницу. Кроме того, араб, открывший тайный сердаб. Нам известно о девяти смертях, причем один человек явно погиб от руки самой царицы! К тому же на мистера Трелони в его же комнате было совершено несколько жестоких нападений, когда она при помощи своего хранителя хотела открыть сейф, в котором лежал ее талисман. То, что мистер Трелони хранил ключ к сейфу закрепленным стальной цепочкой на своем запястье, в конечном итоге защитило рубин, хотя чуть не стоило ему жизни.

Если царице для того, чтобы воскреснуть, необходимо проливать кровь, на что еще она готова пойти? Какие еще ужасные действия она готова совершить для удовлетворения своих желаний? Более того, в чем заключались ее желания, какую конечную цель она преследовала? До сих пор все, что у нас есть, — это лишь слова Маргарет, высказанные в благородном порыве. Но никаких упоминаний о любви не было. Мы знали только одно: она поставила перед собой задачу воскреснуть, и в выполнении этой задачи какую-то особенную роль играл Север, который был ей особенно близок. Однако не вызывает сомнения, что воскресение должно было произойти в уединенной гробнице в Долине Колдуна. Все самым тщательным образом подготовлено для того, чтобы это произошло, и царица покинула бы гробницу в своем новом обличье. Ее саркофаг не закрыт крышкой. Кувшины с маслом, хоть и герметически запечатывались, легко открывались, а их содержимое было рассчитано на очень большой промежуток времени. Даже кремний и сталь были приготовлены для того, чтобы добыть огонь. Шахта, ведущая в погребальную камеру, не была завалена щебнем, как это обычно делалось, а рядом с каменной дверью, выходящей на склон обрыва, была прикреплена не подверженная разрушительному влиянию времени цепь, по которой она могла спуститься на землю. Но о ее последующих намерениях мы не знали ровным счетом ничего. Может быть, она собиралась начать новую жизнь обычным человеком? Тогда в этом желании было что-то такое возвышенное, что заставляло меня только посочувствовать ей и всем сердцем пожелать успеха.

Такое предположение оправдывало участие Маргарет в исполнении ее воли и немного успокаивало мою растревоженную душу.

В ту минуту, под впечатлением этой мысли, я решил непременно рассказать обо всем Маргарет и ее отцу и, набравшись терпения, смиренно ждать развития событий, повлиять на ход которых я не мог.

В дом я вернулся совсем не с тем настроением, с каким покинул его. К своей радости, я встретил Маргарет — прежнюю Маргарет, которая дожидалась меня.

После обеда, оставшись наедине с мистером Трелони и его дочерью, я, хоть и не без колебания, поделился с ними своими соображениями:

— Не стоит ли нам заранее подготовиться к тому, что царице придется не по душе то, что мы затеяли, я имею в виду то, что может произойти до эксперимента, во время или после него, если все пройдет успешно?

Ответ Маргарет последовал мгновенно — не оставалось сомнения в том, что она его знала заранее:

— Но она не возражает! Иначе и быть не может! Отец все силы тратит на то, чтобы все было исполнено в точном соответствии с пожеланиями великой царицы.

— Однако, — возразил я, — вряд ли это возможно. Ведь она хотела, чтобы все произошло в гробнице, спрятанной в скале, затерянной в пустыне и скрытой от посторонних глаз всеми мыслимыми способами. Вероятно, ей было необходимо такое уединение, чтобы обезопасить себя от непредвиденного. Разумеется, здесь, в чужой стране и эпохе, совсем в других условиях, она может совершить ошибку и поступить с любым из вас... из нас... так, как она раньше поступала с другими. Нам известно, что как минимум девять человек были убиты либо ею, либо по ее воле. Она, если хочет, может быть беспощадной.

Только потом, когда я обдумывал этот разговор, меня удивило, что я говорил о царице Тере как о живом и мыслящем существе, в ту минуту я об этом не задумывался. До начала разговора я боялся, что мои слова могут каким-то образом обидеть мистера Трелони, но, к моему удивлению, он ответил с добродушной улыбкой:

— Друг мой, в чем-то вы совершенно правы. Нет никаких сомнений в том, что царице необходимо уединение, и, разумеется, лучше всего было бы провести эксперимент именно так, как она того хотела. Но подумайте, ведь это стало невозможным в ту минуту, когда голландский исследователь вскрыл ее гробницу. Я этого не делал, в этом нет моей вины, хотя именно поэтому я решил снова найти захоронение. Заметьте, я не хочу сказать, что на месте Ван Гайна я поступил бы как-то иначе. На поиски гробницы я отправился из любопытства и действовал, побуждаемый только страстью коллекционера. Но не забывайте также, что тогда я еще не знал, что царица должна воскреснуть, не знал, что все в гробнице было подготовлено для этого. Все это я понял намного позже. Но когда понял, я сделал все от меня зависящее, чтобы ее пожелания полностью исполнились. Я боюсь только, что мог неверно истолковать какие-то из ее зашифрованных указаний, чего-то не заметить или что-то не так понять. Но в одном я целиком уверен: я сделал все, что, как я полагаю, следовало сделать, и не предпринял ничего, что противоречило планам царицы Теры. Я всем сердцем хочу, чтобы Великий эксперимент закончился успехом. Для этого я не жалел ни времени, ни сил, ни денег... ни себя. Я терпел трудности и подвергался опасности. Мой разум, все мои знания и опыт, все мои усилия были и будут направлены на это до тех пор, пока мы либо выиграем, либо проиграем в этой великой игре.

— Игре? — повторил я. — И каков же выигрыш? Воскресение и новая жизнь женщины? Доказательство того, что воскрешение возможно при помощи магических сил, научных знаний или каких-то пока еще неведомых миру сил?

И мистер Трелони поведал нам о своих сокровенных надеждах, о которых раньше лишь упоминал и никогда не говорил вслух. Пару раз я слышал от Корбека, что в молодости мистер Трелони был человеком пылким, но я ни разу не видел, чтобы это хоть как-то проявилось, за исключением того случая, когда Маргарет так горячо говорила о чаяниях царицы Теры, что можно было бы объяснить наследственностью. Однако сейчас его проникнутые сильным чувством слова, шедшие скорее от сердца, чем от разума, показали мне его совсем в другом свете.

— Жизнь женщины! Что значит жизнь женщины в сравнении с тем, чего мы надеемся достичь! Да ведь мы и так рискуем жизнью женщины, самой дорогой для меня во всем мире жизнью, которая с каждой минутой становится мне все дороже. К тому же мы рискуем жизнями еще четырех мужчин; вашей, моей и жизнями тех двоих, кому мы решили довериться. «Доказательство того, что воскрешение возможно»! О да! Это серьезная цель, особенно в нашу эпоху науки и всеобщего скептицизма, вызванного ее последними достижениями. Но жизнь и воскрешение — всего лишь детали в великой Цели, которая стоит перед нами. Только представьте, если эксперимент завершится удачей, чем это станет для мира разума, к которому в своем развитии стремится человечество. Истинной дорогой к звездам, itur ad astra древних! Если в наше время из неведомых глубин прошлого восстанет некто, кто сможет раскрыть нам плоды знаний великой Александрийской библиотеки, погибшей в безжалостном огне пожара, не только будут разгаданы загадки истории, не только все научные знания будут переосмыслены с самых истоков — мы ступим на дорогу, ведущую к новому обретению утраченных знаний, искусства, наук, которая может привести к полному и окончательному их восстановлению! Да ведь эта женщина сможет рассказать нам, каким был мир до того, что называют «Великим потопом», она сможет поведать, что лежало в основе возникновения этого удивительного мифа. С ее помощью мы сможем узнать всю правду о том, что нам сейчас кажется древним и что уже в старозаветные времена воспринималось как рассказы о далеком прошлом. Но и это еще не все! Нет, это еще даже не начало! Если жизнь этой женщины действительно прошла так, как мы считаем (в чем кое-кто из нас не сомневается), если ее сила и процесс ее восстановления будут такими, как мы надеемся, тогда мы сможем получить такие знания, которые и не снились современным ученым, которые выходят за рамки того, что сегодня считается реальным. В самом деле, если это воскрешение действительно произойдет, как мы сможем продолжать сомневаться в древних знаниях, древней магии, древней вере? И если это случится, нам придется согласиться, что Ка этой великой и мудрой царицы за время, проведенное среди звезд, обрело знания, которые не предназначены для обычных смертных. Эта женщина при жизни добровольно сошла в могилу и восстала из нее, о чем мы знаем из записей в ее усыпальнице. Она решила, что оставит мир живых, пока молода, чтобы в момент воскресения, которое должно произойти в другие времена, после бесконечно долгого сна вновь ступить на землю во всей полноте и блеске своей молодости и силы. У нас уже есть доказательства того, что, хотя ее тело на протяжении всех этих веков терпеливо ждало, разум ее всегда оставался при ней, а решительность никогда не ослабевала. Ее никогда не покидала сила, и ее память, что самое важное, полностью сохранилась. О, какие возможности откроются с появлением такого человека в наши дни! Ее история началась во времена, когда еще не была написана Библия; ее жизнь проходила в ту эпоху, когда еще не существовали древнегреческие боги; она может стать той нитью, которая соединит Прошлое и Настоящее, Землю и Небо; сможет открыть духовному миру и миру физического существования тайны Неизведанного... тайны Древнего мира в дни его молодости и тайны миров, нам еще не ведомых!

Он замолчал, как будто эта страстная речь забрала у него все силы. Когда он говорил о том, как дорога ему Маргарет, она взяла его за руку, крепко сжала ее и не отпускала, пока он не закончил. Но на ее лице вновь возникло то выражение, которое я в последнее время так часто замечал: ее истинная натура будто отходила на второй план, из-за чего я начинал ощущать, что Маргарет отдаляется от меня. Эмоциональность, с которой говорил ее отец, не позволила ему что-либо заметить, а когда он замолчал, дочь в ту же секунду вновь стала самой собой. В ее прекрасных глазах заблестели готовые пролиться слезы, и с выражением искренней любви и восхищения она наклонилась и поцеловала руку отца. Затем, повернувшись ко мне, сказала:

— Малькольм, вы говорили о смертях, связанных с бедной царицей, хотя правильнее было бы сказать, что они произошли в результате вмешательства в намеченный ею план действий, из-за чего ее замыслы были нарушены.

Не думаете ли, что вы несправедливы, обвиняя ее в этом? Кто бы на ее месте поступил иначе? Вы же знаете, что она боролась за свою жизнь! Даже больше чем за жизнь! За жизнь, за любовь и за все замечательные возможности, которые открылись бы ей в загадочном будущем, в неизведанной стране Севера, на которую она возлагала такие большие надежды! Вы не думаете, что она, обладая всеми доступными в ее время знаниями и огромной, неодолимой силой, надеялась сделать свои стремления еще более возвышенными? Что она надеялась для освоения новых для нее миров и во благо своего народа воспользоваться тем, чему научили ее сон, смерть и время, и что в одно мгновение могло быть разрушено безжалостной рукой убийцы или вора? Вы бы на ее месте в такой ситуации разве не пошли бы на все ради того, что является целью всей вашей жизни и значение чего с каждым годом увеличивалось все больше и больше? Вы же не думаете, что ее разум бездействовал на протяжении всех этих бесконечных однообразных столетий, в то время как ее душа путешествовала от одного мира к другому, носясь по бескрайним звездным просторам? Невозможно, чтобы эти звезды в их безграничном множестве и разнообразии форм не научили ее ничему; ведь мы узнали так много благодаря им, отправившись по дороге, указанной ею и ее народом, когда они мыслью возносились в глубины космоса к ночным светилам!

Маргарет замолчала. Она была чрезвычайно взволнована, по ее щекам текли слезы. Да и я так расчувствовался, что это невозможно было выразить. Это была та Маргарет, которую я знал, и от осознания этого мое сердце почти выскакивало из груди. Моя радость породила смелость. Я не думал, что когда-нибудь решусь заговорить об этом: я обратил внимание мистера Трелони на то, что мне казалось двойственным состоянием его дочери. Взяв за руку Маргарет и поцеловав ее, я обратился к ее отцу:

— Сэр, воистину, ее речь не могла бы быть более убедительной, даже если бы в нее вселился дух самой царицы Теры, который воодушевлял бы ее и подсказывал подобные мысли!

Ответ мистера Трелони просто ошеломил меня. Я понял, что его размышления в этом направлении полностью совпадали с моими:

— А что, если так и было, вернее, так и есть? Я прекрасно знаю, что в ней живет дух ее матери. Если к тому же в нее вселился и дух великой и удивительной царицы, от этого она не только не станет мне менее дорога, а наоборот, будет еще дороже! Не бойтесь ее, Малькольм Росс, по крайней мере, не больше, чем любого из нашей команды!

Маргарет подхватила тему, да заговорила так быстро, будто продолжила фразу за отца, а не прервала его:

— Не надо меня бояться, Малькольм. Царице Тере известно все, и она не собирается причинять нам вреда, я это знаю! Я знаю это так же точно, как и то, что не могу жить без вас!

Что-то в ее словах показалось мне настолько странным, что я вскинул голову и быстро посмотрел в ее глаза. Ее взгляд как всегда был ярким, но напоминал взгляд льва в клетке, что-то в нем мешало понять, что же на самом деле творится у нее на душе.

Потом в комнату вошли двое других наших мужчин, и разговор зашел о другом.

ГЛАВА XVIII

Урок «Ка»

В ту ночь все легли спать рано. Следующий вечер обещал быть неспокойным, и мистер Трелони подумал, что нам надо набраться как можно больше сил, чему лучше всего способствует сон. Завтрашний день тоже должен был пройти в работе. Все, что имеет отношение к Великому эксперименту, следует подготовить, чтобы в последнюю минуту все не пошло прахом из-за какой-то мелочи. Естественно, мы позаботились о том, чтобы в случае необходимости мы могли вызвать помощь, но не думаю, что у кого-либо из нас было реальное ощущение опасности. И, разумеется, мы не боялись проявления жестокости, от которого приходилось беречься в Лондоне во время длительного транса мистера Трелони.

Что касается меня, то я почувствовал странное облегчение. Я согласился с мистером Трелони в том, что если царица на самом деле была такой, какой мы ее себе представляли (и в этом уже никто не сомневался), то с ее стороны не будет никакого противодействия, поскольку мы воплощали в жизнь все ее пожелания до мельчайших деталей. На душе у меня было легко (хотя еще днем я и предположить такого не мог), но я не мог отделаться от других неприятных мыслей. В первую очередь мне не давало покоя странное состояние Маргарет. Если действительно в ней соединились две личности, что может случиться, если они сольются в одну, новую? Снова и снова я думал об этом, пока мне не захотелось кричать от нервного напряжения. Меня не успокаивало то, что сама Маргарет не проявляла никакого волнения, и ее отец вел себя так же. В конце концов, любовь эгоистична, она окрашивает в темный цвет все, что стоит между ней и предметом страсти. Мне казалось, что я слышу, как стрелки часов кругами перемещаются по циферблату; я видел, как ночь начинала рассеиваться и превращалась в сумрак, а сумрак сменялся утренним светом. Так же и мои невеселые мысли сменяли друг друга быстро и безостановочно. Наконец, когда можно уже было подняться с постели, не боясь нарушить покой остальных, я встал. Я тихо прошел по коридору и убедился, что у всех все в порядке: мы договорились, что все оставят двери в свои комнаты немного приоткрытыми, чтобы любой необычный шум был бы слышен остальным.

Все спали, я отчетливо слышал ровное дыхание, доносящееся из каждой комнаты. Оттого, что эта беспокойная ночь, наконец, благополучно закончилась, на душе стало легко. В своей комнате я упал на колени, чтобы вознести благодарственную молитву Господу, но даже тогда я ощущал страх, который засел во мне. Я вышел из дома и по вырубленным в скале ступенькам спустился к морю. Купание в прохладной и чистой воде успокоило мои нервы и вернуло мне прежнее настроение.

На обратном пути, когда я поднимался по ступеням, яркий солнечный свет, зарождавшийся у меня за спиной, окрасил скалы в сверкающий золотой цвет. Я снова почувствовал какое-то беспокойство. Все вокруг казалось слишком ярким, как это иногда бывает перед бурей. Я на какое-то время остановился и осмотрелся вокруг. И в эту минуту почувствовал легкое прикосновение к плечу. Обернувшись, рядом с собой я увидел Маргарет. Она была так же светла и чиста, как свет утренней зари! Сейчас передо мной стояла моя прежняя Маргарет! И я почувствовал, что последний, решающий день наконец наступил.

Но, увы! Счастье было недолгим. Когда мы после прогулки вернулись в дом, к ней постепенно, стадия за стадией, опять вернулось то состояние, которое в последнее время стало для нее обычным: подавленность и волнение, затем надежда и приподнятое настроение, потом глубокая депрессия и, наконец, апатичная отчужденность.

Но на сегодня было намечено много работы, и мы все энергично принялись за нее, что стало спасением от тревожных мыслей. После ленча мы все собрались в пещере, где мистер Трелони самым тщательным образом проверил расположение всех собранных там предметов. Переходя от одного из них к другому, он объяснял нам, почему он должен находиться именно на этом месте. В руках он держал большие бумажные свитки, с выверенными планами, расчетами, различными символами и рисунками, которые он скопировал с чертежей, сделанных им самим и Корбеком. По его словам, здесь были зафиксированы абсолютно все иероглифы, которые сохранились на стенах, потолке и полу гробницы в Долине Колдуна. Если бы у нас даже не было точной схемы расположения каждого предмета обстановки, мы смогли бы все восстановить по иероглифическим текстам и знакам.

Мистер Трелони объяснил и некоторые моменты, которые не нашли отражения в чертежах. Например, выемка на столе по форме точно совпадала с дном магического ларца, из чего следовало, что ларец следовало вставить в эту выемку. Расположение ножек этого стола определялось нарисованными на полу уреями, каждый из которых имел свою форму и головой указывал на ножку, обвитую уреем соответствующего вида. Еще он сказал, что мумию нужно уложить на небольшое подходящее по форме возвышение на дне саркофага головой к западу, а ногами к востоку, чтобы дать ей возможность пропускать через себя естественные земные токи. «Если это было задумано специально, — сказал он, — а я думаю, так и было, мне кажется, что силы, которые будут задействованы, имеют какое-то отношение к магнетизму или электричеству, или и к тому, и к другому одновременно. Конечно же, возможно, будет использована и какая-нибудь другая энергия, например та, что излучается радием. Я проводил с ним опыты, но лишь с тем небольшим количеством, которое мне удалось достать. Как я выяснил, камень, из которого сделан ларец, никак не реагирует на его воздействие. В природе тоже должно быть какое-то вещество, не чувствительное к радию. Радий не проявляет своих свойств через уранинит*, в котором его находят, и наверняка существуют и другие вещества, которые не пропускают энергию радия. Возможно, их можно отнести к классу «инертных» веществ, открытых сэром Уильямом Рамзаем. Таким образом, вполне может быть, что внутри этого ларца, сделанного из каменного метеорита, в котором могут содержаться какие-то элементы, не известные в нашем мире, спрятана некая огромная сила, высвобождающаяся при вскрытии ларца.

---

* Уранинит — минерал, руда тория, радия.

Нам показалось, что разговор на эту тему закончен, но напряженный взгляд мистера Трелони свидетельствовал о том, что он весь еще в тех же мыслях, и молча ждали продолжения. Через некоторое время он снова заговорил:

— Есть еще кое-что, что, признаюсь, и до сих пор ставит меня в тупик. Может быть, это не так уж и важно, но в подобном деле, где ни в чем нельзя быть полностью уверенным, не может быть мелочей. Мне не верится, что там, где все было настолько скрупулезно выверено, можно было допустить такую оплошность. Как вы видите, на плане гробницы саркофаг находится рядом с северной стеной, а магический ларец расположен к югу от него. На месте, которое занимает саркофаг, нет ни единого символа, ни одного рисунка. На первый взгляд может показаться, что все рисунки и надписи были сделаны после установления саркофага, но после более тщательного изучения становится ясно, что символические рисунки на полу расположены в определенном порядке для создания некоего эффекта. Вот посмотрите, здесь текст продолжается, как будто перескочив через препятствие. Только некоторые признаки подсказывают, что в этом заложен определенный смысл. Осталось лишь выяснить, что же это может значить. Посмотрите на верх и низ свободного от надписей места. Они соответственно указывают на запад и восток, так же, как и голова и нижняя часть саркофага. И там, и там дважды повторены одни и те же символы, но они расположены так, что их части четко вписываются в тексты, которые идут перпендикулярно. Только при внимательном рассмотрении хоть со стороны головы, хоть со стороны ног можно различить символы. Смотрите! Они трижды повторяются на углах и по центру верхней и нижней части. В каждом случае изображено солнце, которое как горизонтом разрезается пополам линией саркофага. Рядом с каждым этим рисунком изображена ваза, направленная в противоположную сторону, и она будто находится в некоторой зависимости от Солнца. Изображение вазы в иероглифическом письме означает «сердце» — «Аб», как называли египтяне. Дальше изображена пара широко раскрытых рук, повернутых вверх от локтя. Это изображение «Ка» или «Двойника». Но их расположение по отношению к другим символам различается вверху и внизу. У верхней части саркофага верх «Ка» повернут к горлышку вазы, а у нижней — руки указывают в противоположную сторону.

Мне кажется, что смысл этого заключается в следующем: за время прохождения солнца от запада в востоку (период от заката до восхода солнца, когда оно проходит через Нижний мир, или ночь) сердце, которое остается материальным даже в гробнице и не может покинуть ее пределов, просто вращается, чтобы всегда быть обращенным к Ра, богу солнца, прародителю всех богов, но его Двойник, который воплощает в себе идею активности, может перемещаться по своей воле, хоть днем, хоть ночью. Если это действительно так, то здесь заключено предупреждение, предостережение или напоминание о том, что душа мумии не покоится в бездействии и с ней необходимо считаться.

Или же это передает идею того, что в ночь воскресения «Ка» покинет сердце, то есть воскреснуть царица должна в более низком, обычном для нас физическом состоянии. Что в таком случае произойдет с ее памятью и опытом, накопленным ее духом за время странствий? Самое ценное, что мир мог бы получить от ее воскресения, будет утрачено! Однако это меня не тревожит. Это всего лишь догадки, которые к тому же идут вразрез с одним из основных принципов египетской теологии: «Ка» является существенной составной частью человеческой природы.

Он замолчал. Какое-то время мы подождали, потом тишину нарушил доктор Винчестер:

— Но не означает ли все это, что царица боялась указаний, начертанных на стенах ее собственной гробницы?

Мистер Трелони, улыбнувшись, ответил:

— Дорогой сэр, она была к этому готова. Грабители могил появились на свет не в наше время, они существовали и в ее эпоху. Она не просто была готова к появлению непрошеных гостей, но, судя по всему, даже была уверена, что это произойдет. То, что лампы спрятаны в сердабе и для их охраны поставлен грозный хранитель, доказывает, что была предусмотрена защита, как созидательная, так и разрушительная. И действительно, многое в ее указаниях, продуманных до мелочей, наводит на мысль о том, что она учитывала возможность того, что кто-то посторонний (как мы с вами, например) серьезно возьмется за работу, которую она сама намеревалась выполнить, когда придет время. То, о чем я говорил минуту назад, служит этому подтверждением. Указания были написаны для того, чтобы быть прочитанными!

Снова в воздухе повисла тишина. На этот раз заговорила Маргарет:

— Отец, могу я взять эти чертежи? Я бы хотела изучить их днем!

— Конечно, дорогая! — охотно согласился мистер Трелони и тут же передал ей бумаги. Потом он продолжил давать указания, теперь тон его стал более деловым, обсуждение приняло практический характер, без всяких тайн и загадок: — Я думаю, будет лучше, если все узнают, как здесь работает электрическое освещение, на тот случай, если возникнут какие-нибудь непредвиденные обстоятельства. Вы, наверное, обратили внимание на то, что все части дома полностью обеспечены электричеством, так что нигде не осталось ни одного темного угла. Это сделано специально. Источником энергии служат несколько турбин, которые приводятся в движение морскими приливами и отливами. Они изготовлены по образцу турбин, установленных на Ниагаре. Я надеюсь, что это позволит избежать каких бы то ни было неожиданностей и иметь полное электрическое обеспечение в любое время. Прошу вас, следуйте за мной, я объясню вам схему цепей и покажу, где находятся отводы и предохранители.

Пока он водил нас по дому, я не мог не обратить внимания на то, какой совершенной была система, как все продумано для того, чтобы оградить себя от любого бедствия, какое только можно себе представить.

Но осознание совершенства породило страх! В подобном деле границы человеческого разума узки. За их пределами лежит бесконечное пространство Божественной мудрости и Божественных сил!

Когда мы вернулись в пещеру, мистер Трелони сменил тему разговора:

— Теперь нам следует точно установить время, когда будет проведен Великий эксперимент. С точки зрения науки и механики, все равно, в каком часу это случится, если, конечно, завершена вся подготовительная работа. Но поскольку мы действуем по инструкциям, составленным женщиной необычайно острого ума, которая верила в магию и во все вкладывала скрытый смысл, нам придется представить себя на ее месте, прежде чем принять какое-либо решение. Теперь мы уже знаем точно, что заход солнца играет важную роль в приготовлениях. Поскольку те символы солнца, которые с математической точностью разрезаны краем саркофага, изображены полностью, начинать рассуждения надо с них.

Кроме того, нам известно, что число семь имело особенное значение для царицы на протяжении всей ее жизни. Напрашивается логический вывод, что действие было намечено на седьмой час после захода солнца. Это подтверждается и тем фактом, что все случаи проявления активности в моем доме приходились именно на это время. Поскольку сегодня здесь, в Корнуолле, солнце садится в восемь, получается, что нужное нам время — три часа утра!

Он говорил деловым тоном, и хотя был очень серьезен, ни в его словах, ни в манере держаться не было заметно, что речь идет о чем-то таинственном. Тем не менее на всех его слова произвели большое впечатление: кое-кто из нас побледнел, и в наступившей тишине никто не проронил ни слова и даже не пошевелился. Единственным человеком, по-прежнему не утратившим спокойствия, оставалась Маргарет. Она в тот момент пребывала в своем отрешенном состоянии, но внезапно как будто очнулась. Мне показалось, что ее лицо стало радостным. Отец, который пристально наблюдал за ней, улыбнулся: ее настроение он воспринял как прямое подтверждение своей теории.

Сам же я едва сохранял спокойствие. Окончательный выбор времени прозвучал как глас Судьбы. Сегодня, оглядываясь на события того дня, я начинаю понимать, что чувствует осужденный, когда зачитывается его приговор или когда до его ушей доносится бой часов, отбивающих начало последнего часа, который ему суждено прожить.

Теперь уже поздно отступать! Мы в руках Господа!

Руки Господа!.. Впрочем!.. Какие еще силы вступили в действие?.. Что станет со всеми нами, с ничтожными песчинками, которые подхвачены вихрем, несущимся в такие пространства, о которых человеку не дано знать? В ту минуту я думал не о себе... Маргарет!..

Из задумчивости меня вывел уверенный голос мистера Трелони:

— Теперь нам нужно заняться лампами и закончить приготовления.

Мы взялись за работу, и под его руководством подготовили египетские лампы. Мы убедились, что все они заполнены кедровым маслом, проверили, везде ли есть фитили, правильно ли они вставлены. Для проверки мы зажгли лампы одну за другой. Теперь они были готовы гореть и светить одновременно и равномерно. Когда все было закончено, мы осмотрелись, бросив последний взгляд на место проведения Эксперимента, и убедились, что все готово к ночи.

Все это заняло немало времени, и мы удивились, когда вышли из пещеры и услышали, как большие часы в холле пробили четыре.

Мы пообедали, в наших запасах оставалось еще много еды, после чего, по предложению мистера Трелони, разошлись по комнатам, чтобы каждый мог подготовиться к напряженной ночной работе. Маргарет выглядела усталой и бледной, и я посоветовал ей лечь и попытаться выспаться. Она пообещала, что так и сделает. Отрешенность, которая в течение всего дня периодически охватывала ее, на какое-то время отступила, и она нежно, как прежде, поцеловала меня на прощание! Окрыленный счастьем, я вышел из дому, чтобы побродить по утесам. Я ни о чем не хотел думать. У меня возникло ощущение, что свежий воздух, Божий свет и бесконечная красота всего, что сотворено руками Его, лучше всего подготовят меня к событиям этой ночи.

Когда я вернулся, вся наша команда уже собралась, чтобы выпить чаю. Общение с природой подняло мое настроение, и мне показалось почти смешным, что мы (те, кто приближался к эксперименту столь странному, почти ужасному) все еще зависели от потребностей и привычек повседневной жизни.

Все мужчины были серьезны; время, проведенное в одиночестве, если и принесло отдых, заставило также лишний раз задуматься. Маргарет была полна энергии, почти жизнерадостна. Но я не видел в ней ее непосредственности. Ко мне она относилась сдержанно, что опять оживило некоторые мои подозрения. Когда закончилось чаепитие, она вышла из комнаты и через минуту вернулась со свернутыми в трубку чертежами, которые брала днем. Подойдя к мистеру Трелони, она сказала:

— Отец, я обдумала все, что вы говорили сегодня о тех солнцах, сердцах и «Ка», изображения которых имеют тайный смысл, и еще раз внимательно изучила рисунки.

— И каков же результат, дитя мое? — поинтересовался мистер Трелони.

— Есть еще один вариант прочтения!

— А именно? — в его голосе послышались тревожные нотки. Маргарет ответила странным голосом: подобный тон обычно характерен для того, кто абсолютно уверен в своей правоте:

— На закате «Ка» войдет в «Аб» и покинет его только с восходом солнца!

— Продолжай! — хрипло произнес отец.

— Имеется в виду, что этой ночью Двойник царицы, который всегда находится в свободном состоянии, останется в ее сердце, которое смертно и не может вырваться за пределы грудной клетки мумии. Это означает, что, когда солнце опустится в море, царица Тера до восхода перестанет быть мыслящей силой, если, конечно, Великий эксперимент не оживит ее. То есть ни вам, ни всем остальным нечего ее бояться. Чем бы ни закончился Великий эксперимент, ничто не может угрожать нам со стороны несчастной, беспомощной, мертвой женщины: она столько столетий ждала этой ночи, пожертвовала вечной свободой, завоеванной в прежней жизни, ради момента обретения новой жизни в новом мире, которой она так страстно желала!..

Внезапно она умолкла. По мере того как она говорила, ее голос становился все более жалобным, в конце почти умоляющим, что очень тронуло меня. До того, как она отвернулась, я успел заметить слезы в ее глазах.

Сердце отца на этот раз не откликнулось на чувства дочери. Мистер Трелони смотрел на нее как бы свысока и с непреклонной уверенностью, что напомнило мне выражение, застывшее на его лице, когда он неподвижно лежал в трансе. Он никак не попытался утешить боль дочери, вызванную сочувствием к Тере. Он лишь сказал:

— Сегодня ночью у нас будет возможность убедиться в правильности твоих предположений и в ее чувствах! — с этими словами он направился вверх по каменным ступеням в свою комнату. Маргарет проводила его тревожным взглядом.

Странно, тревога Маргарет всегда задевала меня за живое, но на этот раз этого не случилось.

После ухода мистера Трелони в комнате воцарилась тишина. Не думаю, что кому-то из нас в ту минуту хотелось говорить. Некоторое время спустя Маргарет направилась в свою комнату, а я вышел на террасу, нависающую над морем. Свежий воздух и красота окружающей природы помогли мне восстановить хорошее настроение. На самом деле я даже был рад, что теперь можно не бояться проявления насилия со стороны царицы. Я настолько доверял убеждениям Маргарет, что мне и в голову не приходило усомниться в истинности ее рассуждений. На душе у меня стало так легко, в моей голове роились такие радужные мысли, что я в приподнятом настроении отправился в свою комнату, лег на софу и спокойно заснул.

Меня разбудил взволнованный крик Корбека:

— Спускайтесь в пещеру как можно скорее. Мистер Трелони хочет, чтобы мы все немедленно там собрались. Торопитесь!

Я вскочил на ноги и ринулся в пещеру. Все уже были там, кроме Маргарет, которая появилась сразу после меня, с Сильвио на руках. Кот, едва увидев своего давнего врага, тут же попытался спрыгнуть на пол, но Маргарет удержала его, успокаивая. Я посмотрел на свои часы. Было почти восемь.

Когда Маргарет присоединилась к нам, ее отец тут же заговорил. Его голос звучал спокойно, но требовательно, раньше я такого за ним не замечал:

— Маргарет, ты считаешь, что царица Тера по своей воле пожертвует свободой сегодня ночью? Станет обычной мумией и ничем большим, пока не закончится эксперимент? Полностью потеряет всю свою силу до того момента, пока не завершится акт воскресения или же попытка не закончится провалом?

Немного помолчав, Маргарет тихо ответила:

— Да!

За время, прошедшее между вопросом и ответом, вся ее сущность, ее внешний вид, выражение лица, голос, то, как она держалась, — все изменилось. Это заметил даже Сильвио: сделав отчаянный рывок, он вырвался из рук хозяйки. Она как будто даже не заметила этого. Я подумал, что кот, получив свободу, набросится на мумию, но на этот раз этого не случилось. Казалось, он боится приблизиться к ней. Больше того, он отскочил в противоположную сторону, с жалобным «мяу» подбежал ко мне и принялся тереться о мои ноги. Я поднял его на руки, и там он, успокоившись, уютно устроился. Мистер Трелони заговорил снова:

— Ты уверена в своих словах? Ты безгранично веришь в это?

Лицо Маргарет утратило выражение отрешенности, напротив, теперь оно светилось энергией, как у человека, которому предназначено говорить о великом. Ее голос был ровным, но несколько взволнованным:

— Я это знаю! Моя уверенность переходит за пределы веры!

Мистер Трелони снова обратился к ней:

— Значит, ты настолько уверена, что, окажись на месте царицы Теры, ты согласилась бы доказать это любым способом, который бы я предложил?

— Да, любым способом! — прозвучал бесстрашный ответ. В словах, последовавших за этим, не было ни тени сомнения:

— Даже если придется обречь своего духа-хранителя на смерть, на полное исчезновение!

Она молчала. Я увидел, что в эту секунду она испытывает ужасные страдания. Она смотрела на нас, как загнанное животное смотрит на охотников. Для меня было невыносимо видеть любимую девушку в таком состоянии, я уже готов был вмешаться, но тут мой взгляд встретился с жестким и решительным взглядом ее отца. Я как завороженный молча замер, так же как и остальные. Мы стали свидетелями чего-то невероятного!

В несколько огромных шагов мистер Трелони приблизился к западной стене пещеры и отодвинул защищавшие окно ставни. Внутрь ворвался холодный ветер, и солнечный свет озарил обоих: Маргарет уже успела подойти к отцу. С каменным лицом он указал на солнце, которое исчезало за морем, золотом окрашивая все вокруг. Голосом настолько твердым и непреклонным, что его эхо будет звучать в моих ушах до конца дней, он произнес:

— Решайся! Говори! Когда солнце скроется за горизонтом, будет уже слишком поздно!

Сияние уходящего солнца озарило лицо Маргарет, которое, кажется, само начало светиться изнутри каким-то возвышенным светом. Она ответила:

— Да, даже тогда!

Затем, подойдя к мумии кошки, которая стояла на маленьком столике, она прикоснулась к ней. В тот миг, когда она вышла из солнечного света, вокруг нее как будто начали сгущаться тени. Четко произнося каждое слово, она сказала:

— Если бы я была Терой, я бы сказала: «Возьмите все, что у меня есть! Эта ночь для Бога!»

Как только прозвучали эти слова, солнце скрылось за горизонтом, и холодная темнота внезапно обрушилась на нас. Какое-то время никто не шевелился. Сильвио выпрыгнул из моих рук и бросился к своей хозяйке. Он встал на задние лапы, опираясь передними на ее платье, как будто просил, чтобы его подняли. На мумию он не обращал никакого внимания.

Маргарет была прекрасна. В ту минуту от нее невозможно было оторвать глаз. Она печально произнесла:

— Солнце скрылось, отец! Увидит ли кто-нибудь из нас его снова? Ночь испытаний настала!

ГЛАВА XIX

Великий эксперимент

Акт добровольного отречения, совершенный царицей Терой, как мы считали, через Маргарет, за считанные минуты произвел в нас такие перемены, которые свидетельствовали о том, что никто из нас больше не сомневался в духовном существовании египетской царицы. За то время, что мистер Трелони лежал, погруженный в транс, ожидание надвигающейся беды успело проникнуть в наше сознание, поэтому и сейчас невозможно было отделаться от ощущения приближающегося страшного испытания, но все вели себя так, будто почувствовали огромное облегчение. Не пережив подобного, никто не знает, каково это — постоянно ощущать приближение неведомой опасности, которая может прийти в любую минуту, с любой стороны.

Перемена в каждом сказалась по-своему, в зависимости от характера человека. Маргарет была печальна. Доктор Винчестер в приподнятом настроении внимательно наблюдал за всем вокруг; получивший новый заряд энергии мыслительный процесс, который служит противоядием от страха, подогрел его интерес к происходящему. Мистер Корбек скорее был погружен в воспоминания о прошлом, чем задумался о предстоящем. Обо мне можно сказать, что я пребывал в радостном настроении благодаря тому, что избавился от переживаний, связанных с Маргарет.

Что же касается мистера Трелони, он, похоже, изменился меньше остальных. Возможно, это и не должно было удивлять, ведь он столько лет намеревался воплотить в жизнь то, что сегодня наконец должно было свершиться, и любое событие, связанное с этим, воспринималось им лишь как очередной шаг на этом пути. Таков уж был его характер, для него главным являлось достижение цели, а все остальное отходило на второй план. Даже сейчас, когда утихло волнение и его суровость несколько спала, он не проявлял нерешительности или слабохарактерности. Он пригласил всех мужчин следовать за ним. Мы отправились в холл, там у стены стоял дубовый стол, довольно длинный, но не слишком широкий. Мы не без труда спустили его в пещеру, где и установили в самом центре под батареей электрических ламп. Маргарет какое-то время наблюдала за нашими действиями, но потом ее лицо вдруг побледнело, и она взволнованно спросила:

— Что вы собираетесь делать, отец?

— Снять с мумии кошки бинты! Царице Тере сегодня ночью не понадобится ее дух-хранитель. Если бы она решила обратиться к нему, это могло бы оказаться опасным для нас, и этого надо избежать. Тебя это беспокоит, дорогая?

— О нет! — поспешила ответить она. — Я просто подумала о Сильвио и о том, что бы я чувствовала, если бы он был этой мумией, которую вы собираетесь разбинтовать.

Ножи и ножницы уже были готовы, и мистер Трелони поставил мумию на стол. Начало нашей сегодняшней работы оказалось довольно мрачным. Мое сердце сжалось при мысли о том, что в следующую минуту может произойти в этом уединенном доме, окутанном ночной темнотой. Грохот волн, обрушивающихся на скалы внизу, и завывания разбушевавшегося ветра усиливали чувство одиночества и отрезанности от окружающего мира. Но предстоящее дело было слишком серьезным, чтобы что-то могло заставить нас отказаться от него.

Бинтов было очень много, а ужасный резкий звук, с которым каждая полоса материи отрывалась от другой (они были прочно склеены составом из битума, смол и душистых веществ), и поднявшееся облако едкой рыжей пыли сделали обстановку еще более напряженной. Когда была снята последняя полоса, мы увидели на столе сидящее животное, которое хорошо сохранилось: на месте были шерсть, все зубы и когти. Глаза были закрыты, но, вопреки моим ожиданиям, это не придавало ему свирепого выражения. Усы были прижаты к голове повязками, но, как только их сняли, они приняли такое положение, в каком находились при жизни. Это было прекрасное животное, крупный сервал. Однако при более пристальном взгляде на него наше восхищение сменилось ужасом, волосы зашевелились на наших головах: наши страхи подтвердились!

Его пасть и когти были испачканы засохшими красными пятнами крови, которые явно появились недавно!

Доктор Винчестер первым пришел в себя. Сам по себе вид крови его не слишком испугал. Достав увеличительное стекло, он принялся изучать пятна. Мистер Трелони глубоко вздохнул, будто с его плеч свалился тяжкий груз.

— Я так и думал, — сказал он. — Это хороший знак для нас.

Доктор Винчестер уже приступил к осмотру окровавленных лап. «Я так и предполагал! — сказал он. — У него тоже семь когтей!» Раскрыв свою записную книжку, он достал лист промокательной бумаги с отпечатком лапы Сильвио и с карандашной зарисовкой порезов, оставленных на запястье мистера Трелони, и положил лист под лапу сервала. Совпадение было идеальным.

Когда мы закончили осмотр животного (в общем, ничего необычного в нем не было, за исключением прекрасного состояния, в котором сохранилась мумия), мистер Трелони поднял его со стола. Маргарет тут же подалась вперед и воскликнула:

— Осторожнее, отец! Осторожнее! Он может поранить вас!

— Сейчас уже не сможет, дорогая моя! — сказал он, направляясь к лестнице.

Ее лицо приняло трагический вид. Слабым голосом она спросила:

— Куда вы его несете?

— На кухню, — ответил он. — Огонь оградит нас от всех опасностей в будущем. Даже астральное тело не может материализоваться из пепла!

С этими словами он сделал нам знак следовать за ним. Не в силах сдержать слезы, Маргарет отвернулась. Я направился было к ней, но она показала жестом, чтобы я не подходил, и прошептала:

— Нет, нет! Идите с остальными, вы можете быть нужны отцу. О! Это ужасно! Царица его так любила!..

Из-под пальцев, которыми она закрывала глаза, потекли ручейки слез.

На кухне уже были приготовлены дрова. Мистер Трелони поднес к ним спичку. Через несколько секунд огонь охватил дерево и вверх взметнулись языки пламени. Когда огонь достаточно разгорелся, он бросил в него тело кота. Несколько секунд оно лежало темной массой посреди огня, и помещение наполнилось запахом паленой шерсти. Потом иссушенная плоть вспыхнула. Легко воспламеняющиеся вещества, которые использовались для бальзамирования, добавили огню силы, и пламя заревело. Несколько минут буйства огня, и мы вздохнули спокойно. Духа-хранителя царицы Теры больше не существовало!

Вернувшись в пещеру, мы увидели Маргарет, сидевшую в темноте. Она выключила электричество, и лишь слабый вечерний свет пробивался через узкие щели в стенах. Ее отец поспешил к ней и нежно обнял. Она склонила голову на его плечо и, кажется, успокоилась. Через минуту она обратилась ко мне:

— Малькольм, включите свет!

Я выполнил ее просьбу. Теперь стало видно, что пока нас не было, она плакала, но ее глаза уже успели высохнуть. Отец тоже это заметил и был рад. Строгим голосом он обратился к нам:

—Теперь нужно сделать самое главное. Нельзя ничего оставлять на последнюю минуту!

Маргарет, кажется, начала подозревать, что имеет в виду ее отец, потому что еле слышно спросила:

— Что вы теперь собираетесь сделать?

Мистер Трелони, похоже, тоже догадался, что она сейчас чувствует, и тихо ответил:

— Снять бинты с мумии царицы Теры!

Она поднесла свое лицо близко к нему и умоляюще прошептала:

— Отец, вы не сделаете этого! Вы же мужчины... И при дневном свете!

— Но почему, дорогая?

— Отец, подумайте, она ведь женщина! Одна! В таком месте! А вы хотите так поступить с ней! О, это просто жестоко! Жестоко!

Было видно, как она взволнована. Ее щеки горели огнем, а глаза наполнились слезами от возмущения. Отец не мог остаться равнодушным к переживаниям дочери; чтобы уменьшить боль, он обнял ее крепче и погладил по голове. Я решил выйти, но мистер Трелони сделал мне знак остаться. Мне показалось, что он хотел утешить дочь и, как большинство мужчин, не прочь был переложить этот труд на другого. Однако он начал с того, что воззвал к здравому смыслу:

— Не женщина, дорогая, мумия! Она мертва уже почти пять тысяч лет!

— Это ничего не меняет! Пол не зависит от количества лет! Женщина остается женщиной и после пяти тысяч веков! Вы же хотите, чтобы она проснулась! Если можно проснуться, значит, это не настоящая смерть! Вы же сами заставили меня поверить, что она оживет, когда откроется ларец!

— Это верно, моя дорогая, и я сам в это верю! Но если все это время она не была мертва, то находилась в состоянии, чрезвычайно напоминающем смерть. К тому же, вспомни, ее бальзамировали именно мужчины. Дорогая моя, в Древнем Египте не знали о равноправии полов, там не было женщин-врачей! И, кроме того, — продолжил он более спокойным голосом, видя, что она если и не соглашалась, то, по крайней мере, не возражала против его доводов, — все мы привычны к подобным вещам. Корбек и я раскрывали сотни мумий, и среди них женщин было не меньше, чем мужчин. Доктор Винчестер имел дело со столькими мужчинами и женщинами, что уже и не думает о разнице. Даже Росс, работая адвокатом...

Вдруг он замолчал.

— Вы тоже собирались в этом участвовать? — негодующе обратилась она ко мне.

Я не ответил. Мне показалось, что сейчас лучше промолчать, а мистер Трелони поспешно продолжил, и я заметил, что он обрадовался внезапной паузе, потому что упоминание об обязанностях адвоката сейчас было довольно сомнительным аргументом.

— Дитя мое, ты и сама будешь рядом с нами. Разве мы стали бы делать что-нибудь, что могло бы навредить или обидеть тебя? Ну же! Будь благоразумной! Мы занимаемся этим не ради удовольствия! Мы серьезные люди, занятые важным делом, которое может приоткрыть тайны мудрости древних и бесконечно увеличить знания человечества, заставить взглянуть на мир по-новому. Этот эксперимент, — его голос набирал силу, — может закончиться смертью любого из нас... всех нас! Мы же помним, какие ужасные вещи происходили раньше, и знаем, что и нас могут ожидать страшные опасности, и возможно, никто из присутствующих здесь уже никогда снова не увидит солнечный свет. Поверь, дитя мое, никто из нас не будет совершать необдуманных поступков, мы все очень ответственно относимся к этому делу. К тому же, что бы ни чувствовала ты или кто-либо из нас, для успешного завершения дела необходимо раскрыть ее. Я уверен, что в любом случае потребуется снять бинты еще до того, как она из трупа, наделенного духом и астральным телом, превратится в живого человека. Если все ее инструкции будут выполнены, а в момент воскресения на ней останутся бинты, ее саркофаг станет для нее могилой, и она может умереть, как умирает погребенный заживо! Но сейчас, когда она добровольно отказалась от своей астральной силы, мы не должны испытывать никаких сомнений.

Лицо Маргарет прояснилось.

— Хорошо, отец! — сказала она, поцеловав его. — Но все равно, все это ужасное унижение царицы... женщины.

Я направился к лестнице, когда она окликнула меня:

— Куда вы?

Я вернулся к ней и взял ее за руку.

— Я приду, когда бинты будут сняты!

Она внимательно посмотрела на меня. Ее губы тронула улыбка, когда она сказала:

— Может, вам тоже стоит остаться? Вам как адвокату это, пожалуй, пригодится!

Когда ее глаза встретились с моими, она уже широко улыбалась, но через секунду ее лицо сделалось серьезным и побледнело. Едва слышным голосом она произнесла:

— Отец прав! Это очень опасное дело, нельзя относиться к этому несерьезно. Но все равно... нет, именно по этой причине вам лучше быть там, Малькольм! В будущем вы будете жалеть, если сегодня ночью не останетесь со всеми!

От ее слов сердце замерло у меня в груди, но я ничего не сказал. Страх уже и так заполнил этот дом.

В это время мистер Трелони с помощью мистера Корбека и доктора Винчестера уже снял крышку каменного саркофага, в котором лежала мумия царицы. Она была очень большой. Длина и ширина мумии казались невероятными. К тому же она была такой тяжелой, что даже нам, четверым мужчинам, с трудом удалось приподнять ее, чтобы вынуть из саркофага. Следуя указаниям мистера Трелони, мы положили ее на специально подготовленный стол.

Тогда (и это был единственный раз) меня охватил настоящий ужас. Там, освещенное ярким светом, перед нами лежало материальное воплощение смерти, отвратительное и удивительно реальное. Верхние бинты, изодранные и ветхие, в некоторых местах потемнели от пыли, а кое-где, истершись, стали светлыми. Они выглядели измятыми как будто от неаккуратного обращения. Их неровные края походили на бахрому. Рисунки на них сохранились не полностью, лак потрескался. Невероятные размеры фигуры объяснялись тем, что бинты были намотаны в много слоев. Но под всем этим проглядывало человеческое тело, которое казалось еще более жутким оттого, что было скрыто от глаз. Перед нами была сама смерть, и ничто другое. Романтика ушла, фантазий не осталось. Двое старших мужчин, которым уже не раз приходилось заниматься подобной работой, не теряли самообладания, а доктор Винчестер, кажется, старался воспринимать происходящее с профессиональной точки зрения, как будто находился у операционного стола. Но я был подавлен и жалок. К тому же мне было стыдно, и мне не давала покоя мертвенная бледность Маргарет.

Наконец мы приступили к работе. Опыт с кошачьей мумией немного подготовил меня, но на этот раз работы было больше, и она требовала несоизмеримо большего внимания. Еще одним отличием было то, что вдобавок к постоянному ощущению присутствия смерти невозможно было забыть, что мы имеем дело с человеческим телом, и это требовало к себе особого отношения. Для бальзамирования кота применялись более грубые материалы и вещества, но здесь, когда были сняты верхние бинты, стало видно, что все сделано намного тщательнее и аккуратнее. Похоже, здесь использовались только лучшие смолы и ароматические вещества. Впрочем, общее впечатление от процесса было точно таким же, как и в первый раз: то же облако рыжей пыли, тот же резкий запах битума, тот же отвратительный звук рвущихся бинтов. А их было несметное количество. С каждым снятым бинтом мое волнение все возрастало. Сам я не принимал непосредственного участия в этом процессе. Маргарет посмотрела на меня благодарно, когда я отступил от стола. Мы взялись за руки и крепко сжали их. Каждый последующий слой бинтов был изготовлен из более дорогого материала; по мере их снятия запах все меньше напоминал битум и становился все острее. Это, по-моему, каким-то образом подействовало на всех нас, но не помешало заниматься делом; работа не прерывалась. На некоторых из нижних бинтов были символы или рисунки. Некоторые из них были выполнены бледно-зеленой краской, а некоторые — раскрашены в разные цвета, но основным цветом был зеленый. Мистер Трелони и мистер Корбек то и дело обращали наше внимание на какой-нибудь особо примечательный рисунок, прежде чем положить очередной кусок ткани на груду, выросшую уже до невероятных размеров.

Кажется, бинты закончились, осталось снять последние повязки. Теперь пропорции фигуры уменьшились до нормальных размеров, и мы увидели, что царица чуть выше среднего роста. Чем меньше бинтов оставалось на ее теле, тем бледнее становилась Маргарет, а сердце ее билось все чаще. Ее дыхание так участилось, что я начал побаиваться за нее.

Снимая последнюю повязку, ее отец случайно поднял глаза и встретился с ее беспокойным взглядом, исполненным страдания. Его рука на какое-то время замерла, и он, дабы не оскорбить дочь какой-либо неблагопристойностью, успокаивающим тоном произнес:

— Не переживай, дорогая! Тебе нечего бояться! Вот видишь, на ней платье... да какое чудесное!

Последняя повязка была широкой полосой материи во всю длину тела. Когда ее сняли, показалось широкое платье из белого материала, закрывавшее тело от горла до ступней.

Что это было за платье! Мы все наклонились, чтобы получше его рассмотреть. Даже Маргарет забыла о своем волнении, проявив характерный для женщин интерес к красивым вещам. Тут было чем восхищаться, ибо можно сказать наверняка, что ни одному человеку, живущему в наше время, еще не доводилось видеть подобного! Ткань была нежнее самого нежного шелка. Она лежала изумительными складками, несмотря на то что сверху была придавлена бинтами и за тысячи лет затвердела.

Тончайшая вышивка, выполненная вокруг шеи золотыми нитями, представляла тонкие ветки сикомора, а на подоле, в самом низу, в том же стиле был изображен ряд лотосов, причем разной высоты, повторяя все этапы их естественного развития в природе.

Поперек тела, но не обвивая его, лежал пояс из драгоценных камней. Этот удивительный пояс сиял всеми цветами неба!

Пряжка была сделана из огромного желтого камня, круглого и глубокого. Он напоминал сдавленный мяч из упругого материала. Камень сверкал и переливался, словно внутри него было заключено настоящее солнце, лучи которого пробивались наружу и освещали все вокруг. По бокам от него были два великолепных лунных камня меньшего размера, чей блеск, несмотря на сверкание солнечного камня, напоминал лунный свет, озаряющий ночное небо. С обеих сторон к ним изящными золотыми застежками прикреплялась полоса искрящихся разными цветами драгоценных камней. Казалось, что внутри каждого из этих камней пряталась мерцающая и переливающаяся звезда.

Маргарет в восхищении всплеснула руками. Она низко наклонилась, чтобы лучше рассмотреть пояс, но внезапно отпрянула и выпрямилась во весь рост. Сказанные ею слова были произнесены с полной уверенностью:

— Это не погребальная одежда! Это платье предназначено не для погребения. Это свадебное платье!

Мистер Трелони склонился и протянул руку к платью. Он отвернул одну из складок у шеи, и по его быстрому и глубокому вздоху я понял, что его что-то удивило. Он еще немного приподнял материю и тоже отступил назад. Указывая рукой, он сказал:

— Маргарет права! Это платье предназначено не для мертвого! Смотрите, оно не надето на тело, а только покрывает его.

Он поднял пояс из камней и передал его Маргарет. Потом двумя руками подхватил платье и накинул его на руки Маргарет, которая машинально протянула их вперед. Вещи такой красоты имеют слишком большую ценность и заслуживают бережного обращения.

Открывшаяся нашим взорам полностью обнаженная фигура была воистину прекрасна. Лишь ее лицо оставалось закрытым. Мистер Трелони нагнулся и слегка дрожащими руками поднял кусок материи, изготовленный из того же материала, что и платье. Когда он отступил и вся блистательная красота царицы открылась взору, я почувствовал, что меня охватил стыд. Так не должно быть! Мы не должны были находиться здесь и, забыв о приличии, рассматривать эту ничем не прикрытую красоту. Это непристойно! Это святотатство! Но тем не менее, неземная красота казалась чудом. Ничего общего со смертью здесь не было, это больше напоминало статую, вырезанную из слоновой кости рукой Праксителя. Смерть не лишила тело его форм. Оно не стало сморщенным и твердым, как у большинства мумий. Не было высохшим, как тело, долго пролежавшее в горячем песке (такие мне доводилось видеть раньше в музеях). Все поры тела каким-то чудесным образом полностью сохранились. Плоть имела округлые формы и была мягкой, как у живого человека, кожа — гладкой, как атлас. Ее цвет был восхитительным. Она походила на слоновую кость, молодую слоновую кость, везде, кроме правой руки, сейчас истерзанной и в пятнах крови, с отсутствующей кистью, которая лежала в саркофаге, не покрытая бинтами столь много веков, открытая внешним воздействиям.

Поддавшись женскому порыву, Маргарет с опущенными уголками рта и пылающими от гнева и жалости щеками набросила прекрасное платье, лежавшее у нее на руках, на тело, оставив открытым только лицо. Но это лицо было еще более поразительным, чем тело, потому что напоминало лицо живого человека. Веки были закрыты, черные длинные изгибающиеся ресницы лежали на щеках. Гордо очерченные ноздри были недвижимы, но такая неподвижность, если ее замечаешь на живом лице, выглядит величественнее, чем на лике смерти. Полные ярко-красные губы слегка приоткрывали ряд жемчужных зубов, хотя рот не был раскрыт. Ее волосы, удивительно густые и блестящие, цвета воронова крыла, были уложены пышными локонами вокруг белого лба, на который как будто случайно сбились несколько вьющихся прядей. Меня поразило ее сходство с Маргарет, хотя я и готовился увидеть подобное, памятуя слова мистера Трелони в пересказе мистера Корбека. Эта женщина (у меня язык не поворачивался назвать ее мумией или трупом) удивительно напоминала такую Маргарет, какой она была, когда я впервые увидел ее. Сходство усиливалось драгоценным украшением, которое было в ее волосах — точно такой же «диск с перьями» носила и Маргарет. Это украшение тоже было удивительной красоты: огромная жемчужина, сияющая призрачным лунным светом, в окружении резных кусочков лунного камня.

Мистер Трелони, похоже, был сражен наповал. Он казался несчастным и растерянным, и когда Маргарет подошла к нему, крепко обняла и попыталась успокоить, я услышал, как он неровным голосом прошептал:

— Она выглядит, как будто это ты мертвая, девочка моя!

Надолго застыла тишина. Лишь снаружи доносились яростные звуки волн, разбивающихся о берег далеко внизу, и рев ветра, который уже превратился в бурю. Голос мистера Трелони вывел нас из оцепенения:

— Позже нам нужно будет попытаться выяснить, каким способом забальзамировано тело. Ничего подобного я раньше не встречал. Не видно, чтобы где-то сделан разрез для извлечения внутренностей и органов, так что, судя по всему, они остались внутри тела. Однако жидкости в теле нет, вместо нее каким-то образом очень аккуратно в вены введено неизвестное вещество, похожее на воск или стеарин. Интересно, возможно ли, чтобы они в те времена могли использовать парафин? Может быть, они каким-то не известным нам способом смогли закачать его в вены, где он и затвердел?

Маргарет, накинув белое покрывало на тело царицы, попросила нас отнести его в ее комнату, что мы и сделали, положив его там на кровать. Потом она попросила нас уйти, сказав:

— Оставьте ее со мной. Нам все равно еще придется ждать несколько часов, а я не хочу, чтобы она оставалась там одна и лежала обнаженная под светом ламп. Может быть, она готовилась к свадьбе... свадьбе со Смертью, и, по крайней мере, пусть на ней будет ее нарядное платье.

Когда спустя некоторое время она пригласила меня зайти в ее комнату, мертвая царица уже была одета в свое прекрасное белое платье с золотой вышивкой, все ее драгоценные украшения также были на месте. Вокруг стояли зажженные свечи, а на ее груди лежали белые цветы.

Какое-то время мы стояли рука об руку, глядя на нее. Потом, вздохнув, Маргарет накрыла тело одной из своих белоснежных простыней и отвернулась. Аккуратно закрыв за собой дверь комнаты, она направилась со мной в гостиную, где к тому времени собрались все остальные. Там мы принялись обсуждать все, что произошло, и что нас ждало впереди.

Время от времени я замечал, что кому-то приходилось что-то говорить лишь для того, чтобы разговор не заглох, как будто все мы потеряли уверенность в себе. Длительное ожидание начинало сказываться на наших нервах. Для меня было очевидным, что мистер Трелони пострадал от этого транса больше, чем мы думали или чем он пытался показать. И правда, его сила воли и решительность остались прежними, но физически он явно ослабел. Да это и понятно: никто не может после четырех дней, проведенных без сознания, полностью сохранить свои силы.

Время текло все медленнее и медленнее. Мои друзья незаметно начали ощущать сонливость. Я подумал, что у мистера Трелони и мистера Корбека, которым уже доводилось испытывать на себе гипнотическое воздействие царицы, возможно, тоже все начиналось с вот такой дремоты? Доктор Винчестер время от времени впадал в состояние расслабленности, причем чем дальше, тем это случалось все чаще и все больше затягивалось.

Что касается Маргарет, напряжение сильно сказалось на ней, что и неудивительно для женщины. Ее лицо как будто теряло последние капли крови, становилось все бледнее и бледнее, пока, наконец, где-то около полуночи ее состояние взволновало меня всерьез. Я пригласил ее пройти со мной в библиотеку, где предложил ей ненадолго прилечь на диван. Поскольку мистер Трелони решил, что эксперимент состоится ровно в седьмой час после захода солнца, великое действо начнется ровно в три часа утра. Даже если отвести целый час на окончательную подготовку, нам предстояло ждать еще два часа, поэтому я пообещал Маргарет, что разбужу ее в любое время, которое она назовет. Но она отказалась, вежливо поблагодарив меня и нежно улыбнувшись. Она заверила меня, что ей совсем не хочется спать и она полностью держит себя в руках; что бледность ее вызвана лишь неопределенностью и волнением из-за ожидания. Волей-неволей мне пришлось согласиться, но еще на час я занял ее разговорами на самые разнообразные темы: так что, когда она настояла на том, что пора возвращаться в комнату отца, я подумал, что, по крайней мере, помог ей скоротать время.

Троих мужчин мы застали терпеливо сидящими в полном безмолвии. С присущей мужчинам силой духа они оставались спокойными от осознания того, что уже сделано все, что было в их силах. Итак, ожидание продолжилось.

Звук часов, пробивших два, взбодрил нас. Какие бы призрачные тени ни витали над нами в течение последних долгих часов ожидания, все они исчезли в одну секунду, и все живо приступили к исполнению своих обязанностей. Первым делом мы проверили, закрыты ли все окна, и подготовили респираторы, чтобы они были под рукой, когда придет время. Мы с самого начала договорились использовать их, поскольку подозревали, что, когда будет открыт магический ларец, из него могут выделяться какие-нибудь ядовитые испарения. Никому как-то не приходило в голову усомниться в том, что ларец будет открыт.

Потом под руководством Маргарет мы вынесли тело царицы Теры в комнату ее отца и уложили там на кушетку.

Мы прикрыли его легким покрывалом, чтобы царица, проснувшись, могла легко сбросить его. Оторванная кисть была возвращена на свое изначальное место на ее груди, а под нее мистер Трелони положил украшение семи звезд, которое достал из большого сейфа. Оказавшись на своем месте, оно в ту же секунду как будто вспыхнуло и засияло.

Удивительное зрелище представляла собой группа серьезных мужчин, молча выносящих на своих руках накрытую белым покрывалом застывшую фигуру цвета слоновой кости, которая напоминала статую. Мы уложили ее на кушетку в другом помещении, где в самом центре под ярким светом электрических ламп стоял большой саркофаг, готовый к последнему эксперименту, являвшему собой логическое завершение исследований, которому посвятили жизни два ученых-путешественника. К тому же удивительное сходство Маргарет с мумией, которое подчеркивалось ее необыкновенной бледностью, делало все происходящее еще более странным. На то, чтобы все установить на свои места, у нас ушло три четверти часа — каждое движение было тщательно продумано и выполнялось с величайшей осторожностью. Маргарет сделала мне знак идти за ней, мы вместе вышли и отправились в ее комнату за Сильвио. Он, урча, подбежал к своей хозяйке, она подняла его и передала мне. Затем она сделала такое, что произвело на меня глубокое впечатление и напомнило о том, каким на самом деле страшным был эксперимент, в котором мы принимали участие. Одну за другой она аккуратно задула все свечи и положила их на место. Покончив с этим, она обратилась ко мне:

— Они сослужили свою службу. Каким бы ни был исход — жизнь или смерть, — больше они нам не понадобятся.

После этого она взяла Сильвио, крепко прижала его к груди, где он принялся урчать еще громче, и мы направились обратно в комнату. Закрывая за собой дверь, я вдруг совершенно отчетливо ощутил, что решающий момент настал. Назад пути нет! Мы надели респираторы, и каждый занял свое место согласно намеченному заранее плану. Я должен был стоять у двери рядом с выключателями электрических ламп и по указанию мистера Трелони включать или выключать их. Доктор Винчестер должен был оставаться за кушеткой, чтобы не находиться между мумией и саркофагом. Ему предназначалось внимательно наблюдать за тем, что будет происходить с царицей. Маргарет следовало быть рядом с доктором, она держала Сильвио в руках и была готова посадить его на кушетку или где-то рядом, когда посчитает это необходимым. Мистер Трелони и мистер Корбек отвечали за лампы. Когда стрелки часов приблизились к назначенному часу, они замерли рядом с лампами с зажженными фитилями в руках.

Бой серебряного колокола часов зазвучал, как трубный глас, возвещающий начало страшного суда. Раз! Два! Три!

Между вторым и третьим ударами загорелись лампы, а я выключил электрический свет. После яркого электрического освещения в свете дрожащих огней ламп все пространство, и то, что находилось в нем, вдруг стало другим, приняло причудливые формы. Мы замерли. Мое сердце бешено колотилось, и я могу поклясться, что в ту минуту я слышал, как бьются сердца всех остальных.

Секунды тянулись невыносимо долго. Весь мир, казалось, остановился. Фигуры остальных были плохо различимы, лишь белое платье Маргарет отчетливо виднелось в полумраке. Массивные респираторы, которые мы надели, придавали нам еще более странный вид. Тусклый свет ламп выхватывал из темноты квадратную нижнюю челюсть вместе с решительно сжатыми губами мистера Трелони и смуглое чисто выбритое лицо мистера Корбека. Их глаза блестели. В другом от меня конце помещения подобно звездам в ночном небе мерцали глаза доктора Винчестера. Глаза Маргарет полыхали, как два черных солнца, а глаза Сильвио походили на изумруды.

Разгорятся ли когда-нибудь эти лампы?

На самом деле прошло лишь несколько секунд до того, как лампы стали светить в полную силу. Их медленный, ровный свет становился все ярче и ярче, из голубого превращаясь в прозрачно-белый. Несколько минут лампы не производили никакого воздействия на ларец, но, наконец, вокруг него появилось слабое свечение. Оно постепенно усиливалось, пока не засверкало, как бриллиант, а потом стало напоминать живое существо, сама жизненная сущность которого заключалась в свечении. С замиранием сердца мы следили за этими переменами.

Внезапно прозвучал хлопок, напоминающий несильный приглушенный выстрел, и крышка ларца поднялась на несколько дюймов, отчего вся комната заполнилась ослепительным сиянием. Затем крышка ларца, которая находилась в неровном положении, приподняла ту сторону, которая была ниже, как будто уравновесившись. Ларец попрежнему сиял, но теперь из него пошел легкий зеленоватый дымок. Из-за респиратора я не мог четко разобрать запах, но ощутил его резкость. Потом дым стал сгущаться и повалил такими плотными клубами, что вскоре вся комната погрузилась во мглу. Я ощутил желание броситься к Маргарет, которая, еще не полностью скрытая дымом, стояла за кушеткой прямая, как струна. Тут я заметил, что доктор Винчестер упал. Но он не потерял сознание: он замахал рукой, предупреждая, чтобы к нему не приближались. К этому времени фигуры мистера Трелони и мистера Корбека стали почти неразличимы в дыму, который густыми колышущимися клубами сгущался вокруг них. Наконец, я перестал видеть кого бы то ни было. Ларец продолжал излучать свет, но лампы начали темнеть. Сначала мне показалось, что их свет уже не в силах был пробиться сквозь густой черный дым, но теперь я увидел, что они начали одна за другой гаснуть. Очевидно, они потухли так скоро из-за того, что горели чересчур ярко.

Я напряженно замер, ожидая в любую секунду услышать команду включить свет, но ничего не происходило. Пока гасли лампы, я, не решаясь двинуться с места, всматривался в зыбкие массы дыма, который все еще продолжал бить из сияющего ларца.

Наконец осталась гореть лишь одна из ламп, ее голубой свет был тусклым и мерцающим. Единственным, что теперь освещало комнату, был сияющий ларец. Все свое внимание я сосредоточил на Маргарет, теперь я больше всего переживал за нее, так как мог различить лишь светлое пятно ее платья за белой, покрытой саваном фигурой на кушетке. Сильвио был неспокоен, его жалобное мяуканье было единственным звуком, который нарушал тишину в комнате. Мгла становилась все плотнее и темнее, от едкого дыма не спасал уже и респиратор, дым забивал мне ноздри и глаза. Впрочем, сила, с которой дым исходил из ларца, кажется, пошла на убыль, он валил уже не такими плотными клубами. В противоположном от меня конце помещения, там, где стояла кушетка, я заметил движение какого-то светлого объекта. Что-то несколько раз вспыхнуло в тускнеющем свете (к тому времени сияние ларца начало быстро блекнуть). Я все еще слышал мяуканье Сильвио, но теперь оно доносилось откуда-то снизу, и через секунду я почувствовал, что кот энергично трется об мои ноги.

Потом исчез последний луч света, и в наступившей тьме египетской я мог различить лишь белые блики вокруг оконных ставней. Я почувствовал, что настало время подать голос, поэтому сорвал с лица респиратор и крикнул:

— Включить свет? — Ответа не последовало, и, пока густой дым не начал душить меня, я повторил вопрос, на этот раз громче: — Мистер Трелони, включить свет?

Он не ответил, но откуда-то издалека донесся звонкий и отчетливый голос Маргарет:

— Да, Малькольм!

Я повернул выключатель, и загорелись лампы. Но они казались лишь неяркими точками на фоне густого клубящегося дыма. При таком освещении что-либо увидеть было практически невозможно. Я бросился к Маргарет, ориентируясь на ее белое платье. Подбежав, я обнял ее и взял за руку. Понимая, насколько я взволнован, она успокоила меня:

— Со мной все в порядке.

— Слава Богу! — воскликнул я. — А как остальные? Скорее, надо открыть окна и проветрить помещение!

К моему удивлению, она заговорила как-то сонно:

— С ними ничего не случится. Все будет хорошо.

Не переставая удивляться, почему, что послужило основанием для такого вывода, я все же поднял нижние рамы всех окон и опустил верхние. Затем я распахнул дверь.

Через несколько секунд атмосфера в комнате заметно изменилась, поскольку густой черный дым начал уходить через окна. Потом электрические лампы засветили в полную силу, и я смог рассмотреть, что творилось вокруг. Все мужчины были без сознания. Рядом с кушеткой на спине лежал доктор Винчестер, как будто он упал навзничь и перевернулся; у дальней стороны саркофага лежали мистер Трелони и мистер Корбек, они упали на том же месте, где стояли. С облегчением я заметил, что все они, к счастью, глубоко дышали, будто пребывали в ступоре. Маргарет продолжала стоять за кушеткой. Поначалу мне показалось, что ее охватило какое-то оцепенение, но с каждой секундой сознание возвращалось к ней. Она помогла мне поднять отца и подтащить его к открытому окну. То же самое мы проделали и с остальными. Потом она принесла из столовой графин бренди. Мы всем по очереди влили в рот по нескольку капель. После того как я раскрыл окна, прошло не так уж много времени, когда все трое начали постепенно приходить в себя. До сих пор все мои мысли и действия были направлены на помощь пострадавшим, но теперь, когда волнение улеглось, я огляделся по сторонам, чтобы узнать, чем же закончился эксперимент. Густой туман почти выветрился, но вокруг по-прежнему почти ничего не было видно и ощущался резкий острый запах.

С большим саркофагом не произошло никаких изменений. Ларец был открыт, и на дне его лежали хлопья черного пепла. Через весь пол, через саркофаг, через ларец тянулась полоса черной масляной копоти. Я подошел к кушетке. Белое покрывало все еще лежало на ней, но оно было откинуто в сторону, как будто кто-то, вставая с кровати, рукой отбросил его.

Царицы Теры на кушетке не было! Ее вообще нигде не было! Я взял Маргарет за руку и отвел в сторону. Она неохотно оставила отца, которому помогала прийти в себя, но не стала противиться и последовала за мной. Крепко сжимая ее руку, я прошептал:

— Что случилось с царицей? Расскажи! Ты была рядом и должна была видеть, что произошло!

Спокойным голосом она ответила:

— Я ничего не могла разглядеть. Пока сквозь дым было еще хоть что-то видно, я не сводила глаз с кушетки, но там ничего не происходило. Потом, когда так стемнело, что ничего уже нельзя было разобрать, я будто почувствовала рядом с собой какое-то движение. Может быть, это доктор Винчестер упал без сознания, не могу точно сказать. Я подумала, вдруг это просыпается царица, поэтому опустила на пол Сильвио. Я не видела, что с ним случилось, но, когда услышала, как он мяукает у двери, у меня возникло ощущение, что он меня предал. Надеюсь, он на меня не обиделся!

Как будто в ответ на ее слова в дверях показался Сильвио, бросился к Маргарет и встал на задние лапы, упираясь передними в ее платье, словно просил, чтобы его взяли на руки. Она наклонилась, подхватила его и стала гладить.

Я вернулся к кушетке и осмотрел ее и все вокруг очень внимательно. Когда мистер Трелони и мистер Корбек пришли в себя (это случилось довольно скоро, хотя доктору Винчестеру понадобилось больше времени), мы вместе еще раз осмотрели всю комнату. Но все, что нам удалось обнаружить, — это горка какого-то мельчайшего порошка, от которого исходил странный запах — будто запах смерти. На кушетке осталось лежать лишь украшение в форме диска и перьев, которым были заколоты волосы царицы, и рубин с вырезанными словами, дающими власть над богами.

Кроме этого, не было ничего, что могло бы подсказать нам, что же произошло сегодня ночью в этом доме. Лишь одно подтверждало наше предположение о том, что мумия окончательно прекратила свое физическое существование: в холле в саркофаге, в который мы поместили кошачью мумию, тоже осталась лишь горсть такого же порошка.

* * *

Осенью мы с Маргарет поженились. На свадебную церемонию она надела платье мумии, ее пояс из драгоценных камней и украшение, которое царица Тера носила на своей голове. На ее груди красовался удивительный рубиновый талисман с семью звездами, на котором было начертано заклинание, позволяющее подчинить своей воле богов всех миров. Он был вправлен в золотой круг в виде стеблей лотоса. Во время церемонии яркие лучи солнца, пробивавшиеся сквозь окна над алтарем, упали на рубин, и он вспыхнул, напоминая живое существо.

Клятвы, произнесенные перед алтарем, очевидно, возымели действие, потому что Маргарет соблюдает их, и нет в мире более счастливого человека, чем я.

Мы часто вспоминаем о царице Тере и не испытываем неловкости, разговаривая о ней. Однажды, когда я со вздохом сказал, как жаль, что она не смогла воскреснуть и жить новой жизнью в новом мире, моя жена, вложив свои руки в мои и глядя прямо на меня выразительными, будто слегка сонными глазами, нежно произнесла:

— Не печалься о ней! Кто знает, возможно, она нашла счастье, которое искала! Любовь и терпение — лишь они делают людей счастливыми в настоящем мире, и в мире прошлого или будущего, и в мире живых или мертвых. Она просто мечтала, а для того, чтобы найти свое счастье, ничего больше и не нужно!

Літературно-художнє видання

СТОКЕР Брем
Прокляття мумії,
або Камінь Семи Зірок
(російською мовою)

Головний редактор
С. С. Скляр
Відповідальний за випуск
О. Е. Лісовикова
Редактор
Р. Є. Хворостяна
Художній редактор
Н. В. Переверзєва
Технічний редактор
А. Г. Верьовкін
Коректор
І. Л. Д'яченко

Підписано до друку 26.03.2007.
Формат 84×108/32. Друк високий.
Гарнітура «Minion».
Ум. друк. арк. 16,8.
Дод. наклад 15 000 пр. Зам. № 7-207.

Книжковий Клуб
«Клуб Сімейного Дозвілля»
Св. № 04059243Ю0017536
від 13.03.2000
61140, Харків-140, просп. Гагаріна, 20а
E-mail: cop@flc-bookclub.com

Віддруковано з готових діапозитивів
у ВАТ «Харківська книжкова
фабрика ім. Фрунзе»
61057, м. Харків,
вул. Донець-Захаржевського, 6/8

Литературно-художественное издание

СТОКЕР Брэм
Проклятие мумии,
или Камень Семи Звезд

Главный редактор
С. С. Скляр
Ответственный за выпуск
Е. Э. Лесовикова
Редактор
Р. Е. Хворостяная
Художественный редактор
Н. В. Переверзева
Технический редактор
А. Г. Веревкин
Корректор
И. Л. Дьяченко

Подписано в печать 26.03.2007.
Формат 84×108/32. Печать высокая.
Гарнитура «Minion».
Усл. печ. л. 16,8.
Тираж 15 000 экз. Зак. № 7-207.

ООО «Книжный клуб
"Клуб семейного досуга"»
308025, г. Белгород, ул. Сумская, 168

Отпечатано с готовых диапозитивов
в ОАО «Харьковская книжная
фабрика им. Фрунзе»
61057, г. Харьков,
ул. Донец-Захаржевского, 6/8

Книжный Клуб «Клуб Семейного Досуга»

УКРАИНА
служба работы с клиентами:

тел. +38-057-783-88-88
E-mail: *support@flc-bookclub.com*
www.bookclub.ua

Адреса фирменных магазинов смотрите на сайте и в каталоге
По вопросам приобретения оптовых партий обращайтесь по тел. +38-044-255-19-86

РОССИЯ
служба работы с клиентами:

тел. +7-4722-36-25-25
в Интернете: *www.ksdbook.ru*
«Книжный клуб», а/я 4, Почтамт, Белгород, 308000

Стокер Б.

С81 Проклятие мумии, или Камень Семи Звезд: Пер. с англ. В. Михалюка. — Харьков: Книжный Клуб «Клуб Семейного Досуга»; Белгород: ООО «Книжный клуб "Клуб семейного досуга"», 2007. — 320 с.

ISBN 978-966-343-618-0 (Украина) (доп. тираж).

ISBN 978-5-9910-0074-1 (Россия).

Успешный адвокат Малькольм Росс полюбил очаровательную Маргарет Трелони — дочь знаменитого ученого-египтолога. Странные события разворачиваются вокруг влюбленных, и корни их уходят в глубь веков, когда древнеегипетская царица Тера добровольно ушла из жизни, чтобы воскреснуть через тысячелетия. Ее мумию и обнаружил отец Маргарет, решивший разгадать связанные с ней тайны…

У этой истории счастливый финал: влюбленные, преодолев все испытания, остаются вместе. Только у читателя, как и у молодого супруга, нет-нет да и мелькнет невольная мысль: кто же на самом деле милая Маргарет — дочь ученого, родившаяся при загадочных обстоятельствах, или воплотившаяся в нее могущественная египетская царица?

Успішний адвокат Малькольм Росс покохав чарівну Маргарет Трелоні — дочку знаменитого вченого-єгиптолога. Дивні події розгортаються навколо закоханих, і корені їх ідуть у глиб століть, коли давньоєгипетська цариця Тера добровільно пішла з життя, щоб воскреснути через тисячоліття. Її мумію і знайшов батько Маргарет, який вирішив розгадати пов'язані з нею таємниці…

У цієї історії щасливий фінал: закохані, переборовши всі випробування, залишаються разом. Тільки в читача, як і в молодого чоловіка, час від часу промайне думка: хто ж насправді мила Маргарет — дочка вченого, яка народилася за загадкових обставин, чи могутня єгипетська цариця, що втілилася в неї?

ББК 84.7США